Le plus granc
Wodehouse est
du hasard ? Terry Pratchett est né en 1948 dans le Buckinghamshire ; nous n'en savons pas davantage. Son hobby, prétendait-il, était la culture des plantes carnivores. Que dire encore de son programme politique ? Il s'était engagé sur un point crucial : augmenter le nombre des orangs-outans à la surface du globe, et les grands équilibres seraient restaurés. Sa vocation fut précoce : il publia sa première nouvelle en 1963 et son premier roman en 1971. D'emblée, il s'affirma comme un grand parodiste : *La Face obscure du soleil* (1976) tourne en dérision *L'Univers connu* de Larry Niven ; *Strate-à-gemmes* (1981) ridiculise une fois de plus la hard SF en partant de l'idée que la Terre est effectivement plate. Mais le grand tournant est pris en 1983. Pratchett publie alors le premier roman de la série du Disque-Monde, brillant pastiche héroï-comique de Tolkien et de ses imitateurs. Traduites dans plus de 30 langues, *Les Annales du Disque-Monde* ont donné lieu à nombre de produits dérivés ainsi qu'à des adaptations télévisées. Terry Pratchett a également coécrit une série avec Stephen Baxter, composée de *La Longue Terre* (2013), *La Longue Guerre* (2014), *La Longue Mars* (2015) et *La Longue Utopie* (2016), publiée aux Éditions de L'Atalante. Terry Pratchett est décédé en mars 2015.

Retrouvez le site consacré à l'auteur sur :
www.terrypratchett.co.uk

LE FAUCHEUR

DU MÊME AUTEUR
CHEZ POCKET

LES ANNALES DU DISQUE-MONDE

1. LA HUITIÈME COULEUR
2. LE HUITIÈME SORTILÈGE
3. LA HUITIÈME FILLE
4. MORTIMER
5. SOURCELLERIE
6. TROIS SŒURCIÈRES
7. PYRAMIDES
8. AU GUET !
9. ERIC
10. LES ZINZINS D'OLIVE OUED
11. LE FAUCHEUR
12. MÉCOMPTES DE FÉES
13. LES PETITS DIEUX
14. NOBLIAUX ET SORCIÈRES
15. LE GUET DES ORFÈVRES
16. ACCROS DU ROC
17. LES TRIBULATIONS D'UN MAGE EN AURIENT
18. MASQUARADE
19. PIEDS D'ARGILE
20. LE PÈRE PORCHER
21. VA-T-EN-GUERRE
22. LE DERNIER CONTINENT
23. CARPE JUGULUM
24. LE CINQUIÈME ÉLÉPHANT
25. LA VÉRITÉ
26. PROCRASTINATION
27. RONDE DE NUIT
28. LE RÉGIMENT MONSTRUEUX
29. TIMBRÉ
30. JEU DE NAINS
31. L'HIVERRIER
32. MONNAYÉ

LA FACE OBSCURE DU SOLEIL
STRATE-À-GEMMES
LE FABULEUX MAURICE ET SES RONGEURS SAVANTS
LES CH'TITS HOMMES LIBRES
UN CHAPEAU DE CIEL
LES RECETTES DE NOUNOU OGG

avec STEPHEN BAXTER
LA LONGUE TERRE

SCIENCE-FICTION

Collection dirigée par Stéphane Desa

TERRY PRATCHETT

LES ANNALES DU DISQUE-MONDE

LE FAUCHEUR

Traduit de l'anglais
par Patrick Couton

L'ATALANTE

Titre original :
REAPERMAN

Patrick Couton a obtenu le Grand Prix de l'Imaginaire 1998 pour l'ensemble de ses tradutions des *Annales du Disque-Monde*.

Pocket, une marque d'Univers Poche, est un éditeur qui s'engage pour la préservation de son environnement et qui utilise du papier fabriqué à partir de bois provenant de forêts gérées de manière responsable.

ISBN : 978-2-266-21191-8

La danse Morris est commune à tous les mondes habités du multivers.

On la danse sous des cieux d'azur pour célébrer le réveil de la terre et sous des étoiles stériles parce que c'est le printemps et qu'avec un peu de chance le dioxyde de carbone se dégèlera une fois encore. Ce besoin impérieux anime aussi bien des créatures abyssales qui n'ont jamais vu le soleil que des citadins dont le seul contact avec les cycles de la nature remonte au jour où leur Volvo a écrasé un mouton.

Elle est dansée innocemment par de jeunes mathématiciens à la barbe hirsute au son d'un accordéon qui maîtrise mal *le Pensionnaire de madame Widgery,* et impitoyablement par des groupes tels que les Danseurs Morris Ninja de La Nouvelle-Ankh, capables des pires horreurs avec un simple mouchoir et une clochette.

Et on ne la danse jamais correctement.

Sauf sur le Disque-Monde, monde plat porté à dos de quatre éléphants qui naviguent à travers l'espace sur la carapace de la Grande A'Tuin, la tortue stellaire.

Et même sur le Disque-Monde, on ne la danse correctement que dans un seul endroit. Dans un petit village en altitude des montagnes du Bélier, où le grand secret tout bête se transmet de génération en génération.

Là, les hommes dansent au premier jour du printemps, d'avant en arrière, des clochettes attachées sous les genoux, chemises blanches au vent. On vient les voir. On partage ensuite un bœuf rôti et on estime généralement que c'est une bonne sortie pour toute la famille.

Mais ce n'est pas ça, le secret.

Le secret, c'est *l'autre* danse.

Et pour celle-là, il faut attendre encore un moment.

Un tic-tac s'égrène, tel que pourrait en produire une horloge. Et il existe effectivement dans le ciel une horloge qui distille les tic-tac des secondes fraîchement forgées.

Du moins, ça ressemble à une horloge. Mais c'est en fait tout le contraire, et la grande aiguille n'en fait le tour qu'une seule fois.

Une plaine s'étend sous un ciel morne. De douces ondulations la parcourent qui pourraient rappeler autre chose si on voyait l'ensemble de très loin, et si on le voyait de très loin, on serait bien content de se trouver, disons, très loin.

Trois silhouettes grises flottent juste au-dessus. Ce qu'elles sont exactement, aucune langue ordinaire ne peut le décrire. Certains les appelleraient peut-être des chérubins mais chercheraient en vain leurs joues roses. On pourrait les assimiler à ceux qui s'assurent que s'exercent normalement les lois de la pesanteur et que le temps reste bien distinct de l'espace. Appelons-les des contrôleurs. Des contrôleurs de la réalité.

Ils conversaient sans pour autant parler. Ils n'avaient pas besoin de parler. Il leur suffisait de modifier la réalité de façon qu'ils aient déjà parlé.

L'un dit : Le cas ne s'est jamais présenté. Est-ce faisable ?

L'un dit : Il faudra bien. Il s'agit ici d'une *personnalité.* Les personnalités ont une fin. Seules les forces perdurent.

L'entité exprima ces mots avec une certaine satisfaction.

L'un dit : Et puis… des irrégularités ont été commises. Qui dit personnalité dit irrégularités. C'est bien connu.
L'un dit : A-t-il mal fait son travail ?
L'un dit : Non. On ne peut pas lui reprocher ça.
L'un dit : Tout le problème est là. Dans le pronom « lui ». Acquérir une personnalité, c'est déjà mal. Nous ne voulons pas que l'exemple se répande. Imaginez un peu, si la gravité s'octroyait une personnalité ? Qu'elle décidait d'aimer les gens ?
L'un dit : Qu'elle en *tombe* amoureuse, quoi ?
L'un dit, d'une voix qui aurait été plus froide si elle n'avoisinait pas déjà le zéro absolu : Non.
L'un dit : Pardon. Une petite blague à moi.
L'un dit : En plus, il se pose parfois des questions sur son travail. De telles élucubrations sont dangereuses.
L'un dit : Là, pas d'objection.
L'un dit : Alors, nous sommes d'accord ?
L'un, qui avait l'air de ruminer quelque chose depuis quelque temps, dit : Un moment. Ne venez-vous pas d'employer le pronom personnel « moi » ? Vous ne développeriez pas une personnalité, des fois ?
L'un dit, d'un air coupable : Qui ? Nous ?
L'un dit : Qui dit personnalité dit discorde.
L'un dit : Oui. Oui. Très juste.
L'un dit : Entendu. Mais faites attention à l'avenir.
L'un dit : Alors, nous sommes d'accord ?
Ils levèrent les yeux vers la face d'Azraël dont les contours apparaissaient sur fond de ciel. En fait, *c'était* le ciel.
Azraël hocha lentement la tête.
L'un dit : Bon. C'est où, ce pays-là ?
L'un dit : C'est le Disque-Monde. Il parcourt l'espace sur le dos d'une tortue géante.
L'un dit : Oh, un de ces machins-là. Je les ai en horreur.
L'un dit : Vous recommencez. Vous avez dit « je ».
L'un dit : Non ! Non ! Je ne l'ai pas dit ! Je n'ai jamais dit « je » !… Oh, merde…
Il s'embrasa et se consuma à la façon d'un petit nuage

de vapeur, vite et sans saletés résiduelles. Presque aussitôt, un autre apparut. Quasiment identique à son frère parti en fumée.

L'un dit : Que ça serve de leçon. Devenir une personnalité, c'est avoir une fin. Et maintenant… allons-nous-en.

Azraël les regarda filer avec légèreté.

Il est difficile de sonder les pensées d'un être si vaste que, dans l'espace réel, sa longueur ne se mesurerait qu'en termes de vitesse de la lumière. Mais il tourna sa masse gigantesque et, parmi la myriade de mondes existants, ses yeux où des étoiles pourraient s'abîmer en cherchèrent un plat.

Sur le dos d'une tortue. Le Disque-Monde… Monde et miroir des mondes.

Ç'avait l'air intéressant. Et, dans sa prison d'un milliard d'années, Azraël s'ennuyait.

Et voici la salle où le futur se déverse dans le passé *via* le goulet du présent.

Des sabliers tapissent les murs. Pas vraiment des sabliers, bien qu'ils en aient la forme. Rien à voir non plus avec ces souvenirs pour la cuisson des œufs, fixés sur une petite plaque où s'étale le nom d'un quelconque séjour de vacances libellé par un artiste sans vergogne aussi doué pour la calligraphie qu'un beignet à la confiture.

D'ailleurs, ces sabliers ne contiennent pas de sable. Plutôt des secondes qui changent interminablement le *peut-être* en *révolu.*

Et chaque compte-vie porte un nom.

Et la salle baigne dans le sifflement ténu des mortels en train de vivre.

Imaginez la scène…

Et maintenant ajoutez-y un cliquetis qui s'approche, le cliquetis sec de l'os sur la pierre.

Une forme sombre traverse le champ de vision et remonte les rayonnages sans fin de verrerie sifflante. *Clic, clic.* Voici un sablier dont l'ampoule supérieure est presque vide. Des doigts osseux se lèvent et s'avancent. Retirent le sablier. En voici un autre. Retiré, lui aussi. Et encore d'autres. Beaucoup, beaucoup d'autres. Retirés, retirés.

La routine, quoi. Tous les jours la même chose. Sauf qu'ici les jours n'existent pas.

Clic, clic. La forme sombre passe patiemment en revue les rangées de sabliers.

Et s'arrête.

Hésite.

Parce qu'elle repère un petit sablier d'or, guère plus grand qu'une montre.

Il n'était pas là la veille, sauf qu'ici les veilles n'existent pas non plus.

Des doigts osseux se referment sur l'objet et le lèvent à la lumière.

Il porte un nom en petites capitales. Ce nom, c'est : LA MORT.

La Mort repose le sablier, puis le reprend. Les grains de sable du temps s'écoulent déjà. Il le retourne, pour voir, au cas où. Le sable continue de s'écouler, mais vers le haut cette fois. Il s'y attendait plus ou moins.

Ce qui veut dire, même si les lendemains n'existent pas ici, qu'il n'y en aura pas. Qu'il n'y en aura plus.

La Mort sent un déplacement d'air dans son dos.

Il se retourne lentement et interpelle la silhouette indistincte qui tremblote dans la pénombre.

« POURQUOI ? »

La silhouette lui répond.

« MAIS CE N'EST PAS... NORMAL. »

La silhouette lui répond que si, c'est normal.

Pas un muscle ne bouge sur la figure de la Mort, vu qu'il n'en a pas.

« JE VAIS FAIRE APPEL. »

La silhouette lui répond qu'il doit bien le savoir, il n'y a pas d'appel possible. Jamais d'appel. Jamais.

La Mort réfléchit, puis fait remarquer

« J'AI TOUJOURS ACCOMPLI MON DEVOIR AU MIEUX. »

La silhouette flotte plus près. Elle a vaguement l'air d'un moine encapuchonné en bure grise.

La silhouette lui répond : Nous savons. C'est pourquoi nous vous laissons le cheval.

Le soleil rasait l'horizon.

Les créatures dotées de l'existence la plus brève du Disque sont les éphémères, leur durée de vie ne dépasse guère vingt-quatre heures. Deux des plus âgées zigzaguaient sans but au-dessus des eaux d'une rivière à truites et discutaient d'histoire avec quelques jeunes congénères de l'éclosion du soir.

« On n'a plus le soleil d'autrefois, fit l'une.

— C'est bien vrai. On avait du vrai soleil aux bonnes vieilles heures. Tout jaune. Rien à voir avec ce machin rouge.

— Il était plus haut, avec ça.

— Oui. Vous avez raison.

— Les nymphes et les larves vous témoignaient un peu de respect.

— Oui. C'est sûr, renchérit l'autre avec véhémence.

— M'est avis que si les éphémères de ces heures-ci se conduisaient un peu mieux, on aurait encore un vrai soleil. »

Les jeunes écoutaient, avec déférence.

« Je me souviens, reprit une vieille, quand tout ça, c'était des champs à perte de vue. »

Les jeunes regardèrent autour d'elles. « Ce sont encore des champs, hasarda l'une d'elles après une pause polie.

— Je me souviens quand c'étaient des champs mieux que ça, répliqua sèchement la vieille.

— Ouais, fit sa collègue. Et il y avait une vache.

— C'est vrai ! Vous avez raison ! Je m'en souviens, de cette vache ! Elle est restée là-bas pendant… oh, quarante, cinquante minutes. Elle était marron, je me rappelle.

— On n'a plus de vaches comme ça de nos heures.

— On n'a plus de vaches du tout.

— C'est quoi, une vache ? demanda l'une des nouveau-nées.

— Vous voyez ? fit la plus vieille d'un ton triomphant. C'est bien ça, l'éphéméroptère moderne. » Elle marqua un temps. « Qu'est-ce qu'on faisait avant de parler du soleil ?

— On zigzaguait au hasard au-dessus de l'eau », répondit une jeune éphémère. Elle ne risquait guère de se tromper.

« Non, avant ça.

— Euh… Vous nous parliez de la Grande Truite.

— Ah. Oui. C'est ça. La Truite. Eh bien, vous voyez, quand on a été une bonne éphémère, qu'on a zigzagué comme il faut ici et là…

— … Et fait attention à ses aînées et supérieures…

— … oui, et fait attention à ses aînées et supérieures, alors la Grande Truite finit par… »

Gloup.

Gloup.

« Oui ? » fit une des jeunes éphémères.

Pas de réponse.

« La Grande Truite finit par quoi ? » lança nerveusement une autre.

Elles baissèrent la tête vers une succession de ronds qui s'élargissaient à la surface de l'eau.

« Le signe sacré ! s'exclama une éphémère. Je me rappelle qu'on m'en a parlé ! Un grand cercle sur l'eau ! Par ce signe se manifestera la Grande Truite ! »

La plus âgée des jeunes éphémères contempla la rivière d'un air songeur. Elle commençait à se dire qu'elle héritait désormais, en tant qu'aînée des éphémères présentes, du privilège de voler au plus près de la surface.

« À ce qu'on dit, fit une collègue tout en haut de la nuée zigzagante, quand la Grande Truite vient vous chercher, vous vous retrouvez dans un pays où coule… où coule… » Les éphémères ne mangent pas. Elle ne trouvait pas ses mots. « Où coule l'eau, termina-t-elle comme elle put.

— Je me demande, fit l'aînée.

— Ça doit être drôlement bien, là-bas, dit la plus jeune.

— Oh ? Pourquoi donc ?

— Parce que personne ne veut jamais en revenir. »

Par ailleurs, ce que le Disque compte de plus vieux, ce sont les célèbres pins comptables qui poussent à la limite des neiges éternelles des hautes montagnes du Bélier.

Le pin comptable reste un des rares exemples connus d'évolution d'emprunt.

La plupart des espèces évoluent toutes seules au fil du temps, ainsi que l'a voulu dame Nature. Une méthode parfaitement naturelle, donc organique, accordée sur les cycles mystérieux du cosmos, lequel estime que rien ne vaut des millions d'années d'essais et d'échecs bien frustrants pour dérouiller une espèce et, dans certains cas, lui donner une bonne trempe.

Ce qui est sans doute bien joli au niveau de l'espèce en général, mais du point de vue des individus concernés, c'est une vraie cochonnerie, du moins un petit reptile rose amateur de racines susceptible d'entrer un jour dans la famille porcine.

Aussi les pins comptables évitent-ils tous ces désagréments en laissant les autres végétaux se charger de leur évolution à leur place. Une graine de pin qui se dépose n'importe où sur le Disque récupère aussitôt le code génétique local le plus efficace grâce à la résonance morphique et pousse sous la forme la mieux adaptée au terrain et au climat, en quoi elle se révèle beaucoup plus habile que les arbres indigènes qu'elle spolie d'ailleurs la plupart du temps.

Mais ce qui rend les pins comptables particulièrement intéressants, c'est leur façon de compter.

Vaguement conscients que les humains avaient appris à déterminer l'âge d'un arbre en dénombrant ses anneaux, les premiers pins comptables se sont dit que c'était la raison pour laquelle on les abattait.

Durant la nuit, chaque pin comptable rectifiait son code génétique afin d'afficher sur son tronc, à peu près au niveau des yeux et en lettres pâles, son âge précis. En l'espace d'un an ils frôlèrent l'extinction, décimés par l'industrie de la plaque ornementale des numéros de maisons, et quelques-uns seulement survécurent dans des secteurs difficiles d'accès.

Les six pins comptables d'un massif écoutaient le plus ancien, dont le tronc noueux lui attribuait trente et un mille sept cent trente-quatre ans. La discussion est ici rapportée en accéléré, car elle prit en fait dix-sept ans.

« Je me souviens quand tout ça, ce n'était pas des champs. »

Les pins embrassèrent du regard mille kilomètres de paysage. Le ciel tremblotait comme un mauvais trucage de cinéma sur le voyage dans le temps. De la neige apparut, resta un moment puis fondit.

« Il y avait quoi, alors ? demanda le pin le plus proche.

— De la glace. Si on peut appeler ça de la glace. On avait de vrais glaciers dans le temps. Pas comme ceux d'aujourd'hui, qui restent une saison et disparaissent aussitôt. Ils duraient une éternité.

— Il lui est arrivé quoi, à cette glace, alors ?

— Elle est partie.

— Partie où ?

— Là où vont les choses. Tout finit toujours par s'en aller comme s'il y avait le feu.

— Hou-là ! Il était dur, celui-là.

— Quoi donc ?

— L'hiver qu'on vient de passer.

— Vous appelez ça un hiver, vous ? Quand j'étais arbrisseau, là, oui, on avait des hivers… »

L'arbre disparut.

Après un silence accablé de deux ans, un membre du massif s'exclama : « Il est parti ! Comme ça ! Il était là, et puis, pouf, parti ! »

Si les autres arbres avaient été humains, ils auraient raclé des pieds par terre.

« Ce sont des choses qui arrivent, mon gars, dit l'un d'eux avec circonspection. On l'a emmené vers un Meilleur Emplacement[1], tu peux en être sûr. C'était un bon arbre. »

Le jeune arbre, âgé seulement de cinq mille cent onze ans, demanda : « Un meilleur emplacement de quel genre ?

— On n'est pas sûr », répondit un congénère du massif. Il tremblait, mal à l'aise, sous les assauts d'une bourrasque qui soufflait depuis une semaine. « Mais on croit qu'il y a… de la sciure. »

Vu que les arbres ne pouvaient même pas avoir conscience du moindre événement se produisant en moins d'un jour, ils n'entendirent jamais les coups de hache.

Vindelle Pounze, le plus vieux mage de toute l'Université de l'Invisible…

… siège de magie, de sorcellerie et de banquets…

… allait lui aussi mourir.

Il le savait, animé d'un pressentiment fragile et tremblotant.

Évidemment, songeait-il alors qu'il propulsait sur les dalles son fauteuil roulant vers son cabinet de plain-pied, tout le monde pressent plus ou moins quand il va mourir, même le petit peuple. On ne sait pas où on se trouvait avant de naître, mais une fois né, on ne tarde pas à s'apercevoir qu'on a en main son billet retour déjà poinçonné.

1. En l'occurrence, trois meilleurs emplacements. Les portes d'entrée des numéros 31, 7 et 34 de la rue de l'Orme, Ankh-Morpork.

Mais les mages, eux, savent vraiment. Sauf dans le cas où le décès procède de la violence ou du meurtre, bien entendu. Mais s'il n'est dû qu'à une simple expiration de la vie, eh bien… on sait, voilà. On le pressent généralement à temps pour rendre les livres à la bibliothèque, s'assurer que son meilleur costume est propre et emprunter de grosses sommes d'argent aux amis.

Il avait cent trente ans. Il lui vint à l'esprit qu'il avait été vieux la majeure partie de son existence. Il ne trouvait pas ça très juste, à la vérité.

Et personne n'avait rien dit. Il avait lâché deux ou trois allusions la semaine dernière dans la Salle Peu Commune, et personne n'avait compris. Et aujourd'hui, au déjeuner, c'est tout juste si on lui avait adressé la parole. Même ses soi-disant amis avaient l'air de l'éviter, et pourtant il n'essayait même pas de leur emprunter de l'argent.

C'était comme si on oubliait de lui souhaiter son anniversaire, mais en pire.

Il allait mourir tout seul, et tout le monde s'en fichait.

Il ouvrit la porte d'un coup de roue de fauteuil et farfouilla sur la table voisine pour trouver son briquet à amadou.

Encore un détail, ça. Presque plus personne n'utilisait le briquet à amadou, ces temps-ci. On achetait les grosses allumettes jaunes et nauséabondes que fabriquaient les alchimistes. Vindelle désapprouvait. C'était important, le feu. On n'aurait pas dû pouvoir l'allumer facilement comme ça, c'était manquer de respect. Voilà bien le monde d'aujourd'hui, toujours à courir dans tous les sens et… le feu. Oui, il était aussi beaucoup plus chaud dans le temps. Celui qu'on obtenait de nos jours ne réchauffait pas, à moins de quasiment s'asseoir dessus. C'était quelque chose dans le bois… Pas le bon bois. Plus rien n'était bon aujourd'hui. Tout devenait plus inconsistant. Plus flou. Il n'y avait plus de vraie vie dans rien. Et les jours étaient plus courts. Hmm. Quelque chose clochait du côté des jours. C'étaient des jours plus courts. Hmm. Chaque jour mettait un temps fou à s'écouler, phénomène d'autant plus curieux qu'ils défilaient à toute allure dès lors qu'on les prenait en bloc. On n'exigeait pas grand-chose d'un mage de cent trente ans, et Vindelle avait pris l'habitude de s'attabler jusqu'à deux heures avant le début des repas, histoire de passer le temps.

Des jours interminables qui filaient à la vitesse de l'éclair. Ça n'avait pas de sens. Hmm. Remarquez, on n'avait plus le sens qu'on avait dans le temps.

Et on laissait des gamins diriger l'Université, aujourd'hui. Dans le temps, on la confiait à de vrais mages, des costauds bâtis comme des péniches, pour lesquels on avait du respect. Soudain, ils avaient tous disparu on ne savait où, et ces gamins, dont certains avaient encore quelques-unes de leurs vraies dents, traitaient Vindelle avec condescendance. Comme ce petit Ridculle. Vindelle se souvenait parfaitement de lui. Un gamin maigre, aux oreilles décollées, qui ne se mouchait jamais proprement, qui avait réclamé sa mère en pleurant dès sa première nuit au dortoir. Toujours à méditer un mauvais coup. On avait voulu faire croire à Vindelle que Ridculle était maintenant archichancelier. Hmm. On devait le prendre pour un débile.

Il était où, ce foutu briquet ? Ah, les doigts… On avait de vrais doigts, dans le temps…

Quelqu'un découvrit une lanterne. Quelqu'un d'autre fourra un verre dans sa main tâtonnante.

« Surprise ! »

Dans le vestibule de la maison de la Mort se dresse une horloge au balancier comme une lame, mais dépourvue d'aiguilles, parce que dans la maison de la Mort n'existe d'autre temps que le présent. (Il y a eu, bien entendu, un présent avant le présent actuel, mais c'était aussi le présent. Un présent plus vieux, c'est tout.)

Le balancier est une lame qui aurait donné envie à Edgar Allan Poe d'arrêter d'écrire pour entamer une carrière de comique solo dans des tournées de patronages.

Il va et vient en ronronnant, découpe en douceur de fines tranches de temps dans le jambon de l'éternité.

La Mort passa devant l'horloge à grands pas et pénétra dans les ténèbres opaques de son cabinet de travail. Albert, son serviteur, l'attendait avec la serviette et les chiffons.

« Bonjour, maître. »

La Mort s'assit en silence dans son grand fauteuil. Albert étala la serviette sur les épaules anguleuses. « Encore une belle journée », dit-il histoire de lancer la conversation.

La Mort ne répondit pas.

Albert fit claquer le chiffon à reluire et rabaissa le capuchon de son maître.

« ALBERT.

— Monsieur ? »

La Mort sortit le tout petit sablier d'or.

« TU VOIS ÇA ?

— Oui, monsieur. Très joli. Encore jamais vu des comme ça. Celui de qui ?

— LE MIEN. »

Les yeux d'Albert pivotèrent. Sur un coin du bureau de la Mort trônait un gros sablier dans un cadre noir. Il ne contenait pas de sable.

« J' croyais que c'était l'autre, là-bas, le vôtre, dit-il.

— ÇA L'ÉTAIT. MAINTENANT C'EST CELUI-CI. UN CADEAU DE DÉPART EN RETRAITE. DE LA PART D'AZRAËL LUI-MÊME. »

Albert examina l'objet dans la main de la Mort.

« Mais… le sable, monsieur. Il s'écoule.

— ON DIRAIT.

— Mais ça veut dire… Je veux dire… ?

— ÇA VEUT DIRE QU'UN JOUR TOUT LE SABLE SE SERA ÉCOULÉ, ALBERT.

— Ça, je l'sais, monsieur, mais… vous… Je croyais que le temps, c'était bon pour les autres, monsieur. Non ? Pas pour vous, monsieur. » À la fin de la phrase, la voix d'Albert était implorante.

La Mort retira la serviette et se leva.

« VIENS AVEC MOI.

— Mais vous êtes la Mort, maître, dit Albert en courant sur ses jambes torses à la suite de la haute silhouette qui traversait déjà le vestibule avant d'enfiler le couloir menant à l'écurie. C'est pas une blague, dites ? ajouta-t-il avec espoir.

— JE N'AI PAS UNE RÉPUTATION DE FARCEUR.

— Ben, non, évidemment, faites excuse. Mais écoutez, vous pouvez pas mourir, vu que vous êtes la Mort, faudrait que vous vous arriviez à vous-même, ce serait comme un serpent qui se mordrait la queue…

— JE VAIS QUAND MÊME MOURIR. C'EST SANS APPEL.

— Mais moi, qu'est-ce que j'vais devenir ? » geignit Albert. La terreur luisait sur ses paroles comme des particules de métal sur le fil d'un couteau.

« IL Y AURA UNE AUTRE MORT. »

Albert se redressa. « Je m'sens vraiment pas capable de servir un nouveau maître, déclara-t-il.

— ALORS RETOURNE DANS LE MONDE. JE TE DONNERAI DE L'ARGENT. TU AS ÉTÉ UN BON SERVITEUR, ALBERT.

— Mais si j'retourne…

— OUI, dit la Mort. TU MOURRAS. »

Dans l'obscurité chaude et chevaline de l'écurie, le coursier pâle de la Mort leva la tête de son avoine et poussa un petit hennissement de bienvenue. Il avait pour nom Bigadin. C'était un vrai cheval. La Mort avait par le passé essayé des coursiers tout feu tout flamme et des montures squelettiques sans les trouver pratiques, surtout les coursiers tout feu tout flamme qui avaient tendance à incendier leurs propres litières et à rester au beau milieu, l'air gêné.

La Mort décrocha la selle de son support et lança un coup d'œil à un Albert en proie à un cas de conscience.

Des milliers d'années plus tôt, Albert avait choisi de servir la Mort plutôt que de mourir. Il n'était pas exactement immortel. Le temps réel était interdit de cité au royaume de la Mort. Seul existait le présent perpétuellement changeant, mais il durait une éternité. Il lui restait moins de deux mois de temps réel ; il les dorlotait comme des lingots d'or.

« Je... euh..., commença-t-il. C'est...

— TU AS PEUR DE MOURIR ?

— C'est pas que j'veux pas... J'veux dire, j'ai toujours... La vie, c'est une habitude difficile à perdre, quoi... »

La Mort le regarda curieusement, comme on regarde un scarabée tombé sur le dos qui n'arrive pas à se retourner.

Finalement, Albert se tut.

« JE COMPRENDS, dit la Mort en décrochant la bride de Bigadin.

— Mais ç'a pas l'air de vous tracasser ! Vous allez vraiment mourir ?

— OUI. CE SERA UNE GRANDE AVENTURE.

— Ah bon ? Vous avez pas peur ?

— JE NE SAIS PAS COMMENT ON A PEUR.

— Je peux vous montrer si vous voulez, hasarda Albert.

— NON. JE PRÉFÈRE APPRENDRE TOUT SEUL. JE VAIS VIVRE DES EXPÉRIENCES. ENFIN.

— Maître... si vous partez, est-ce qu'il y aura... ?

— UNE NOUVELLE MORT SURGIRA DE L'ESPRIT DES VIVANTS, ALBERT.

— Oh. » Albert avait l'air soulagé. « Vous sauriez pas à quoi il ressemble, des fois ?

— NON.

— Faudrait peut-être, vous savez, que j'nettoie un brin la maison, que j'fasse un inventaire, des trucs comme ça ?

— BONNE IDÉE, dit la Mort aussi gentiment que possible. QUAND JE VERRAI LA NOUVELLE MORT, JE TE RECOMMANDERAI CHAUDEMENT.

— Oh. Vous allez le voir, alors ?

— OH, OUI. ET JE DOIS PARTIR TOUT DE SUITE.

— Quoi ? Si vite ?

— CERTAINEMENT. PAS DE TEMPS À PERDRE ! » La Mort

sella Bigadin, puis il se retourna et tendit fièrement le tout petit sablier sous le nez crochu d'Albert.

« REGARDE ! J'AI DU TEMPS. J'AI ENFIN DU TEMPS ! »

Albert recula nerveusement. « Et maintenant que vous en avez, vous allez en faire quoi ? » demanda-t-il.

La Mort enfourcha son cheval.

« JE VAIS L'EMPLOYER, TIENS. »

La fête battait son plein. La banderole frappée de la légende *Au revoire Vindelle – 130 ans épathants* commençait un peu à pendouiller dans la chaleur. On en était au stade où il ne restait plus rien à boire que du punch, ni à manger que les tortillas extrêmement louches et la sauce jaune bizarre, et *tout le monde s'en fichait.* Les mages papotaient avec l'entrain forcé des collègues de travail qui se voient toute la journée et se revoient encore toute la soirée.

Vindelle Pounze trônait au beau milieu de tout ça, un gigantesque verre de rhum à la main et un chapeau rigolo sur la tête. Il était presque en larmes.

« Une vraie fête de Départ ! n'arrêtait-il pas de marmonner. J'en avais pas vu depuis que le vieux "Gratteur" Planteclou est parti, articula-t-il si soigneusement qu'on entendait les majuscules. C'était… hmm… l'année du Marsouin… hmm… intimidant. J'croyais que tout le monde avait oublié ça.

— Le bibliothécaire a recherché les détails pour nous, expliqua l'économe en désignant un gros orang-outan qui s'efforçait de souffler dans une langue de belle-mère. C'est aussi lui qui a préparé la sauce à la banane. J'espère que quelqu'un ne va pas tarder à la manger. »

Il se pencha.

« Est-ce que je peux vous servir encore un peu de salade de pommes de terre ? » demanda-t-il de la voix délibérément sonore qu'on réserve aux imbéciles et aux vieillards.

Vindelle se mit une main tremblante en coupe autour de l'oreille.

« Quoi ? Quoi ?

— Encore ! Salade ! Vindelle ?

— Non, merci.

— Une autre saucisse, alors ?

— Quoi ?

— Saucisse !

— Ça me donne des gaz affreux toute la nuit », répondit Vindelle. Il réfléchit un instant, puis il en prit cinq.

« Euh…, cria l'économe, est-ce que vous sauriez, des fois, à quelle heure…

— Hein ?

— À quelle ! Heure ?

— Neuf heures et demie, répondit aussitôt mais indistinctement Vindelle.

— Ben, ça, c'est chouette, fit l'économe. Ça vous laisse le reste de la soirée… euh… libre. »

Vindelle farfouilla dans les replis innommables de son fauteuil roulant, véritable cimetière pour coussins flétris, livres écornés et vieux bonbons à demi sucés. Il brandit un petit bouquin à couverture verte et le fourra dans les mains de l'économe.

L'économe le retourna. Griffonnés sur la couverture, s'étalaient les mots : *Vindelle Pounze – Son Journale.* Un bout de couenne de jambon marquait la page du jour.

Au chapitre des « choses à faire », on avait écrit en pattes de mouche : *Mourir*.

L'économe ne put s'empêcher de tourner la page.

Oui. À la date du lendemain, « choses à faire » : *Naître*.

Son regard glissa en coin vers une petite table en bordure de la salle. Malgré la cohue, il restait une zone dégagée autour d'elle, comme si elle bénéficiait d'un espace personnel que nul ne devait franchir.

La cérémonie du Départ imposait des mesures particulières en ce qui concernait la table. Elle devait être revêtue d'un tissu noir brodé de quelques symboles magiques. Elle supportait une assiette remplie d'un assortiment des meilleurs canapés. Et un verre de vin. À l'issue d'une discussion interminable entre mages, on y avait aussi ajouté un chapeau en carton rigolo.

Tout le monde avait l'air d'attendre.

L'économe sortit sa montre et ouvrit le couvercle d'une pichenette.

Il s'agissait d'une de ces montres de gousset dernier cri, avec des aiguilles. Elle affichait neuf heures et quart. Il la secoua. Un petit panneau s'ouvrit sous le chiffre 12 par où un minuscule démon passa la tête et lança : « Mollo, patron, j'pédale aussi vite que j'peux, moi. »

L'économe referma la montre et jeta un regard désespéré autour de lui. Personne d'autre n'avait apparemment envie de s'approcher de Vindelle Pounze. L'économe sentit qu'il lui revenait, par politesse, d'alimenter la conversation. Il passa en revue des sujets possibles. Tous lui parurent délicats.

Vindelle Pounze le tira d'embarras. « Je me demande si je ne vais pas revenir en femme », dit-il d'un air dégagé.

L'économe ouvrit et referma la bouche plusieurs fois.

« J'attends ça avec impatience, poursuivit Pounze. Ça pourrait être… hmm… drôlement marrant. »

L'économe passa frénétiquement en revue son maigre répertoire en matière de bavardage sur les femmes. Il se pencha vers l'oreille noueuse de Vindelle.

« Est-ce que ça n'implique pas, lança-t-il au hasard, de laver des tas de machins ? De faire les lits, la cuisine, tout ça ?

— Pas dans le genre de… hmm… vie que j'ai en tête », lui assura Vindelle.

L'économe se tut. L'archichancelier tapa sur une table à coups de cuiller. « Frères… », commença-t-il une fois qu'il eut obtenu un semblant de silence. Ce qui déclencha une salve d'applaudissements aussi tonitruante que désordonnée.

« … Comme vous le savez tous, nous sommes réunis ici ce soir pour célébrer la… euh… *retraite* (rires nerveux) de notre vieil ami et collègue Vindelle Pounze.

Vous savez, quand je vois le vieux Vindelle assis parmi nous ce soir, ça me rappelle, comme par hasard, l'histoire de la vache qui avait trois jambes de bois. Il y avait donc une vache, et... »

L'économe laissa son esprit vagabonder. Il connaissait l'histoire. L'archichancelier sabotait toujours la chute, et de toute façon il avait d'autres choses en tête.

Il n'arrêtait pas de se retourner pour regarder du côté de la petite table.

L'économe était un brave homme, quoique nerveux, et il aimait bien son travail. Un travail, d'ailleurs, dont aucun autre mage ne voulait. Des tas de mages rêvaient d'être archichancelier, par exemple, ou de diriger l'un des huit ordres de magie, mais quasiment aucun n'avait envie de passer beaucoup de temps dans un bureau à brasser des bouts de papier et à faire des additions. Toute la paperasse de l'Université avait tendance à s'accumuler dans le bureau de l'économe, ce qui voulait dire qu'il allait se coucher épuisé le soir mais qu'au moins il dormait d'un sommeil de plomb et n'était pas obligé de vérifier minutieusement qu'aucun scorpion ne s'était égaré dans sa chemise de nuit.

Éliminer un mage de grade supérieur est un moyen reconnu d'obtenir de l'avancement au sein des ordres. Mais pour vouloir tuer l'économe, il aurait fallu trouver un plaisir solitaire à lire des colonnes de chiffres proprement alignés, et ce type d'amateur ne s'adonne pas souvent au meurtre [1].

Il se rappela son enfance, une éternité plus tôt, dans les montagnes du Bélier. Chaque nuit du Porcher, sa sœur et lui laissaient un verre de vin et un gâteau dehors pour le père Porcher. Tout était différent, à l'époque. Il était beaucoup plus jeune, ne savait pas grand-chose et vivait probablement bien plus heureux.

Par exemple, il ne savait pas qu'il serait un jour mage

1. Du moins jusqu'au jour où ils empoignent soudain un coupe-papier, se frayent un chemin à coups de taille dans la comptabilité analytique et entrent dans l'histoire de la médecine légale.

et s'associerait à d'autres mages pour déposer un verre de vin, un gâteau, un vol-au-vent au poulet plutôt suspect et un chapeau de fête en carton à l'intention de…

… quelqu'un d'autre.

Il y avait aussi des fêtes du Porcher quand il était petit. Elles suivaient toujours le même scénario. Juste au moment où les enfants s'étaient rendus presque malades d'excitation, un adulte lançait malicieusement : « Je crois qu'on va recevoir une visite pas ordinaire ! » Et, chose étonnante, comme s'il n'avait attendu que ça, un tintement louche de cloches porcines retentissait de l'autre côté de la fenêtre, et alors entrait…

… et alors entrait…

L'économe secoua la tête. Un grand-père affublé d'une fausse barbe. Un vieux rigolo chargé d'un sac de jouets qui tapait des pieds pour débarrasser ses bottes de la neige. Quelqu'un qui *donnait* quelque chose.

Alors que *ce soir*…

Évidemment, le vieux Vindelle avait sans doute une opinion différente sur la question. Au bout de cent trente ans, la mort doit offrir un certain attrait. On a sûrement envie de savoir ce qui se passe après.

L'anecdote alambiquée de l'archichancelier serpenta cahin-caha jusqu'à sa conclusion. L'assemblée de mages émit des rires respectueux puis s'efforça de comprendre la blague.

L'économe consulta sa montre en douce. Il était à présent neuf heures vingt.

Vindelle Pounze fit un discours. Un discours long, haché, décousu sur le bon vieux temps. Il avait l'air de prendre la plupart des gens qui l'entouraient pour des collègues morts en réalité depuis une cinquantaine d'années, mais ça n'avait aucune importance parce qu'on avait pour habitude de ne jamais écouter le vieux Vindelle.

L'économe n'arrivait pas à détacher les yeux de sa montre. De l'intérieur provenait un couinement de pédales tandis que le démon tricotait patiemment des jambes vers l'infini.

Neuf heures vingt-cinq.

L'économe se demanda comment l'opération était censée se dérouler. Est-ce qu'on entendait – *Je crois qu'on va recevoir une visite pas ordinaire du tout* – des bruits de sabots dehors ?

Est-ce que la porte s'ouvrait réellement ou est-ce qu'il passait au travers ? Une question idiote. Il avait la réputation de pouvoir pénétrer dans le moindre local clos – *surtout* dans un local clos, à bien y réfléchir. Enfermez-vous n'importe où, et ce n'est plus qu'une affaire de temps.

L'économe espéra qu'*il* se servirait de la porte normalement. Ses nerfs étaient déjà tendus à se rompre.

Le niveau des conversations baissait. Pas mal d'autres mages, remarqua l'économe, jetaient des coups d'œil vers la porte.

Vindelle se retrouva au centre d'un cercle qui s'élargissait avec beaucoup de tact. Personne ne l'évitait vraiment, mais un mouvement brownien apparemment fortuit éloignait doucement tout le monde.

Les mages ont la faculté de voir la Mort. Et quand un mage meurt, la Mort vient en personne pour le conduire dans l'au-delà. L'économe se demandait pourquoi on tenait ça pour un privilège…

« Sais pas ce que vous regardez tous », dit Vindelle d'un ton joyeux.

L'économe ouvrit sa montre.

Le panneau sous le 12 se releva sèchement.

« Pourriez pas y aller mollo avec toutes ces secousses ? glapit le démon. Je m'y r'trouve plus, dans mes comptes.

— Pardon », souffla l'économe. Il était neuf heures vingt-neuf.

L'archichancelier s'avança.

« Alors, au revoir, Vindelle, dit-il en serrant la main parcheminée du vieillard. L'Université, sans vous, ça sera plus pareil.

— Sais pas comment on va faire, ajouta l'économe avec reconnaissance.

— Bonne chance dans l'autre vie, dit le doyen. Passez

donc nous voir si jamais vous revenez dans le coin et que vous vous rappelez, vous savez, qui vous étiez.

— Faut pas vous gêner, vous entendez ? » fit l'archichancelier.

Vindelle Pounze hocha la tête de bonne grâce. Il n'avait rien entendu de ce qu'on lui avait dit. Il hochait la tête par principe.

Les mages, comme un seul homme, firent face à la porte.

Le panneau sous le 12 se releva encore brusquement.

« Ding ding dong ding, annonça le démon. Dingueli-dingueli dong ding ding.

— Quoi ? fit l'économe en sursautant.

— Neuf heures et demie », traduisit le démon.

Les mages se tournèrent vers Vindelle Pounze, la mine vaguement accusatrice.

« Qu'est-ce que vous regardez comme ça ? » demanda-t-il.

L'aiguille des secondes de la montre poursuivait sa course grinçante.

« Comment vous vous sentez ? brailla le doyen.

— Me suis jamais senti aussi bien, répondit Vindelle. Est-ce qu'il reste un peu… hmm… de rhum ? »

Les mages réunis le regardèrent se verser une dose généreuse dans son gobelet. « Allez-y doucement, avec ce truc, fit nerveusement le doyen.

— À votre santé ! » s'exclama Vindelle Pounze.

L'archichancelier tambourina des doigts sur la table.

« Monsieur Pounze, dit-il, vous êtes vraiment sûr ? »

Vindelle était parti dans une digression. « Il reste des torturerillas ? Remarquez, je n'appelle pas ça manger, moi, fit-il, tremper des bouts de biscuits durs comme du bois dans un machin bourbeux, qu'est-ce qu'on trouve d'intéressant là-dedans ? Ce que je me ferais bien, là, maintenant, c'est un des fameux pâtés en croûte de monsieur Planteur… »

C'est alors qu'il mourut.

L'archichancelier lança un coup d'œil à ses collègues, puis il gagna sur la pointe des pieds le fauteuil roulant et souleva un poignet veiné de bleu pour y prendre le pouls. Il secoua la tête de gauche à droite.

« C'est comme ça que je veux partir, dit le doyen.

— Quoi ? En marmonnant des histoires de pâtés en croûte ?

— Non. Tard.

— Minute. Minute, fit l'archichancelier. C'est pas normal, ça, vous savez. D'après la tradition, la Mort *en personne* vient quand un ma...

— Peut-être qu'*il* est débordé, dit aussitôt l'économe.

— C'est vrai, reconnut le doyen. Une grosse épidémie de grippe du côté de Quirm, à ce qu'on m'a dit.

— Et aussi une belle tempête la nuit dernière. Des tas de naufrages, sûrement, ajouta l'assistant des runes modernes.

— Et en plus c'est le printemps... Des avalanches en pagaille dans les montagnes.

— Toutes sortes de fléaux. »

L'archichancelier se caressa la barbe d'un air songeur.

« Hmm », fit-il.

De toutes les créatures du monde, seuls les trolls croient que tout ce qui vit se déplace dans le temps à reculons. Si le passé est visible et le futur caché, disent-ils, ça signifie qu'on doit être tourné du mauvais côté. Tout ce qui vit traverse l'existence sens devant derrière. Une idée très intéressante si l'on pense qu'on la doit à une espèce dont les membres passent les trois quarts de leur temps à se taper mutuellement sur la tête à coups de cailloux.

De quelque côté qu'on le prenne, le temps est l'apanage des créatures vivantes.

La Mort plongeait au galop à travers des nuages noirs gigantesques.

Maintenant, lui aussi en avait, du temps.

Celui de sa vie.

Vindelle Pounze fouilla l'obscurité des yeux.

« Ohé ? lança-t-il. Ohé. Y a quelqu'un ? You-hou ? »

Il y eut un murmure mélancolique au loin, comme du vent au bout d'un tunnel.

« Montrez-vous, montrez-vous, là où vous êtes, reprit Vindelle d'une voix tremblant d'une exultation hystérique. Ne vous inquiétez pas. Je suis plutôt impatient, à vrai dire. »

Il claqua de ses mains immatérielles et se les frotta avec un enthousiasme forcé. « Remuez-vous. J'en connais qui ont de nouvelles vies à vivre », insista-t-il.

L'obscurité demeura inerte. Aucune silhouette, aucun bruit. Le vide, sans la moindre forme. L'esprit de Vindelle Pounze se déplaça à la surface des ténèbres.

Le fantôme secoua la tête. « En voilà une blague, marmonna-t-il. Pas normal du tout, ça. »

Il traîna dans le coin un moment puis, parce qu'il ne lui restait apparemment rien d'autre à faire, se dirigea vers le seul refuge qu'il connaissait.

Il l'avait occupé cent trente ans durant. Ledit refuge ne s'attendait pas à son retour et se défendit bec et ongles. Il fallait être soit très décidé soit très puissant pour venir à bout d'une résistance pareille, mais Vindelle Pounze avait été mage pendant plus d'un siècle. Et puis c'était comme cambrioler sa propre maison, la vieille propriété familière où l'on a toujours vécu. On sait où trouver la fenêtre métaphorique qui ferme mal.

Bref, Vindelle Pounze réintégra Vindelle Pounze.

Les mages ne croient pas aux dieux, de la même façon que la plupart des gens ne jugent pas indispensable de croire, disons, aux tables. Ils savent qu'elles sont là, qu'elles ont leur raison d'être, ils reconnaissent sûrement qu'elles ont leur place dans un univers bien ordonné, mais ils ne voient pas l'intérêt de croire, de déclamer à tous les vents : « Ô grande table, sans qui nous ne sommes rien. » De toute façon, soit les dieux sont là, qu'on y croie ou non, soit ils n'existent qu'en fonction de la croyance, alors, n'importe comment, autant oublier toutes ces histoires et, comme qui dirait, manger sur les genoux.

L'Université possède néanmoins une petite chapelle à l'écart de la Grande Salle, car on a beau adhérer à l'école de pensée décrite plus haut, on ne devient pas un mage prospère en portant sur les nerfs des dieux, même si ces nerfs n'existent que dans l'impalpable ou le métaphorique. Parce que si les mages ne croient pas aux dieux, ils savent pertinemment que les dieux, eux, y croient.

Et dans cette chapelle reposait le corps de Vindelle Pounze. L'Université avait institué une exposition de vingt-quatre heures suite à l'affaire embarrassante de feu Dameret « Gai Luron » Bitumethé.

Le corps de Vindelle Pounze ouvrit les yeux. Deux pièces de monnaie tintèrent sur le sol de pierre.

Les mains, croisées sur la poitrine, se desserrèrent.

Vindelle leva la tête. Un idiot lui avait collé un lis sur le ventre.

Ses yeux pivotèrent. Une bougie brûlait de chaque côté de son crâne.

Il leva un peu plus la tête.

Deux autres bougies brûlaient aussi au niveau de ses pieds.

Que les dieux bénissent le vieux Bitumethé. Sans lui je contemplerais déjà le dessous d'un couvercle en sapin premier prix.

Marrant, ça, se dit-il. Je pense. Clairement.

Wouah.

Allongé sur le dos, Vindelle sentait son esprit lui emplir à nouveau le corps comme du métal en fusion luisant envahit un moule. Des pensées chauffées à blanc fulgurèrent dans les ténèbres de son cerveau et remirent en branle, d'une décharge, des neurones léthargiques.

Ce n'était jamais comme ça de mon vivant.

Mais je ne suis pas mort.

Ni vivant ni mort.

Mort vivant, quoi.

Ou vivant-mort.

Oh, bon sang…

Il se redressa d'un balancement des jambes. Des muscles qui n'avaient pas fonctionné correctement depuis soixante-dix ou quatre-vingts ans mirent d'un coup les bouchées doubles. Pour la première fois de sa vie, ou plutôt de sa « durée d'existence », rectifia-t-il, le corps de Vindelle Pounze obéissait aux ordres de Vindelle Pounze. Et l'esprit de Vindelle Pounze n'allait pas s'en laisser conter par une bande de muscles.

Le corps se tenait à présent debout. Les articulations des genoux se rebiffèrent un moment, mais elles n'étaient pas plus capables de résister à la charge de la volonté qu'un moustique à un chalumeau.

La porte de la chapelle était verrouillée. Mais Vindelle découvrit qu'une pression de rien du tout lui suffisait pour arracher la serrure de la boiserie et laisser des traces de doigts dans le métal de la poignée.

« Oh, nom de nom », lâcha-t-il.

Il se pilota dans le couloir. Des chocs de couverts au loin et un bourdonnement de voix laissaient entendre qu'on préparait un des quatre repas quotidiens de l'Université.

Il se demanda si on avait le droit de manger quand on était mort. Sans doute que non, se dit-il.

Arriverait-il à manger, de toute façon ? Il n'avait pas faim, remarquez. Seulement, ben… il savait comment on réfléchissait, marcher et bouger revenait à exciter certains nerfs évidents, mais comment fonctionnait exactement l'estomac ?

Vindelle comprit peu à peu que le corps humain n'obéit pas au cerveau, quoi que s'imagine ledit cerveau. Il obéit en fait à des dizaines de systèmes automatiques compliqués, qui cliquettent et ronronnent sans relâche avec une précision dont on ne prend conscience que le jour où ils tombent en panne.

Il se passa en revue depuis le poste de commande de

son crâne. Il observa l'usine chimique silencieuse de son foie avec le même sentiment d'impuissance qu'un constructeur de canoës embrassant du regard le tableau de bord d'un pétrolier géant informatisé. Les mystères de ses reins attendraient qu'il s'en serve. C'était quoi, à propos, une rate ? Et comment la faisait-on marcher ?

Son cœur se serra.

Ou plutôt ne se serra pas.

« Oh, dieux », marmonna Vindelle qui s'appuya contre le mur. Comment ça marchait, déjà, un cœur ? Il tâta quelques nerfs à l'air engageant. Est-ce que c'était *systole... diastole... systole... diastole... ?* Et il y avait aussi les poumons...

Comme un manipulateur qui fait tournoyer dix-huit assiettes en même temps, comme un néophyte qui essaye de programmer un magnétoscope à partir d'un manuel traduit du japonais en hollandais par un décortiqueur de riz coréen – en fait, comme un homme qui découvre ce que signifie vraiment la maîtrise totale de soi –, Vindelle repartit en titubant.

Les mages de l'Université de l'Invisible font grand cas des repas copieux et consistants. On a peu de chances de pratiquer sérieusement la magie, affirmaient-ils, sans soupe, poisson, gibier, plusieurs assiettées monstrueuses de viande, une ou deux tartes, un gros machin bloblottant coiffé de crème, des petits trucs salés sur canapés, des fruits, toutes sortes de noix et un pavé à la menthe avec le café. Ça tapissait l'estomac. Il était également important que les repas soient servis à intervalles réguliers. C'est ce qui structurait une journée, disaient-ils.

Sauf l'économe, évidemment. Il ne mangeait pas beaucoup mais vivait sur les nerfs. Il était convaincu d'être anorexique, parce qu'à chaque fois qu'il se regardait dans un miroir il voyait un gros type. À savoir l'archichancelier, debout derrière lui, qui lui criait dessus.

Et un sort malheureux voulut qu'il soit assis en face des portes lorsque Vindelle Pounze les enfonça – car c'était plus simple que tripoter les poignées.

Ses dents passèrent à travers la cuiller de bois.

Les mages pivotèrent sur leurs bancs pour ouvrir des yeux ronds.

Vindelle Pounze vacilla un moment, le temps de prendre le contrôle de ses cordes vocales, de ses lèvres et de sa langue, puis annonça : « Je métaboliserais bien un petit verre d'alcool. »

L'archichancelier fut le premier à se ressaisir.

« Vindelle ! fit-il. On vous croyait mort ! »

Il dut reconnaître que ce n'était pas fameux, comme réplique. On n'allonge pas les gens sur un bloc de pierre au milieu de bougies et de lis parce qu'on leur soupçonne un petit mal de tête et l'envie de faire une bonne petite sieste d'une demi-heure.

Vindelle avança de quelques pas. Les mages les plus proches s'affalèrent les uns sur les autres dans leur hâte à fuir.

« Je suis mort, espèce de jeune con, marmonna-t-il. Tu te figures que ça m'amuse d'avoir cette allure-là ? Bon sang ! » Il jeta un regard noir à l'assemblée de mages. « Il y en a un qui sait à quoi ça sert, une rate ? »

Il atteignit la table et réussit à s'asseoir.

« Sans doute quelque chose à voir avec la digestion, dit-il. Marrant, ça, on passe toute sa vie avec ce machin sans arrêt en train de tourner ou je ne sais quoi, de gargouiller, un truc dans le genre, et on n'a même pas idée à quoi ça peut bien servir. Comme quand on est couché au lit, la nuit, et qu'on entend son estomac ou un autre bidule *glouglouborygmer*. On se dit que c'est juste un gargouillis, mais qui sait quels processus d'échanges chimiques merveilleusement complexes sont en réalité en action…

— Vous êtes un *mort vivant* ? fit l'économe qui parvenait enfin à articuler.

— Moi, je n'ai rien demandé, répondit avec irritation feu Vindelle Pounze en regardant les plats (comment diantre faisait-on pour les transformer en Vindelle Pounze ?). Je suis revenu uniquement parce que je n'avais nulle part ailleurs où aller. Vous croyez que ça m'emballe de me retrouver ici ?

— Mais sûrement que..., dit l'archichancelier, vous savez... le type, là, avec le crâne et la faux...

— Pas vu, répliqua sèchement Vindelle en inspectant les plats les plus proches. Ça crève drôlement, cette mort-vivance. »

Les mages échangeaient des signes frénétiques pardessus sa tête. Il leva les yeux et les fusilla du regard.

« Et n'allez pas vous figurer que je ne vois pas vos signes frénétiques », dit-il. Il fut surpris de s'apercevoir que c'était vrai. Des yeux qui avaient contemplé les soixante dernières années à travers un voile pâle et flou lui obéissaient avec la précision d'un appareil optique de pointe.

À vrai dire, deux principaux courants de pensée agitaient les esprits des mages de l'Université de l'Invisible.

D'une part, ce que pensait la grosse majorité : C'est affreux, c'est vraiment le vieux Vindelle là-dedans ? C'était un vieux fossile tellement charmant, comment on va se débarrasser de ça ? *Comment on va se débarrasser de ça ?*

D'autre part, ce que pensait Vindelle Pounze dans le cockpit bourdonnant et illuminé de son cerveau : Eh ben, c'est vrai. Il y a une vie après la mort. Et c'est la même. Bien ma veine.

« Bon, lança-t-il, qu'est-ce que vous allez y faire ? »

Cinq minutes plus tard. Une demi-douzaine de mages de haut niveau cavalaient dans un couloir balayé de courants d'air à la suite de l'archichancelier dont la robe se gonflait derrière lui.

Voici sur quoi roulait leur conversation :

« C'est forcément Vindelle ! Ça parle même comme lui !

— Ça n'est pas le vieux Vindelle ! Le vieux Vindelle était beaucoup plus vieux.

— Plus vieux ? Plus vieux que *mort* ?

— Il a dit qu'il veut récupérer sa chambre, et je ne vois pas pourquoi je devrais déménager…

— Vous avez vu ses yeux ? Des vrilles !

— Hein ? Quoi ? Comment ça ? Vous voulez dire comme le nain qui tient l'épicerie fine de la rue Câble ?

— Je veux dire comme s'ils vous transperçaient !

— … une belle vue sur les jardins et j'y ai fait installer toutes mes affaires, alors ce n'est pas juste…

— C'est déjà arrivé, un truc pareil ? – Ben, il y a eu le vieux Bitumethé…

— Oui, mais lui ne mourait jamais vraiment, il se peignait la figure en vert, puis il repoussait le couvercle du cercueil et criait : "Coucou, je vous ai bien eus !"

— On n'a jamais eu de zombi chez nous. – C'est un, zombi ?

— Je crois…

— Ça veut dire qu'il va jouer des timbales et danser le bimbo toute la nuit, alors ?

— C'est ce qu'ils font ?

— Le vieux Vindelle ? Pas son genre, à mon avis. Il n'a jamais beaucoup aimé danser de son vivant…

— N'importe comment, on ne peut pas faire confiance à ces dieux vaudou. "Méfie-toi d'un dieu qui sourit tout le temps et porte un haut-de-forme", c'est ma devise.

— … pas question de refiler ma chambre à un zombi alors que je l'ai attendue des années…

— Ah bon ? Marrant, ça, comme devise. »

Vindelle Pounze se promenait à l'intérieur de sa tête. Curieux, ça. Maintenant qu'il était mort – ou qu'il ne vivait plus, il ne savait pas très bien –, il avait les idées plus claires que jamais.

Il avait aussi l'impression de maîtriser plus facilement son corps. Il n'avait quasiment plus à se soucier du machin respiratoire, la rate semblait fonctionner tant bien que mal, les sens réagissaient au quart de tour. Mais l'appareil digestif restait encore un peu mystérieux.

Il se regarda dans une assiette en argent.

Il avait toujours l'air mort. Un visage blafard, le dessous des yeux rouge. Un corps mort. En état de marche mais foncièrement mort. C'était normal, ça ? C'était juste, ça ? C'était ça, la récompense d'avoir été un partisan convaincu de la réincarnation pendant près de cent trente ans ? On revenait sous forme de cadavre ?

Pas étonnant que l'imagerie populaire représente toujours les morts vivants en colère.

À longue échéance, quelque chose de merveilleux allait se produire.

À brève ou moyenne échéance, quelque chose d'horrible allait se produire.

C'est comme la différence entre découvrir une nouvelle étoile magnifique dans le ciel d'hiver et se trouver réellement tout près de la supernova. Comme la différence entre la beauté de la rosée du matin sur une toile d'araignée et la condition de mouche.

C'était quelque chose qui n'aurait normalement pas dû se produire avant des millénaires.

Mais qui allait se produire maintenant.

Qui allait se produire au fond d'un placard désaffecté dans une cave délabrée des Ombres, le quartier le plus ancien et le plus mal famé d'Ankh-Morpork.

Ploc.

Un bruit moelleux de première goutte de pluie sur un siècle de poussière.

« On pourrait peut-être s'arranger pour qu'un chat noir croise son cercueil.

— Il n'a pas de cercueil ! gémit l'économe dont la raison menaçait toujours de basculer.

— D'accord, alors on va lui acheter un beau cercueil tout neuf et après on le fait croiser par un chat noir ?

— Non, c'est idiot, ça. Faut qu'on lui fasse pisser de l'eau.

— Quoi ?

— Pisser de l'eau. Les non-morts ne peuvent pas faire ça. »

Les mages, entassés dans le bureau de l'archichancelier, méditèrent profondément sur cette information fascinante.

« Z' êtes sûr ? fit le doyen.

— C'est bien connu, répliqua tout net l'assistant des runes modernes.

— Il pissait tout le temps de son vivant, rétorqua le doyen, dubitatif.

— Mais plus depuis qu'il est mort.

— Ouais ? Ça se tient.

— *Passer* de l'eau, rectifia soudain l'assistant des runes modernes. C'est *passer* de l'eau. Pardon. Ils ne peuvent pas traverser de l'eau courante.

— Ben, moi non plus je ne peux pas traverser de l'eau courante, fit le doyen.

— Mort vivant ! Mort vivant ! » L'économe commençait à craquer.

« Oh, arrêtez de le taquiner, dit l'assistant en tapant dans le dos de l'homme pris de tremblements.

— Ben non, moi, je ne peux pas, répéta le doyen. Je coule.

— Les morts vivants ne peuvent pas traverser l'eau courante, même sur un pont.

— Et puis, est-ce qu'il est tout seul, hein ? Est-ce

qu'on ne va pas être envahis par d'autres comme lui, hein ? » fit l'assistant.

L'archichancelier tambourina des doigts sur son bureau.

« Des morts qui s'baladent partout, c'est pas hygiénique », dit-il.

Ce qui fit taire tout le monde. Personne n'avait envisagé le problème sous cet angle, et seul Mustrum Ridculle pouvait le faire.

Mustrum Ridculle était ; selon les points de vue, le pire ou le meilleur archichancelier qu'ait connu l'Université en cent ans.

D'abord, il avait trop de présence. Il n'était pas franchement gros, non, mais il avait une de ces fortes personnalités qui envahissent tout l'espace disponible. Il finissait son dîner complètement soûl, une pratique parfaitement honorable pour un mage. Mais ensuite il retournait dans sa chambre pour y jouer aux fléchettes toute la nuit et repartait à cinq heures du matin chasser le canard. Il criait sur tout le monde. Il essayait d'enjôler ses collègues pour qu'ils suivent son exemple. Et c'est tout juste s'il portait des robes correctes. Il avait décidé madame Panaris, l'intendante redoutée de l'Université, à lui confectionner une espèce de tailleur-pantalon bouffant d'un bleu et d'un rouge criards ; deux fois par jour, les mages stupéfaits le regardaient courir à petites foulées décidées autour des bâtiments de l'Université, son chapeau pointu de mage solidement attaché sur la tête par une ficelle. Il leur lançait des cris joyeux, parce que la particularité des individus dans le genre de Mustrum Ridculle, c'est de croire dur comme fer qu'on aimerait les imiter si seulement on voulait bien essayer.

« Peut-être qu'il va mourir », espéraient-ils entre eux tandis qu'ils le voyaient s'escrimer à briser la croûte à la surface de l'Ankh pour une trempette matinale. Tous ces exercices bons pour la santé, ça doit être malsain pour lui.

Des anecdotes revenaient aux oreilles de l'Université. L'archichancelier avait tenu deux reprises à poings nus contre Détritus, le gigantesque troll à tout faire du Tambour Rafistolé. L'archichancelier avait affronté au bras de fer le bibliothécaire à la suite d'un pari ; bien sûr, il n'avait pas gagné, mais il lui restait quand même son bras après la rencontre. L'archichancelier voulait que l'Université forme sa propre équipe de football pour le grand match du jour du Porcher.

Intellectuellement, Ridculle conservait son poste pour deux raisons. D'abord, il ne changeait jamais, jamais, d'avis sur rien. Ensuite, il lui fallait plusieurs minutes pour comprendre toute nouvelle idée qu'on lui soumettait, ce qui est une qualité chez un chef, car l'idée qu'on essaye encore d'expliquer après deux minutes est sûrement importante mais celle qu'on laisse tomber au bout de quelques secondes est presque toujours une broutille pour laquelle on devrait s'abstenir d'embêter le monde.

On aurait dit qu'il y avait davantage de Mustrum Ridculle que ne pouvait raisonnablement en contenir un seul corps.

Ploc. Ploc.

Dans le placard sombre de la cave, toute une étagère était déjà pleine.

Il y avait exactement autant de Vindelle Pounze que pouvait en contenir un seul corps, et il le pilotait prudemment dans les couloirs.

Je ne m'attendais pas à ça, songeait-il. Je ne mérite pas un truc pareil. On a dû faire une erreur quelque part.

Il sentit un courant d'air frais sur sa figure et s'aperçut qu'il avait titubé jusqu'à l'air libre. Devant lui se dressaient les portes de l'Université, verrouillées.

Vindelle Pounze se sentit soudain terriblement claustrophobe. Il avait attendu son propre décès des années durant, c'était arrivé, et voilà qu'il se retrouvait coincé dans ce… dans ce mausolée en compagnie d'une bande de vieux débiles, alors qu'il aurait dû passer le restant de sa vie à l'état de mort. Bon, tout d'abord, sortir et se mettre fin à soi-même…

« B'soir, m'sieur Pounze. »

Il se retourna tout doucement et reconnut la petite silhouette de Modo, le jardinier nain de l'Université, assis dans la pénombre en train de fumer sa pipe.

« Oh. Salut, Modo.

— Paraît qu'on vous a cru mort, m'sieur Pounze.

— Euh… oui. Je l'étais.

— À c'que j'vois, vous vous en êtes remis, alors. »

Pounze hocha la tête et fit d'un regard sombre le tour de l'enceinte. On fermait les portes de l'Université à clé tous les soirs au coucher du soleil, ce qui obligeait les étudiants et le personnel enseignant à faire le mur. Il doutait fort qu'il en soit capable.

Il serra et desserra les poings. Oh, bon…

« Il n'y a pas d'autre porte par ici, Modo ? demanda-t-il.

— Non, m'sieur Pounze.

— Bon, où est-ce qu'on va en ouvrir une ?

— 'mande pardon, m'sieur Pounze ? »

Suivit un bruit de maçonnerie torturée : un trou vaguement de la forme de Pounze venait de s'ouvrir dans le mur. La main de Vindelle réapparut et récupéra son chapeau.

Modo ralluma sa pipe. On voit des tas de trucs intéressants dans ce boulot, se dit-il.

Dans une ruelle, momentanément hors de vue des passants, un certain Raymond Soulier, mort de son état, regarda d'un côté puis de l'autre, sortit un pinceau et un pot de peinture de sa poche puis traça sur le mur les mots suivants :

… Et s'enfuit en courant, ou du moins se sauva en titubant à toutes jambes.

L'archichancelier ouvrit une fenêtre sur la nuit.

« Écoutez », dit-il.

Les mages écoutèrent.

Un chien aboya. Quelque part, un voleur siffla ; on lui répondit d'un toit voisin. Au loin, un couple se livrait à une scène de ménage propre à donner envie à tout le quartier d'ouvrir les fenêtres, d'écouter et de prendre des notes. Mais ce n'étaient là que des thèmes principaux par-dessus le bourdonnement permanent de la cité. Ankh-Morpork ronronnait dans sa traversée de la nuit, en route vers l'aube, telle une immense créature vivante, mais ce n'est évidemment qu'une métaphore.

« Ben quoi ? fit le major de promo. Je n'entends rien de spécial.

— C'est ça, justement. Des dizaines de personnes meurent à Ankh-Morpork tous les jours. Si elles s'étaient toutes mises à revenir comme le pauvre vieux Vindelle, vous croyez pas qu'on le saurait ? Ça ferait un d'ces chambards. Plus que d'habitude, j'veux dire.

— Des morts vivants, il y en a toujours quelques-uns à se balader, fit le doyen d'un air dubitatif. Les vampires, les zombis, les banshees, tout ça.

— Oui, mais c'est des morts vivants plus normaux, objecta l'archichancelier. Ils savent y faire. Ils sont nés comme ça.

— On ne naît pas pour être mort vivant, fit observer le major de promo[1].

1. Le poste de major de promo ne court pas les rues, le terme lui-même non plus. Dans certains centres d'études, le major de promo est un philosophe de premier plan, dans d'autres, le responsable de la promenade des chevaux. Le major de promo de l'Université de l'Invisible

— C'est traditionnel, j'veux dire, répliqua sèchement l'archichancelier. Là où j'ai grandi, y avait des vampires très respectables. Ils étaient dans leur famille depuis des siècles.

— Oui, mais ils boivent du sang, fit le major de promo. Je n'appelle pas ça respectable, moi.

— J'ai lu quelque part qu'ils n'ont pas vraiment besoin de vrai sang, intervint le doyen, désireux d'apporter sa contribution. Ils ont juste besoin de quelque chose qui se trouve dans le sang. Des hémogobelins, je crois que ça s'appelle. »

Les autres mages le dévisagèrent.

Le doyen haussa les épaules. « Est-ce que je sais, moi ? fit-il. Des hémogobelins. C'est ce que j'ai lu. Ç'a un rapport avec le fer qu'on a dans le sang.

— Moi, je n'ai pas de gobelins de fer dans le sang, ça, j'en suis sûr, dit le major de promo.

— Au moins, les vampires, c'est mieux que les zombis, fit le doyen. Beaucoup plus de classe. Les vampires ne se baladent pas à tout bout de champ en traînant des pieds.

— On peut changer les gens en zombis, vous savez, intervint l'assistant des runes modernes sur le ton de la conversation. On n'a même pas besoin de magie. Seulement du foie d'un poisson rare et d'extrait d'une espèce particulière de racine. Une cuillerée, et quand on se réveille on est un zombi.

— Quel genre de poisson ? demanda le major de promo.

— Comment voulez-vous que je le sache ?

— Comment voulez-vous que n'importe qui le sache, alors ? rétorqua méchamment le major de promo. Est-ce qu'un type s'est réveillé un matin en disant : “Hé, j'ai une idée, je vais changer quelqu'un en zombi, tout ce qu'il me faut, c'est du foie de poisson rare et un bout de racine, suffit de trouver les bonnes espèces” ? Vous voyez

était un philosophe qui ressemblait à un cheval, il répondait donc aux deux définitions.

d'ici la queue devant la cahute, dites ? Numéro 94 : foie de poisson-zèbre rouge et racine de maniac… marche pas. Numéro 95 : foie d'aiguillette et racine de niguedouille… marche pas. Numéro 96…

— De quoi vous parlez ? demanda l'archichancelier.

— Je voulais juste faire remarquer l'improbabilité intrinsèque de…

— Taisez-vous, le coupa l'archichancelier, terre à terre. Moi, il m'semble… Moi, il m'semble… Écoutez, faut qu'la mort fasse son œuvre, pas vrai ? Faut qu'la mort survienne. La vie, c'est ça. On vit, et après on est mort. Ça peut pas s'arrêter comme ça.

— Mais *il* n'est pas venu chercher Vindelle, rappela le doyen.

— La mort se manifeste tout le temps, fit Ridculle en l'ignorant. Toutes sortes de choses meurent à chaque instant. Même les légumes.

— Mais je ne crois pas que la Mort soit jamais venu pour une pomme de terre, répliqua le doyen, sceptique.

— La Mort vient pour tout », assura l'archichancelier.

Les mages opinèrent sagement du chapeau pointu.

« Vous savez quoi ? fit le major de promo au bout d'un moment. J'ai lu l'autre jour que chaque atome du corps change tous les sept ans. Les nouveaux restent accrochés et les anciens dégringolent. Sans arrêt comme ça. Merveilleux, non ? »

Le major de promo produisait le même effet sur une conversation que de la mélasse bien épaisse sur les pédales d'une montre de précision.

« Oui ? Il leur arrive quoi, aux anciens ? demanda Ridculle, intéressé malgré lui.

— Sais pas. Ils flottent dans l'air, j'imagine, jusqu'à ce qu'ils s'accrochent à quelqu'un d'autre. »

L'archichancelier parut insulté.

« Quoi ? Même à un mage ?

— Oh, oui. À tout le monde. Ça fait partie du miracle de l'existence.

— Ah bon ? À moi, ça m'a l'air d'une hygiène déplorable, répliqua l'archichancelier. Y a aucun moyen d'arrêter ça, j' suppose ?

— À mon avis, non, répondit le major de promo. À mon avis, on n'est pas censé arrêter les miracles de l'existence.

— Mais ça veut dire que tout est fait de tout le reste, conclut Ridculle.

— Oui. N'est-ce pas incroyable ?

— C'est dégoûtant, voilà ce que c'est, trancha Ridculle. Bref, ce que j'voulais dire… Ce que j'voulais dire… » Il marqua un temps, tâcha de se souvenir. « On peut pas abolir la mort comme ça, voilà. La mort, elle peut pas mourir. C'est comme demander à un scorpion de se piquer tout seul.

— À la vérité, fit le major de promo, jamais à court de détails, un scorpion peut…

— Taisez-vous, ordonna l'archichancelier.

— Mais on ne va pas tolérer un mage mort vivant qui se balade partout, fit le doyen. On ne sait pas ce qui peut lui passer par la tête. Il faut qu'on… qu'on lui mette le holà. Pour son bien.

— Voilà, approuva Ridculle. Pour son bien. Ça devrait pas être trop dur. Doit y avoir des dizaines de façons de contrer un mort vivant.

— L'ail, fit le major de promo tout net. Les morts vivants n'aiment pas l'ail.

— Je les comprends. Moi, faut pas m'en parler, dit le doyen.

— Mort vivant ! Mort vivant ! » s'exclama l'économe en pointant un doigt accusateur. Les autres l'ignorèrent. « Oui, et puis il y a les objets sacrés, poursuivit le major de promo. Les morts vivants courants tombent en poussière dès qu'ils posent le regard dessus. Ils n'aiment pas non plus la lumière du jour. Et en mettant les choses au pire, on les enterre à un croisement. Infaillible, ça. Avec un bon pieu pour être sûr qu'ils ne se relèveront pas.

— Enduit d'ail, dit l'économe.

— Ben, oui. J'imagine qu'on peut l'enduire d'ail, concéda le major de promo à contrecœur.

— Je ne crois pas que ce soit bien d'enduire d'ail un bon pieu, dit le doyen. Un peu de lavande sur les draps, c'est mieux.

— Une brique chaude quand il fait froid, ça c'est chouette, ajouta joyeusement l'assistant des runes modernes.

— La ferme », fit l'archichancelier.

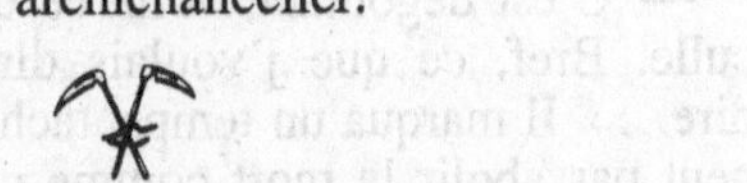

Ploc.

Les gonds de la porte finirent par céder et le contenu du placard se déversa dans la cave.

Le sergent Côlon du Guet d'Ankh-Morpork était de service. Il gardait le pont d'Airain, passage principal entre Ankh et Morpork. Pour qu'on ne le vole pas.

Quand il s'agissait de prévenir le crime, le sergent Côlon trouvait plus sûr de voir grand.

Une école de pensée croyait que le meilleur moyen de passer pour un représentant zélé de la loi à Ankh-Morpork, c'était de patrouiller dans les rues et venelles, soudoyer des indicateurs, filer des suspects et ainsi de suite.

Cette école-là, le sergent Côlon la faisait buissonnière. Non pas, s'empressait-il d'affirmer, parce que vouloir réduire le taux de criminalité à Ankh-Morpork équivalait à vouloir réduire celui du sel dans la mer, et que la seule reconnaissance dont pouvait se prévaloir un représentant zélé de la loi était du type « Hé, ce cadavre, là, dans le caniveau, ça serait pas le bon vieux sergent Côlon ? » mais parce que tout fonctionnaire intelligent et entreprenant d'une police de pointe se devait de toujours garder une longueur d'avance sur le criminel moderne. Un jour, des petits malins allaient forcément vouloir voler le pont d'Airain, et alors ils tomberaient sur le sergent Côlon déjà sur place.

En attendant, c'était un coin tranquille à l'abri du vent où il pouvait griller peinard une cigarette et où il ne verrait sûrement rien qui risquerait de le déranger.

Il se pencha, les coudes sur le parapet, en se posant de vagues questions sur la Vie.

Une silhouette émergea en trébuchant de la brume. Le sergent Côlon reconnut le chapeau pointu d'un mage.

« Bonsoir, sergent, croassa son propriétaire.

— B'jour, v'tronneur.

— Auriez-vous l'amabilité de m'aider à monter sur le parapet, sergent ? »

Le sergent Côlon hésita. Mais le gars, c'était un mage. On courait au-devant de sérieux ennuis quand on n'aidait pas les mages.

« Z' essayez une nouvelle magie, v'tronneur ? demanda-t-il joyeusement en aidant le corps maigre mais étonnamment lourd à grimper sur la maçonnerie effritée.

— Non. »

Vindelle Pounze sauta du pont. Suivit un bruit de succion[1].

Le sergent Côlon se pencha pour voir l'Ankh se refermer lentement.

Ces mages, tout de même. Toujours à mijoter des coups fumants.

Il continua de regarder un moment. Au bout de plusieurs minutes, il se produisit un remous dans l'écume et les débris près de la base d'un des piliers du pont, là où une volée de marches graisseuses s'enfonçait dans le fleuve.

Un chapeau pointu apparut.

1. Il est vrai que les morts vivants ne peuvent pas traverser l'eau courante. Cependant, le fleuve Ankh, naturellement turbide, déjà lourd de la vase des plaines, ne peut après son passage dans la ville (1 000 000 d'habitants) se prévaloir de l'appellation d'« eau courante », ni même du terme d'« eau » tout court, en l'occurrence.

Le sergent Côlon entendit le mage monter les degrés à pas mesurés et jurer tout bas.

Vindelle Pounze se retrouva bientôt sur le pont. Trempé comme une soupe.

« Faut aller vous changer, conseilla le sergent Côlon. Vous risquez la crève si vous restez comme ça.

— Ha !

— Les pieds devant une bonne flambée, voilà ce que j'ferais, moi.

— Ha ! »

Le sergent Côlon contempla Vindelle Pounze debout dans sa flaque personnelle.

« Vous avez testé un genre spécial de magie sous-marine, v'tronneur ? hasarda-t-il.

— Pas exactement, sergent.

— Je m'suis toujours demandé comment c'était sous l'eau, reprit le représentant de l'ordre d'un ton encourageant. Les mystères des profondeurs, les créatures étranges et merveilleuses… Ma m'man m'a raconté un truc, une fois, l'histoire d'un p'tit garçon changé en sirène, enfin, pas une sirène, plutôt un siroi, quoi, et il lui est arrivé plein d'aventures sous la m… »

Sa voix s'éteignit peu à peu sous le regard terrible de Vindelle Pounze.

« C'est barbant », conclut Vindelle. Il se retourna et s'en alla en titubant dans la brume. « Très, très barbant. Très barbant, oui. »

Le sergent Côlon se retrouva seul. Il alluma une nouvelle cigarette d'une main tremblante et entreprit de se diriger d'un pas vif vers les quartiers généraux du Guet. Cette figure, se disait-il. Et ces yeux… Tout comme machinchose… le putain d' nain qui tient l'épicerie fine de la rue Câble…

« Sergent ! »

Côlon se figea. Puis il baissa les yeux. Un visage levé le regardait depuis le niveau du sol. Une fois ressaisi, il reconnut les traits anguleux de son vieil ami Planteur Je-m'tranche-la-gorge, l'argument parlant et ambulant du Disque en faveur de la théorie comme quoi l'humanité descend d'une espèce de rongeur. Planteur J.M.T.L.G. aimait se décrire lui-même comme un aventurier du négoce ; pour le reste du monde, c'était plutôt un camelot itinérant dont les méthodes commerciales souffraient toutes d'un petit vice de forme, hélas capital : par exemple quand il essayait de vendre des denrées qu'il ne possédait pas, ou qui ne fonctionnaient pas, voire qui n'existaient pas. L'or des fées a la réputation de s'évaporer au matin, mais c'était une dalle de béton armé comparé à certains articles de la Gorge.

Il se tenait debout au bas de quelques marches qui menaient à l'une des innombrables caves d'Ankh-Morpork.

« Salut, la Gorge.

— Tu veux bien descendre une minute, Fred ? J'aurais besoin d'une petite assistance judiciaire.

— T'as un problème, la Gorge ? »

Planteur se gratta le nez.

« Eh ben, Fred... Est-ce que c'est un délit quand on te donne quelque chose ? J'veux dire, sans que tu l'saches ?

— On t'a donné des trucs, la Gorge ? »

La Gorge hocha la tête. « Chaispas. Tu sais que j'garde des stocks ici ? fit-il.

— Ouais.

— Tu vois, j'suis v'nu faire un brin d'inventaire, et... (il agita une main impuissante) Ben... t'as qu'à j'ter un coup d'œil... »

Il ouvrit la porte de la cave.

Dans le noir, quelque chose fit *ploc*.

Vindelle Pounze titubait sans but dans une ruelle obscure du quartier des Ombres, les bras tendus devant lui, les mains pendouillant au niveau des poignets. Il ne savait pas pourquoi. Ça lui paraissait la bonne méthode.

Sauter d'un bâtiment ? Non, ça ne donnerait rien non plus. C'était déjà bien assez dur de marcher comme ça, deux jambes cassées n'arrangeraient rien. Le poison ? Il supposa que ça ressemblerait à de très méchants maux d'estomac. La corde ? Se balancer au gré du vent serait sans doute encore plus barbant que rester assis au fond du fleuve.

Il arriva dans une cour répugnante où débouchaient plusieurs ruelles. Des rats détalèrent à sa vue. Un chat poussa un cri strident et fila à toute allure par-dessus les toits.

Alors qu'il se demandait où il était, pourquoi il était et ce qui allait se passer ensuite, il sentit la pointe d'un couteau lui piquer l'épine dorsale.

« D'accord, pépé, dit une voix derrière lui, c'est la bourse ou la vie. »

Dans le noir, les lèvres de Vindelle Pounze s'étirèrent en un sourire horrible.

« J'rigole pas, le vieux, fit la voix.

— Vous êtes de la Guilde des Voleurs ? demanda Vindelle sans se retourner.

— Non, on est… des indépendants. Allez, fais voir la couleur de ton pognon.

— Je n'en ai pas », dit Vindelle. Il se retourna. Il y avait deux autres malfrats en plus du manieur de couteau.

« Nom des dieux, r'gardez-moi ses yeux », fit l'un d'eux. Vindelle leva les bras au-dessus de sa tête.

« Ouuuuuuuh », gémit-il.

Les malfrats reculèrent. Malheureusement, un mur se dressait derrière eux. Ils s'aplatirent contre.

« OuuuOUUUouuufoutezmoilcampouuUUUuuu », lança Vindelle qui ne s'était pas rendu compte que la seule issue passait à travers lui. Il roula des yeux pour obtenir un meilleur effet.

Fous de terreur, les soi-disant agresseurs lui plongèrent sous les bras, ce qui n'empêcha pas l'un d'eux de planter son couteau jusqu'à la garde dans sa poitrine bombée.

Il baissa les yeux dessus. « Hé ! Ma plus belle robe ! s'exclama-t-il. Je voulais me faire enterrer… Regardez-moi ça ! Vous savez que c'est difficile de repriser de la soie ? Revenez tout de… Regardez-moi ça, là où ça se voit… »

Il tendit l'oreille. Pas d'autre bruit qu'une fuite précipitée qui s'estompait rapidement.

Vindelle Pounze retira le couteau.

« L'aurait pu me tuer », marmonna-t-il en le jetant au loin.

Dans la cave, le sergent Côlon ramassa l'un des objets dans un gros tas par terre.

« Doit y en avoir des milliers, fit la Gorge dans son dos. C'que j'voudrais bien savoir, moi, c'est : qui les a mis là[1] ? »

Le sergent Côlon tourna et retourna l'objet dans ses mains.

« Encore jamais vu un truc pareil », dit-il. Il lui donna une secousse. Sa figure s'éclaira. « Joli, hein ?

— La porte était verrouillée et tout, dit la Gorge. Et j'suis à jour de mes cotisations à la Guilde des Voleurs. »

Côlon secoua encore l'objet. « Chouette, fit-il.

— Fred ? »

Côlon, fasciné, regardait les minuscules flocons de neige tomber dans le petit globe de verre. « Hmm ?

— Qu'est-ce que j'dois en faire ?

— Chaispas. C'est à toi, j'suppose, la Gorge. Mais j'vois pas pourquoi on veut se débarrasser d'ça. »

1. Bien que peu fréquents sur le Disque-Monde, il existe des actes qualifiés d'antidélits, en fonction de la loi fondamentale que tout dans le multivers possède son contraire. Des actes bien entendu exceptionnels. Faire banalement un présent à quelqu'un n'est pas le contraire du vol ; pour que ce soit un antidélit, il faut qu'il en résulte *outrage et/ou humiliation pour la victime*. On assiste ainsi à des dons avec effraction, cadeaux qui ne font pas plaisir (comme la plupart des cadeaux de départ en retraite) et lettres de déchantage (quand on menace un gangster de révéler à ses ennemis ses dons anonymes, par exemple à des œuvres de bienfaisance). Les antidélits n'ont jamais vraiment connu le succès.

Il se tourna vers la porte. La Gorge se mit en travers de son chemin.

« Alors ça sera douze sous, annonça-t-il d'une voix doucereuse.

— Quoi ?

— Pour celui que tu viens de t'glisser dans la poche, Fred. » Côlon pêcha le globe au fond de sa poche.

« Allons ! protesta-t-il. Tu viens juste de tomber d'sus ! Ils t'ont pas coûté un sou !

— Oui, mais y a le stockage… l'emballage… la manutention…

— Deux sous, proposa Côlon au désespoir.

— Dix.

— Trois.

— Sept sous… et, là, je m'tranche la gorge, j'te fais remarquer.

— Marché conclu », fit le sergent à contrecœur. Il donna une autre secousse au globe.

« Chouette, hein ? répéta-t-il.

— Une affaire », dit Planteur. Il se frotta les mains avec optimisme. « Ça devrait s'vendre comme des p'tits pains », ajouta-t-il avant d'en rafler une poignée qu'il fourra dans une boîte.

En partant, il referma la porte à clé derrière eux.

Dans le noir, quelque chose fit *ploc*.

Ankh-Morpork a toujours sacrifié à la belle tradition d'accueillir des visiteurs de toutes races, couleurs et conformations, dès lors qu'ils ont assez d'argent à dépenser et un billet retour.

Selon la célèbre brochure de la Guilde des Marchands, *Byenvenue à Ankh-Morporke, Cytée aux mille Surpryses, « le visiteur est arsuré d'un acceuil chaleureux dans les innombrables tavernes et hosteleries de notre antique cité, parmi leskels beaucoup d'établicements spécializés dans la restoration adaptée aux goux des clients oriji-*

naires des contrées lointaines. Que vous soyez umain, trol, nain, gobelin ou gnome, Ankh-Morpork lève son ver joilleux et vous dit : A la vautre ! Sans thé ! Séchez-vous le cul ! »

Vindelle Pounze ne savait pas où les morts vivants se rendaient pour passer un bon moment. Tout ce qu'il savait, et sans le moindre doute, c'était que, s'ils pouvaient passer un bon moment quelque part, ça devait aussi se trouver à Ankh-Morpork.

Ses pas laborieux le conduisirent plus profondément dans les Ombres. Des pas cependant moins laborieux à présent.

Plus d'un siècle durant, Vindelle Pounze avait vécu entre les murs de l'Université de l'Invisible. En termes d'années cumulées, il avait peut-être vécu longtemps. En termes d'expérience, il ne dépassait pas treize ans d'âge.

Il voyait, entendait et sentait ce qu'il n'avait encore jamais vu, ni entendu ni senti.

Le quartier des Ombres était le plus ancien de la ville. Si on avait pu dresser une espèce de carte en relief du péché, de la vilenie et de l'immoralité totale, un peu comme ces représentations du champ gravitationnel autour d'un trou noir, alors les Ombres auraient donné l'image d'un gouffre, même à Ankh-Morpork. Pour tout dire, le quartier s'apparentait étonnamment au susdit phénomène astronomique bien connu : il exerçait une certaine et puissante attraction, aucune lumière ne s'en échappait, et il pouvait effectivement devenir une porte vers un autre monde. L'autre monde.

Les Ombres, c'était une ville dans la ville.

La foule se pressait dans les rues. Des silhouettes emmitouflées vaquaient furtivement à leurs affaires. Des musiques étranges montaient en serpentant d'escaliers en sous-sol. Ainsi que des odeurs âpres et alléchantes.

Pounze passa devant des épiceries fines de gobelins et des bars de nains d'où s'échappaient des échos de chansons et de bagarres, activités auxquelles les nains se livrent traditionnellement en même temps. Des trolls évoluaient dans la cohue comme… comme de grands promeneurs au milieu de petits promeneurs. Et ils marchaient normalement, sans traîner les pieds.

Vindelle n'avait jusqu'à présent vu de trolls que dans les quartiers les plus chic de la ville[1], où ils se déplaçaient avec la plus extrême prudence, des fois qu'ils occiraient accidentellement un passant à coups de gourdin et qu'ils le mangeraient. Dans les Ombres ils marchaient d'un pas assuré, sans peur, la tête si haute qu'elle dépassait presque leurs omoplates.

Vindelle Pounze, lui, déambulait dans la foule comme une bille tirée au jugé dans un flipper. Ici une explosion de vacarme enfumé le renvoyait d'une pirouette dans la rue, là une porte discrète prometteuse de délices insolites et interdits l'attirait comme un aimant. Il ne savait même pas vraiment de quoi il s'agissait. Quelques dessins devant une entrée engageante éclairée de rose le plongèrent dans une perplexité encore plus grande mais lui donnèrent l'envie furieuse d'en apprendre davantage.

Il se tournait et se retournait, en proie à un étonnement ravi.

Ce quartier ! À moins de dix minutes à pied, quinze en titubant, de l'Université ! Et il avait tout ignoré de son existence ! Tous ces gens ! Tout ce bruit ! Toute cette *vie* !

Plusieurs passants d'espèces et de formes diverses le bousculèrent. Deux ou trois voulurent lui adresser une remarque, refermèrent bien vite la bouche et filèrent sans demander leur reste.

Ils songeaient : Ses yeux ! On dirait des vrilles.

Puis une voix dans l'ombre lui lança : « Salut, mon grand. Tu veux passer un bon moment ?

— Oh, oui ! répondit Vindelle Pounze, ébloui. Oh, oui ! Oui ! » Il se retourna.

« Nom des dieux ! » Il entendit des pas s'enfuir à toute vitesse dans une ruelle.

La figure de Vindelle s'assombrit.

1. C.-à-d. partout ailleurs que dans les Ombres.

La vie, manifestement, c'était seulement pour les vivants. Peut-être que cette histoire de réintégration de son enveloppe charnelle était une erreur, après tout. Il avait été bête d'imaginer autre chose.

Il fit demi-tour et, sans trop veiller à ce que son cœur continue de battre, rentra à l'Université.

Vindelle traversa péniblement la cour en direction de la Grande Salle. L'archichancelier saurait quoi faire, lui…

« Le voilà !

— C'est lui !

— Attrapez-le ! »

Le fil des pensées de Vindelle se rompit net comme sous le coup de dent d'une couturière. Le mort vivant se retourna vers cinq figures rougeaudes, inquiètes et surtout familières.

« Oh, salut, doyen, dit-il d'un air malheureux. Et là, c'est le major de promo, non ? Oh, et l'archichancelier, c'est…

— Prenez-lui le bras !

— Ne regardez pas ses yeux !

— Prenez-lui l'autre bras !

— C'est pour votre bien, Vindelle !

— Ce n'est pas Vindelle ! C'est une créature de la nuit !

— Je vous assure…

— Vous lui tenez les jambes ?

— Prenez-lui la jambe !

— Prenez-lui l'autre jambe !

— Vous lui avez tout pris ? » rugit l'archichancelier.

Les mages opinèrent.

Mustrum Ridculle plongea la main dans les vastes replis de sa robe. « Bon, démon sous forme humaine, grogna-t-il, qu'est-ce que tu penses de ça, dis ? Ah-*ha* ! »

Vindelle loucha sur le petit objet qu'on lui collait d'un geste triomphant sous le nez.

« Ben… euh…, fit-il timidement. Je dirais… oui… hmm… oui, l'odeur est très reconnaissable, n'est-ce pas… ? Oui, pas de doute. *Allium sativum*. L'ail commun des jardins. C'est ça ? »

Les mages le regardèrent. Ils regardèrent la petite gousse blanche. Ils regardèrent à nouveau Vindelle.

« J'ai raison, non ? » dit-il. Il s'efforça de sourire.

« Euh…, fit l'archichancelier. Oui. Oui, c'est vrai. » Ridculle chercha quelque chose à ajouter. « Bravo.

— Je vous remercie de votre sollicitude, dit Vindelle. Je vous en suis très reconnaissant. » Il fit un pas en avant. Les mages auraient aussi bien pu essayer de retenir un glacier. « Maintenant je vais aller m'allonger un peu, reprit-il. J'ai eu une longue journée. »

Il entra en titubant dans le bâtiment et suivit en grinçant les corridors jusqu'à sa chambre. Quelqu'un d'autre y avait visiblement emménagé ses affaires, mais Vindelle y remédia en les ramassant d'un seul balayage des bras et en les jetant dans le couloir.

Après quoi il s'étendit sur le lit.

Dormir. Il se sentait fatigué. C'était un début. Mais dormir signifiait perdre le contrôle de son corps, et il doutait que tous les systèmes de son organisme soient déjà parfaitement opérationnels.

Et puis, à la réflexion, avait-il vraiment besoin de dormir ? Il était mort, après tout. La mort, c'est paraît-il comme le sommeil, mais en plus profond. On dit que mourir, c'est comme aller se coucher, seulement, si on ne fait pas attention, des morceaux de soi risquent de pourrir et de tomber.

Qu'est-ce qu'on est censé faire quand on dort, d'ailleurs ? Rêver… Ça n'a pas un rapport avec les souvenirs qu'on met en ordre, quelque chose dans ce goût-là ? Comment s'y prend-on ? Il fixa le plafond.

« Je n'aurais jamais cru qu'être mort ça posait autant de problèmes », dit-il tout haut.

Au bout d'un moment, un couinement léger mais insistant lui fit tourner la tête.

Au-dessus de la cheminée se trouvait un bougeoir d'ornement en applique sur le mur. Il faisait tellement partie des meubles que Vindelle ne l'avait pas vraiment vu durant les cinquante dernières années.

Il se dévissait. Il tournait lentement sur lui-même en couinant une fois par rotation. Après une demi-douzaine de tours il se détacha du mur et tomba bruyamment par terre.

Les phénomènes inexplicables n'étaient pas en soi inhabituels sur le Disque-Monde[1]. Seulement ils rimaient normalement à quelque chose, ou offraient au moins un peu plus d'intérêt.

Rien d'autre n'avait l'air de vouloir bouger. Vindelle se détendit et reprit la mise en ordre de ses souvenirs. Il retrouvait dans le fatras de sa mémoire des détails dont il avait tout oublié.

Il entendit un bref chuchotement dans le couloir, puis la porte s'ouvrit à la volée…

« Attrapez-lui les jambes ! Attrapez-lui les jambes !

— Tenez-lui les bras ! »

Vindelle voulut s'asseoir. « Oh, salut tout le monde, dit-il. Qu'est-ce qui se passe ? »

L'archichancelier, debout au pied du lit, farfouilla dans un sac et sortit un objet volumineux et lourd.

Il le brandit. « Ah-*ha* ! » s'exclama-t-il.

Vindelle fixa l'objet de ses yeux de myope.

« Oui ? fit-il d'un ton obligeant.

— Ah-*ha*, répéta l'archichancelier, mais avec un peu moins de conviction.

1. Les pluies de poissons, par exemple, sont si fréquentes à Rabotepin, petit village sans aucun accès à la mer, qu'une industrie prospère de fumage, de conserve et de découpage en filets du hareng saur y a vu le jour. Et dans les régions montagneuses de Syrrit, de nombreux moutons, laissés au champ toute la nuit, se retrouvent le lendemain matin tournés dans l'autre sens, sans intervention apparente d'aucune main humaine.

— C'est une hache symbolique à deux mains du culte d'Io l'Aveugle », dit Vindelle.

L'archichancelier lui lança un regard dérouté.

« Euh… oui, reconnut-il, c'est vrai. » Il jeta la hache par-dessus son épaule en manquant emporter l'oreille gauche du doyen et plongea une nouvelle fois la main dans le sac.

« Ah-*ha* !

— Ça, c'est un beau spécimen de la Dent Magique d'Offler le dieu crocodile, dit Vindelle.

— Ah-ha !

— Et ça… attendez voir un peu… oui, c'est une série assortie de Canards Volants sacrés d'Ordpor l'Insipide. Dites, on se marre bien !

— Ah-ha.

— Ça… ne me dites pas, ne me dites pas… c'est le saint *linglong* du fameux et sinistre culte de Fuligine, non ?

— Ah-ha ?

— Je crois que celui-là, c'est le poisson tricéphale de la religion du Poisson Tricéphale des Terres d'Howonda.

— C'est franchement ridicule », fit l'archichancelier en laissant tomber le poisson par terre.

Les mages s'affaissèrent. Les objets du culte n'étaient pas un remède si infaillible que ça contre les morts vivants, après tout. « Je suis vraiment navré de vous embêter comme ça », dit Vindelle.

La figure du doyen s'éclaira soudain.

« La lumière du jour ! fit-il tout excité. C'est ça qu'il nous faut !

— Attrapez le rideau !

— Attrapez l'autre rideau !

— Un, deux, trois… *on* y va ! »

Vindelle cligna des yeux dans la lumière solaire qui gagnait peu à peu du terrain.

Les mages retinrent leur souffle.

« Pardon, fit Pounze. Ça n'a pas l'air de marcher. »

Ils s'affaissèrent à nouveau.

« Vous sentez donc rien de rien ? demanda Ridculle.

— Aucune impression de tomber en poussière et d'être emporté par le vent ? fit le major de promo, la voix pleine d'espoir.

— J'ai le nez qui a tendance à peler si je reste trop longtemps au soleil, dit Vindelle. Je ne sais pas si ça peut vous aider. » Il essaya de sourire.

Les mages échangèrent un regard et haussèrent les épaules.

« Sortez », ordonna l'archichancelier. Ils sortirent en groupe.

Ridculle les suivit. Il s'arrêta à la porte et agita un doigt à l'adresse de Vindelle.

« Ce manque de coopération, Vindelle, ça vous avance à rien », dit-il avant de claquer le battant derrière lui.

Quelques secondes plus tard ; les quatre vis qui tenaient la poignée de la porte se dévissèrent très lentement toutes seules. Elles s'élevèrent et tournèrent un instant en rond près du plafond, puis elles tombèrent.

Vindelle réfléchit un moment au phénomène.

Des souvenirs. Il en avait à foison. Cent trente ans de souvenirs. De son vivant, il n'arrivait pas à se rappeler le centième de ce qu'il savait, mais maintenant qu'il était mort, l'esprit débarrassé de tout ce qui n'était pas le fil d'argent unique de ses pensées, il retrouvait la moindre chose qu'il avait apprise. Tout ce qu'il avait lu, tout ce qu'il avait vu, tout ce qu'il avait entendu. Tout était là, soigneusement rangé. Rien n'était oublié. Tout à sa place.

Trois phénomènes inexplicables en une seule journée. Quatre, en comptant son existence prolongée. Vraiment inexplicable, ça.

Une explication s'imposait.

Bah, ça n'était pas son problème. Rien n'était plus son problème désormais, c'était celui des autres.

Les mages s'accroupirent devant la porte de Vindelle Pounze.

« Vous avez tout ? s'enquit Ridculle.

— Pourquoi on ne demande pas à des serviteurs de s'en charger ? marmonna le major de promo. Ça manque de dignité.

— Parce que je veux qu'ce soit fait correctement et avec dignité, répliqua sèchement l'archichancelier. S'il faut enterrer un mage à un croisement de routes et lui enfoncer un pieu dans l'corps, c'est à ses collègues de s'en charger. Après tout, on est ses amis.

— C'est quoi, cette chose, d'ailleurs ? lança le doyen en examinant l'outil dans ses mains.

— On appelle ça une pelle, répondit le major de promo. J'ai vu les jardiniers s'en servir. On enfonce le bout aiguisé dans la terre. Après, ça devient un brin technique. »

Ridculle lorgna par le trou de serrure.

« Il se recouche », dit-il. L'archichancelier se remit debout, s'épousseta les genoux et saisit la poignée de porte. « Bon, fit-il. En même temps que moi. Un… deux… »

Modo le jardinier poussait bruyamment une brouette remplie d'émondes de haie vers un feu derrière le bâtiment de recherche de la magie des hautes énergies, lorsqu'une demi-douzaine de mages le dépassèrent à grande vitesse – enfin, grande vitesse pour des mages. Ils portaient Vindelle Pounze au-dessus d'eux.

Modo entendit Vindelle demander : « Dites, archichancelier, vous croyez vraiment que cette fois ça va marcher… ?

— Vos intérêts nous tiennent à cœur, fit Ridculle.

— Ça, je n'en doute pas, mais…

— Bientôt, vous vous retrouverez comme avant, dit l'économe.

— Non, souffla le doyen. Justement !

— Bientôt, vous ne vous retrouverez pas comme avant, justement », bafouilla l'économe alors qu'ils tournaient à l'angle du bâtiment.

Modo reprit les poignées de la brouette et la poussa d'un air songeur vers le secteur à l'écart qu'occupaient son feu, ses tas de compost et de terreau de feuilles, ainsi que la petite cabane où il allait s'asseoir quand il pleuvait.

Avant, il était aide jardinier au palais, mais il trouvait ce boulot-ci drôlement plus passionnant. Il en voyait vraiment des vertes et des pas mûres.

À Ankh-Morpork, on vit surtout dans la rue. Il s'y passe toujours quelque chose d'intéressant. Pour l'heure, le conducteur d'une charrette de fruits à deux chevaux soulevait le doyen d'une quinzaine de centimètres au-dessus du sol par le col de sa robe et le menaçait de lui enfoncer la figure à l'arrière du crâne.

« C'est des pêches, d'accord ? ne cessait-il de beugler. Tu sais c'qui arrive aux pêches qui attendent trop longtemps d'être vendues ? Elles *s'abîment.* Et y a des tas d'choses dans l'coin qui vont s'abîmer, moi, j'te l'dis.

— Je suis mage, vous savez, répliqua le doyen dont le chapeau pointu pendouillait. Si ce n'était pas contraire au règlement de me servir de la magie pour autre chose que me défendre, vous seriez dans un drôle de pétrin.

— Vous jouez à quoi, d'ailleurs ? demanda le conducteur en baissant le doyen afin de lui regarder par-dessus l'épaule d'un air soupçonneux.

— Ouais, renchérit un homme en s'efforçant de maîtriser l'équipage qui tractait un chargement de bois d'œuvre, qu'est-ce qui s'passe ? Y a des gens qui sont payés à l'heure, ici, vous savez !

— Avancez donc, là-bas, d'vant ! »

Le conducteur de bois se retourna sur son siège pour s'adresser à la queue de charrettes derrière lui. « C'est c'que j'essaye de faire, dit-il. C'est pas ma faute, à moi ! Y a tout un tas d'mages qui creusent dans la putain d'rue ! »

La figure crottée de l'archichancelier pointa par-dessus le bord du trou. « Oh, par tous les dieux, doyen, fit-il. J'vous ai dit d'arranger l' coup !

— Oui, je demandais justement à ce monsieur de reculer et de prendre un autre chemin », répondit le doyen qui craignait de bientôt manquer d'air.

Le marchand de fruits le retourna pour lui permettre de voir l'enfilade des rues bondées. « T'as déjà essayé de faire reculer soixante charrettes toutes en même temps ? demanda-t-il. C'est pas d'la tarte. Surtout quand personne peut bouger, vu que vous autres, vous vous êtes tellement bien débrouillés que les charrettes font tout le tour du pâté d'maisons et qu'elles se gênent les unes les autres pour passer, tu m'suis ? »

Le doyen essaya de hocher la tête. Lui-même s'était demandé s'il était raisonnable de creuser le trou à l'intersection de la rue des Petits-Dieux et de la rue Grande, deux des artères les plus passantes d'Ankh-Morpork. Sur le moment, le choix avait paru logique. Même les morts vivants les plus obstinés auraient forcément la décence de rester enterrés sous une circulation aussi intense. Seul problème : personne n'avait sérieusement songé à la difficulté de défoncer deux rues importantes aux heures d'affluence.

« D'accord, d'accord, qu'est-ce qui s'passe ici ? »

La foule des badauds s'ouvrit pour laisser passer la silhouette massive de Côlon, le sergent du Guet. Il fendit la cohue d'un pas inexorable à la suite de sa bedaine. À la vue des mages plongés jusqu'à la ceinture dans un trou au beau milieu de la route, sa grosse figure rougeaude s'éclaira.

« Qu'est-ce qu'on a là ? fit-il. Une bande internationale de voleurs de croisements ? » Il ne se sentait plus de joie. Sa stratégie policière à long terme finissait par porter ses fruits ! L'archichancelier lui renversa une pelletée de terreau morporkien sur les souliers.

« Racontez pas d'bêtises, mon vieux, fit-il sèchement. C'est une question de vie ou d'mort.

— Mais oui. Ils disent tous ça, répliqua le sergent Côlon dont on ne détournait pas facilement une idée de son cap quand elle avait atteint sa vitesse de croisière mentale. J'parie qu'y a des tas d'villages dans des pays d'sauvages comme le Klatch qui payeraient cher un beau croisement prestigieux comme çui-là, hein ? »

Ridculle leva les yeux sur lui, bouche bée.

« C'est quoi, ce baragouin, sergent ? » fit-il. Il désigna d'un doigt irrité son chapeau pointu. « Vous m'avez pas entendu ? On est des mages. On fait notre boulot de mages. Alors, si vous pouviez faire dévier la circulation autour de nous, vous seriez bien aimable…

— … ces pêches s'abîment rien qu'à les regarder…, fit une voix derrière le sergent Côlon.

— Ces vieux débiles nous bloquent depuis une demi-heure, se plaignit un conducteur de bestiaux dont les quarante bœufs avaient depuis longtemps échappé à son autorité pour errer au hasard dans les rues avoisinantes. J'veux qu'on les arrête. »

Le sergent comprit peu à peu qu'il s'était placé par mégarde sur le devant de la scène dans un drame qui réunissait des centaines de gens, parmi lesquels des mages, et tous en colère.

« Qu'est-ce que vous faites, donc ? demanda-t-il d'une petite voix.

— On enterre notre collègue. Ça s'voit pas ? » répliqua Ridculle.

Les yeux de Côlon pivotèrent vers un cercueil ouvert au bord de la route. Vindelle Pounze lui adressa un petit signe de la main.

« Mais… il est pas mort… dites ? fit-il, le front plissé dans son effort pour ne pas perdre pied.

— Les apparences sont parfois trompeuses, répondit l'archichancelier.

— Mais il vient de m'adresser un signe de la main, fit remarquer le sergent désespéré.

— Et alors ?

— Ben, c'est pas normal pour…

— Tout va bien, sergent », déclara Vindelle Pounze.

Côlon se rapprocha en crabe du cercueil.

« C'est pas vous qu'j'ai vu sauter dans l'fleuve, hier au soir ? demanda-t-il du coin de la bouche.

— Si. Vous avez été très serviable, dit Vindelle.

— Et après vous avez comme qui dirait sauté hors de l'eau.

— J'en ai peur.

— Mais vous êtes resté au fond un temps fou.

— Ben, il faisait très noir, voyez-vous. Je n'arrivais pas à trouver les marches. »

Le sergent Côlon devait reconnaître que c'était logique.

« Ben, j'suppose qu'vous êtes bien mort, alors, fit-il. Personne aurait pu rester si longtemps au fond à moins d'être mort.

— Voilà, approuva Vindelle Pounze.

— Seulement, pourquoi vous bougez et vous parlez ? »

Le major de promo passa la tête hors du trou.

« Il n'est pas rare qu'un cadavre bouge et émette des bruits après le décès, sergent, expliqua-t-il spontanément. C'est dû à des spasmes musculaires involontaires.

— Là-dessus, le major de promo a raison, fit Vindelle Pounze. J'ai lu ça quelque part.

— Oh. » Le sergent Côlon regarda autour de lui. « D'accord, dit-il d'une voix mal assurée. Ben... ça va, j'imagine...

— Voilà, ça y est, fit l'archichancelier en se dégageant du trou à quatre pattes, c'est assez profond. Allez, Vindelle, descendez.

— Vraiment, je suis très touché, vous savez », dit Vindelle en se recouchant dans le cercueil. Un bon cercueil qui venait de la morgue de la rue de l'Orme. L'archichancelier le lui avait laissé choisir lui-même.

Ridculle empoigna un maillet.

Vindelle se remit en position assise.

« Tout le monde se donne tellement de mal...

— Oui, c'est ça, dit Ridculle en regardant autour de lui. Bon... qui a l'pieu ? »

Tout le monde regarda l'économe.

L'économe se regarda les pieds d'un air piteux.

Il fouilla dans un sac.

« Je n'en ai pas trouvé », avoua-t-il.

L'archichancelier se prit le front dans la main. « Vous

savez, ça m'étonne pas. Mais alors pas du tout. Vous avez trouvé quoi ? Des côtelettes d'agneau ? Une belle tranche de rôti d'porc ?

— Du céleri, répondit l'économe.

— Ce sont ses nerfs, s'empressa d'intervenir le doyen.

— Du céleri, répéta l'archichancelier, dont la maîtrise de soi était assez solide pour qu'on courbe des fers à cheval autour. Bien. »

L'économe lui tendit une botte verte et détrempée. Ridculle s'en saisit.

« Bon, Vindelle, dit-il, imaginez que ce que j'tiens dans la main…

— C'est très bien, fit Vindelle.

— J'suis pas vraiment sûr de pouvoir enfoncer…

— Ça m'est égal, je vous assure.

— Vrai ?

— L'intention y est. Donnez-moi le céleri et pensez que vous cognez sur un pieu, ça devrait suffire.

— C'est très chic de votre part, dit Ridculle. Ça dénote un bon esprit.

— Un esprit de corps », fit le major de promo.

Ridculle lui jeta un regard noir et tendit brusquement, d'un geste théâtral, le céleri à Vindelle. « Prenez ça !

— Merci, dit Vindelle.

— Maintenant on remet le couvercle et on va déjeuner, fit Ridculle. Vous inquiétez pas, Vindelle. Ça va marcher. Aujourd'hui, c'est le dernier jour de ce qui vous reste à vivre. »

Vindelle, allongé dans le noir, écouta les coups de marteau. Il y eut un choc sourd et des jurons étouffés à l'encontre du doyen qui ne tenait pas le bout du cercueil comme il fallait. Puis le crépitement de la terre sur le couvercle, de plus en plus faible et distant.

Après quelques instants, des grondements lointains lui donnèrent à penser que les activités de la ville avaient repris. Il entendait même des voix assourdies.

Il cogna sur le couvercle du cercueil.

« Vous ne pourriez pas parler moins fort ? demanda-t-il. Il y a des gens en dessous qui essayent d'être morts ! »

Les voix se turent. Des pas s'éloignèrent en hâte.

Vindelle resta ainsi un moment. Combien de temps ? il n'aurait su dire. Il s'efforça d'arrêter toutes ses fonctions, mais ça n'arrangeait rien, au contraire. Pourquoi était-ce si difficile de mourir ? Des tas de gens y arrivaient, même sans pratique.

En outre, sa jambe le démangeait.

Il essaya de tendre le bras pour se gratter, mais sa main toucha quelque chose de petit et de forme irrégulière. Il réussit à entourer l'objet de ses doigts.

Au toucher, ça ressemblait à une botte d'allumettes.

Dans un cercueil ? Est-ce qu'on croyait qu'il allait tranquillement fumer un cigare, histoire de passer le temps ?

Après pas mal d'efforts, il parvint à ôter une chaussure en poussant dessus avec l'autre pied et à la remonter jusqu'à ce qu'il puisse l'attraper. Elle lui fournit une surface rugueuse sur laquelle gratter une allumette…

Une lumière sulfureuse emplit son petit monde oblong.

Un tout petit bout de carton était épinglé à l'intérieur du couvercle.

Il le lut.

Il le relut.

L'allumette s'éteignit.

Il en gratta une seconde, rien que pour s'assurer de l'existence de ce qu'il avait lu.

Le message lui parut toujours aussi curieux, même à la troisième lecture

Mort ? Déprimé ?
Envie de repartir à zéro ?
Alors pourquoi ne pas venir au
CLUB DU NOUVEAU DÉPART ?
Tous les mardis, minuit, 668, rue de l'Orme
OUVERT À TOUS – TENUE DE SUAIRE NON EXIGÉE

La seconde allumette s'éteignit en consumant ce qui restait d'oxygène.

Vindelle resta un instant dans le noir à réfléchir à ce

qu'il allait faire ensuite tout en finissant de manger le céleri.

Qui aurait dit ça ?

Feu Vindelle Pounze comprit soudain qu'il avait fait erreur en s'imaginant que rien n'était plus son problème mais celui des autres. Au moment où il se croyait mis au rancart, il découvrait toute l'étrangeté du monde. Il savait par expérience que les vivants ne perçoivent jamais la moitié de ce qui se passe réellement autour d'eux parce qu'ils sont trop occupés à vivre. Le spectateur jouit d'une meilleure vue d'ensemble, se dit-il. Les vivants ignorent l'étrange et le merveilleux parce que la vie déborde d'ennui et de banalité. Mais elle est pourtant étrange, la vie. On y voit des vis qui se dévissent toutes seules, de petits messages rédigés à l'intention des morts.

Il résolut de découvrir ce qui se passait. Puis… si la Mort ne voulait pas venir à lui, c'est lui qui irait à la Mort. Il avait des droits, tout de même. Ouais. Il lancerait la plus grande recherche de disparu de tous les temps.

Vindelle sourit dans l'obscurité.

Disparu présumé Mort.

Aujourd'hui, c'était le *premier* jour du temps qui lui restait à vivre.

Et Ankh-Morpork était à ses pieds. Enfin, métaphoriquement. Il ne pouvait que remonter la pente.

Il leva les mains, sentit la carte dans le noir et la décrocha. Il se la colla entre les dents.

Vindelle Pounze prit appui des talons contre le bout de la caisse, se passa les mains au-dessus de la tête et poussa.

Le terreau détrempé d'Ankh-Morpork bougea légèrement. Vindelle marqua un temps, habitué à reprendre son souffle, et s'aperçut que ça ne servait à rien. Il poussa encore. L'extrémité du cercueil se fendit.

Il ramena vers lui les morceaux de pin qu'il déchira comme du vulgaire papier. Il se retrouva avec un bout de planche qui aurait fait une pelle parfaitement inutile pour quiconque ne jouissait pas de la force d'un zombi.

Il se retourna sur le ventre puis, déblayant autour de

lui à l'aide de sa pelle improvisée la terre qu'il tassait ensuite avec les pieds, Vindelle Pounze se creusa un tunnel vers un nouveau départ.

Imaginez un paysage, une plaine ondoyante.

C'est l'été finissant au pays de l'herbe octarine que surplombent les pics vertigineux des montagnes du Bélier, et les couleurs dominantes sont la terre d'ombre et l'or. La canicule dessèche la contrée. Les sauterelles grésillent comme dans une poêle à frire. Même l'atmosphère a trop chaud pour bouger. C'est l'été le plus torride de mémoire d'homme, et dans ces régions ça fait très, très long.

Imaginez une silhouette à cheval qui suit lentement une route couverte d'une couche épaisse de poussière entre des champs de blé déjà prometteurs d'une moisson exceptionnellement abondante.

Imaginez une clôture de bois mort tout sec. Un écriteau y est accroché. Le soleil en a décoloré le texte, mais il reste lisible. Imaginez une ombre qui s'étend sur l'écriteau. On l'entend presque lire les mots.

Un sentier s'écarte de la route pour se diriger vers un petit groupe de bâtiments blanchis au soleil.

Imaginez des pas traînants.

Imaginez une porte ouverte.

Imaginez une pièce sombre et fraîche entrevue par l'entrée. Il ne s'agit pas d'une pièce où l'on vit beaucoup. Plutôt d'une pièce pour ceux qui vivent dehors mais doivent s'abriter de temps en temps, quand la nuit tombe. Une pièce pour les harnais et les chiens, une pièce où l'on tend les toiles cirées à sécher. À l'intérieur, un tonneau de bière près de la porte. Du carrelage par terre et, le long des poutres du plafond, des crochets pour suspendre des jambons. Une table soigneusement récurée où pourraient s'asseoir trente hommes affamés.

Mais il n'y a pas d'hommes. Ni de chiens. Ni de bière. Ni de jambons.

Un silence suivit les coups frappés à la porte, que rompit le claquement de pantoufles sur le carrelage. Enfin, une vieille femme maigre dont la figure avait la couleur et la texture d'une noix passa un œil par la porte.

« Oui ? fit-elle.

— L'ÉCRITEAU DIT " ON DEMANDE UN AIDE ".

— Ah bon ? Ah bon ? Il est là-bas depuis avant l'hiver !

— EXCUSEZ-MOI. VOUS N'AVEZ PAS BESOIN D'AIDE ? »

La figure ridée regarda l'inconnu d'un air songeur.

« J'peux pas payer plus d'six sous la semaine, v'savez », dit-elle.

La haute silhouette dressée devant la lumière du jour donna l'impression de réfléchir.

« ÇA VA, finit par accepter l'inconnu.

— J'sais même pas par où vous faire commencer. On a pas vraiment eu d'aide ici depuis trois ans. J'engage les bons à rien d'fainéants du village d'à côté quand j'ai b'soin.

— OUI ?

— Ça vous est égal, alors ?

— J'AI UN CHEVAL. »

La vieille femme tendit le cou pour regarder derrière l'étranger. Dans la cour attendait le cheval le plus impressionnant qu'elle ait jamais vu. Ses yeux s'étrécirent.

« Et c'est ça, votre cheval, hein ?

— OUI.

— Avec plein d'argenterie sur les harnais et tout ?

— OUI.

— Et vous voulez travailler pour six sous la semaine ?

— OUI. »

La vieille pinça les lèvres. Son regard passa en revue l'étranger, le cheval et le délabrement général de la ferme. Elle parut prendre une décision, sans doute après s'être dit qu'elle n'avait pas grand-chose à craindre d'un voleur de chevaux, puisqu'elle n'en possédait pas.

« Pour dormir, vous irez dans la grange, compris ? fit-elle.

— DORMIR ? OUI, BIEN SÛR. OUI, IL FAUDRA QUE JE DORME.

— J'peux pas vous prendre dans la maison, n'importe comment. Ça s'rait pas correct.

— LA GRANGE ME CONVIENT PARFAITEMENT, JE VOUS ASSURE.

— Mais vous pourrez venir dans la maison pour les repas.

— MERCI.

— Je m'appelle mademoiselle Trottemenu.

— OUI. »

Elle attendit.

« J'présume que vous avez un nom, vous aussi, lui souffla-t-elle.

— OUI. C'EST VRAI. »

Elle attendit encore.

« Alors ?

— PARDON ?

— C'est quoi, vot' nom ? »

L'étranger la fixa un moment puis jeta autour de lui un regard éperdu.

« Allez, fit mademoiselle Trottemenu. J'emploie pas des gens qu'ont pas d'nom. Monsieur… ? »

La silhouette regarda en l'air.

« MONSIEUR CIEL ?

— Personne s'appelle monsieur Ciel.

— MONSIEUR… PORTE ? »

Elle hocha la tête.

« Pourquoi pas ? Pourquoi pas monsieur Porte ? J'ai connu dans l'temps un gars qui s'appelait Portès. Ouais. Monsieur Porte. Et votre petit nom ? Me dites pas que vous en avez pas non plus. Vous en avez forcément un, Pierre, Paul, Jacques, un nom comme ça.

— OUI.

— Quoi ?

— UN NOM COMME ÇA.

— Lequel ?

— EUH… LE PREMIER ?

— Pierre, alors ?

— OUI ? »

Mademoiselle Trottemenu roula des yeux.

« D'accord, Pierre Ciel…, fit-elle.

— PORTE.

— Ah ouais. Pardon. D'accord, Pierre Porte…

— APPELEZ-MOI PIERRE.

— Et vous, vous pouvez m'appeler mademoiselle Trottemenu. J'présume que vous voulez prendre votre dîner ?

— VOUS CROYEZ ? AH, OUI. LE REPAS DU SOIR. OUI.

— Vous m'avez l'air à moitié mort de faim, j'dois dire. Plus qu'à moitié, même. » Elle étudia la silhouette du coin de l'œil. Elle ignorait pourquoi, mais elle avait beaucoup de mal à dire avec certitude à quoi ressemblait Pierre Porte, et même à se rappeler le son exact de sa voix. Manifestement il était là, et manifestement il avait parlé, sinon pourquoi elle s'en souviendrait ?

« Y a des tas de gens dans l'pays qui se servent pas d'leur nom de naissance, fit-elle. Moi, j'dis toujours qu'on a rien à y gagner de s'amuser à poser des questions personnelles. J'présume que l'travail, ça vous fait pas peur, monsieur Pierre Porte ? J'ai pas fini de rentrer l' foin des prés plus haut et va y avoir pas mal d'ouvrage avec la moisson. Vous savez manier la faux ? »

Pierre Porte eut l'air de réfléchir un moment à la question. « JE CROIS, répondit-il enfin, QUE LA RÉPONSE EST SANS CONTESTE “ OUI ”, MADEMOISELLE TROTTEMENU. »

Planteur Je-m'tranche-la-gorge ne voyait pas lui non plus l'intérêt de poser des questions personnelles, surtout quand elles le concernaient et qu'elles étaient du genre : « Est-ce que ces trucs que vous vendez sont à vous ? »

Mais personne n'avait l'air de vouloir venir l'accuser d'écouler des biens qui ne lui appartenaient pas, et il ne s'en plaignait pas. Il avait vendu plus de mille petits globes ce matin-là, et il avait dû embaucher un troll pour assurer un approvisionnement continu depuis la source mystérieuse dans la cave.

Les gens les adoraient.

Le maniement en était d'une simplicité enfantine et à la portée du citoyen moyen morporkien après quelques essais ratés.

Quand on donnait une secousse au globe, un nuage de petits flocons blancs montaient en tournoyant dans le liquide à l'intérieur et se redéposaient délicatement sur une toute petite reproduction d'un célèbre monument d'Ankh-Morpork. Ainsi dans certains globes reconnaissait-on l'Université, dans d'autres la tour de l'Art, ou le pont d'Airain, ou le palais du Patricien. Les détails étaient étonnants.

Puis il n'en resta plus. Ça, se dit la Gorge, c'est une honte. Vu qu'ils ne lui avaient jamais techniquement appartenu – mais moralement, évidemment, moralement ils étaient à lui –, il ne pouvait pas vraiment se plaindre. Enfin, si, il pouvait se plaindre, bien sûr, mais seulement tout bas et à personne de précis. C'était peut-être mieux comme ça, à la réflexion. Les écouler en masse et à bas prix. Ne pas les garder sur les bras – qu'il écarterait du coup d'autant plus facilement en un geste d'innocence outragée si jamais il devait se récrier : « Qui ? Moi ? »

Ils étaient tout de même drôlement jolis. Si l'on exceptait, curieusement, l'inscription au fond de chaque globe en lettres tremblées, comme tracées par un amateur qui n'avait encore jamais vu de mots écrits et avait voulu les recopier. Au fond de chaque globe, donc, sous le petit bâtiment tarabiscoté recouvert de flocons de neige, on lisait :

sou enir d'ankh-morpork

Mustrum Ridculle, archichancelier de l'Université de l'Invisible, était un autocondimenteur[1] éhonté. À chaque repas, il avait son service à condiments personnel devant lui. Un service qui regroupait du sel, trois sortes de poivre, quatre de moutarde, quatre de vinaigre, quinze de chutney et son péché mignon : la sauce wow-wow, mélange de frottis, de concombres au vinaigre, de câpres, de moutarde, de mangues, de figues, de youplà râpée, d'extrait d'anchois, d'assa-fœtida et, très important, de soufre et de salpêtre, histoire de relever le tout. Ridculle avait hérité la formule de son oncle qui, un beau soir, après avoir arrosé un gros repas d'une demi-pinte de sauce, avait pris un biscuit au charbon de bois pour se soulager l'estomac, puis allumé sa pipe et *disparu dans des circonstances mystérieuses* – on avait cependant retrouvé ses chaussures sur le toit l'été suivant.

Il y avait du mouton froid au déjeuner. Le mouton accompagnait bien la sauce wow-wow ; le soir de la mort de Ridculle senior, par exemple, il l'avait accompagnée sur au moins cinq kilomètres.

Mustrum se noua sa serviette autour du cou, se frotta les paumes et tendit la main.

Le service à condiments se déplaça.

Il tendit à nouveau la main. Le service recula en glissant sur la table.

Ridculle soupira.

« D'accord, les gars, dit-il. Pas de magie à table, vous connaissez l'règlement. Qui c'est qui joue au con ? »

Les autres grands mages le regardèrent fixement.

« Je… je… je crois qu'on ne peut plus y jouer, dit l'économe dont la raison menaçait toujours de dérailler, je… je… je crois qu'on a perdu des pièces… »

1. Le convive qui ne manque pas de verser du sel, voire du poivre sur tout ce qu'on lui sert, quel que soit le plat, même s'il est déjà assaisonné, sans souci de son goût. Les psychiatres spécialistes du comportement engagés par des établissements de restauration rapide dans l'univers, après avoir remarqué le phénomène, ont fait économiser des milliards de devises locales à leurs employeurs en leur conseillant de ne rien assaisonner au préalable. Ce n'est pas une blague.

Il regarda autour de lui, gloussa et tenta une nouvelle fois de couper son mouton avec une cuiller. Les autres mages évitaient désormais de lui laisser des couteaux à portée de main.

Tout le service à condiments s'éleva en l'air et se mit à tourner lentement sur lui-même. Puis il explosa.

Les mages, dégoulinants de vinaigre et d'épices onéreuses, restèrent figés, l'œil rond.

« C'était sûrement la sauce, fit le doyen en manière d'explication. Je l'ai trouvée un peu douteuse hier soir. »

Quelque chose lui tomba sur la tête avant d'atterrir dans son déjeuner. Une vis de fer, longue de plusieurs centimètres.

Une autre commotionna légèrement l'économe.

Au bout d'une seconde ou deux, une troisième plongea pointe en bas et se ficha dans la table près de la main de l'archichancelier.

Les mages levèrent les yeux.

La Grande Salle était éclairée le soir par un lustre imposant. Le terme de lustre, souvent synonyme de verrerie prismatique scintillante, convenait mal à l'engin démesuré, lourd, noir et encroûté de suif qui pendait au plafond comme l'épée de la Dame aux Clés. On pouvait y allumer mille bougies. Il se trouvait juste au-dessus de la table des mages.

Une autre vis tinta par terre près de la cheminée.

L'archichancelier s'éclaircit la gorge.

« On s'taille ? » suggéra-t-il.

Le lustre s'abattit.

Des éclats de table et de vaisselle mitraillèrent les murs. Des boules de suif meurtrières grosses comme des têtes humaines filèrent par les fenêtres en vrombissant. Une bougie entière, propulsée des débris à une vitesse folle, s'enfonça de plusieurs doigts dans une porte.

L'archichancelier se dépêtra des restes de son fauteuil.

« Économe ! » brailla-t-il.

On exhuma l'économe de la cheminée.

« Hum, oui, archichancelier ? chevrota-t-il.

— C'était quoi, ce truc-là ? »

Le chapeau de Ridculle se souleva de sa tête.

C'était un chapeau pointu de mage, à bords flottants, d'un modèle courant mais adapté à la vie exubérante qu'affectionnait l'archichancelier. Il avait piqué dessus des mouches pour la pêche. Il avait coincé une toute petite arbalète dans le ruban au cas où il apercevrait du gibier pendant son jogging, et il s'était aperçu que le bout pointu avait la taille idéale pour une petite bouteille de Très Vieille Fine Originale de Bentinque. Il y tenait beaucoup, à son chapeau.

Mais le chapeau ne tenait plus à lui.

Il dérivait tranquillement à travers la salle. On entendait un clapotement léger mais distinct.

L'archichancelier bondit sur ses pieds. « Y en a marre ! rugit-il. Ce truc-là, ça coûte neuf piastres la bouteille ! » Il sauta vers le chapeau, le manqua et continua sur sa lancée pour finir par s'immobiliser à un mètre cinquante en l'air.

L'économe leva une main nerveuse.

« Peut-être un anobion ? dit-il.

— Si ça continue, gronda Ridculle, même rien qu'un peu, m'entendez, je vais me mettre très en colère ! »

Il retomba par terre à l'instant où s'ouvraient les grandes portes. Un des appariteurs de la faculté entra d'un air agité, suivi d'une escouade de la garde du palais du Patricien.

Le capitaine des gardes toisa l'archichancelier avec l'expression de ceux qui prononcent du même ton les mots « civil » et « cafard ».

« C'est vous qui dirigez tout ça ? » demanda-t-il.

L'archichancelier se lissa la robe et s'efforça de redresser sa barbe.

« Je suis l'archichancelier de cette université, oui », répondit-il.

Le capitaine promena un regard étonné autour de la salle. Les étudiants se tapissaient tous à l'autre bout. Des éclaboussures de mangeaille tachetaient la majeure partie des murs jusqu'au plafond. Des morceaux de mobilier gisaient autour des débris du lustre tels des arbres autour du point de radiation maximum au sol d'un météore.

Puis il parla avec tout le dégoût de qui n'a pas poursuivi ses études au-delà de l'âge de neuf ans mais a entendu raconter des choses…

« On fait les fous comme les jeunes, hein ? dit-il. On se lance des boulettes de pain, tout ça ?

— J'peux vous demander l'objet de cette intrusion ? » répliqua froidement Ridculle.

Le capitaine des gardes s'appuya sur sa lance.

« Ben, fit-il, voilà ce qu'il en est. Le Patricien est barricadé dans sa chambre, rapport au mobilier du palais qui valdingue partout comme pas possible, les cuistots veulent même plus retourner dans la cuisine, vu ce qui s'y passe… »

Les mages se retenaient pour ne pas regarder le fer de la lance. Il commençait à se dévisser tout seul.

« Bref, poursuivit le capitaine, inconscient des petits bruits métalliques, le Patricien m'appelle par le trou de la serrure, voyez, et il me dit : “ Douglas, est-ce que ça vous ennuierait de faire un saut à l'Université pour demander au directeur s'il aurait la bonté de passer me voir, des fois qu'il serait pas trop occupé ? ” Mais je peux toujours retourner l'informer que vous êtes en pleine partie de rigolade estudiantine, si vous préférez. »

Le fer de lance était presque séparé du fût.

« Vous m'écoutez ? demanda le capitaine d'un air soupçonneux.

— Hmm ? Quoi ? fit l'archichancelier en s'arrachant à la contemplation du métal en rotation. Oh. Oui. Ben, j'vous assure, mon brave, qu'on est pour rien dans…

— Aargh !

— Pardon ?

— Le fer de lance m'est tombé sur le pied !

— Ah bon ? » s'étonna Ridculle, l'air innocent.

Le capitaine des gardes sautillait sur place.

« Écoutez, est-ce que vous venez, oui ou non, vous et vos foutus tours de passe-passe ? jeta-t-il entre deux bonds. Il est pas très content, l'patron. Pas très content du tout. »

Un grand nuage informe de vie s'étendait peu à peu sur le Disque-Monde, comme l'eau s'accumule derrière un barrage lorsque les vannes sont fermées. Sans la Mort pour l'évacuer quand on n'en avait plus besoin, la force vitale n'avait nulle part ailleurs où aller.

Ici et là, elle se mettait à la terre à la façon d'un esprit frappeur sévissant au hasard, dans des lueurs d'éclairs de chaleur avant un gros orage.

Tout ce qui existe aspire à vivre. Le cycle de la vie se résume à ça. C'est le moteur qui entraîne les grandes pompes biologiques de l'évolution. Tout s'efforce de grimper petit à petit à l'arbre, de gagner l'échelon suivant à coups de griffes, de tentacules ou de bave avant d'atteindre le sommet – lequel, en général, se révèle décevant au regard des efforts déployés.

Tout ce qui existe aspire à vivre. Même ce qui est dépourvu de vie. Ce qui jouit d'une espèce de sous-vie, d'une vie métaphorique, d'une quasi-vie. Et aujourd'hui, de même qu'une période soudaine de chaleur génère des floraisons exotiques voire anormales…

Les petits globes avaient une particularité. On les prenait, on les secouait, puis on regardait les jolis flocons de neige tournoyer et scintiller. Ensuite on les ramenait chez soi pour les poser sur la cheminée. Et on les oubliait.

Les rapports entre l'Université et le Patricien, souverain absolu et dictateur presque bienveillant d'Ankh-Morpork, étaient à la fois complexes et subtils.

Selon les mages, en tant que serviteurs d'une vérité plus élevée, eux-mêmes n'étaient pas soumis aux lois terrestres de la cité.

Selon le Patricien, c'était effectivement le cas, mais ça ne les empêchait pas de payer leurs foutus impôts comme tout le monde.

Selon les mages, en tant que partisans de la lumière de la sagesse, ils ne devaient allégeance à aucun mortel.

Selon le Patricien, c'était peut-être vrai, mais ils devaient quand même un impôt local de deux cents piastres par tête et par an, payable tous les trimestres.

Selon les mages, l'Université reposait sur un terrain magique, elle était donc exempte de tout impôt, et puis on ne taxe pas le savoir.

Selon le Patricien, si, on le taxe. C'était deux cents piastres par tête ; si ça les gênait par tête, on pourrait en faire sauter quelques-unes.

Selon les mages, l'Université n'avait jamais payé d'impôts à l'autorité civile.

Selon le Patricien, il ne comptait pas rester civil longtemps.

Selon les mages, ils pourraient peut-être bénéficier de facilités de paiement.

Selon le Patricien, c'était justement des facilités qu'il leur proposait. Ils n'aimeraient sûrement pas qu'il leur parle des difficultés.

Selon les mages, il y avait eu un dirigeant dans le temps, oh, durant le siècle de la Libellule, peut-être bien, qui avait voulu dicter sa conduite à l'Université. Le Patricien pouvait venir jeter un coup d'œil au bonhomme si ça lui disait.

Selon le Patricien, il le ferait. Sans faute.

Finalement, il fut convenu que les mages ne paieraient bien sûr pas d'impôts, mais qu'ils feraient une donation parfaitement spontanée de… oh, disons deux cents piastres par tête, sans parti pris, *mutatis mutandis,* sans conditions, à n'utiliser impérativement que dans des buts non militaires et respectueux de l'environnement.

C'est cette interaction dynamique de blocs d'influence qui faisait d'Ankh-Morpork une ville si passionnante, stimulante et surtout vachement dangereuse où vivre [1].

1. On a écrit d'innombrables chansons sur la métropole trépidante, la plus célèbre restant évidemment *Sous les ponts d'Ankh-Morpork,* mais parmi les autres, citons *Il est midi, Ankh-Morpork s'éveille, Aïe, les p'tites femmes d'Ankh-Morpork* et le grand classique *Ankh-Morpork hélas madame.*

Les mages de haut rang ne fréquentaient pas souvent ce que *Byenvenue à Ankh-Morporke* devait appeler les grandes artères noires de monde et les petits passages discrets de la cité, mais il parut instantanément évident que quelque chose ne tournait pas rond. Il arrive parfois que les pavés volent dans les airs, mais d'ordinaire on les a jetés. Normalement, ils ne planent pas tout seuls.

Une porte s'ouvrit à la volée et un costume apparut devant des chaussures qui dansaient et sous un chapeau qui flottait au-dessus d'un col vide. Immédiatement derrière jaillit un homme tout maigre qui tâchait d'obtenir avec un gant de toilette le même résultat qu'avec un pantalon.

« Revenez ici ! brailla-t-il alors que ses vêtements tournaient à l'angle de la rue. Je n'ai pas fini de vous payer, je dois encore sept piastres ! »

Un deuxième pantalon sortit à toutes jambes sur la chaussée et leur courut après.

Les mages se regroupèrent comme un animal à cinq têtes pointues et dix pattes en se demandant qui serait le premier à émettre un commentaire.

« Putain, ça, c'est pas croyable ! s'exclama l'archichancelier.

— Hmm ? fit le doyen en laissant entendre qu'il voyait des choses beaucoup moins croyables à longueur de temps et qu'en attirant l'attention sur de vulgaires habits en train de cavaler tout seuls, l'archichancelier dévalorisait le métier de mage.

— Oh, allons. J'connais pas beaucoup de tailleurs dans le coin qui donneraient en prime un deuxième froc pour l'achat d'un costume à sept piastres, dit Ridculle.

— Oh, fit le doyen.

— S'il repasse, essayez de lui faire un croche-patte, que je jette un coup d'œil à l'étiquette. »

Un drap de lit se faufila par une fenêtre d'étage et s'envola par-dessus les toits en claquant au vent.

« Vous savez, dit l'assistant des runes modernes en s'efforçant de garder une voix calme et détendue, je ne crois pas qu'il s'agisse de magie. Ça ne donne pas l'impression d'être de la magie. »

Le major de promo plongea la main dans une des poches profondes de sa robe. On entendit des cliquetis et des bruissements étouffés au milieu de quelques coassements. Il finit par extraire un cube de verre bleu foncé. Un cadran en ornait une face.

« Vous vous baladez avec ça dans votre poche ? s'étonna le doyen. Un instrument d'une telle valeur ?

— C'est quoi, ce machin ? demanda Ridculle.

— Un appareil de mesure de la magie extrêmement sensible, répondit le doyen. Ça mesure la densité d'un champ magique. Un thaumomètre. »

Le major de promo leva fièrement le cube en l'air et pressa un bouton sur le côté.

Une aiguille sur le cadran oscilla un peu puis s'immobilisa.

« Vous voyez ? fit le major de promo. Un milieu parfaitement normal, aucun risque pour la population.

— Parlez plus fort, dit l'archichancelier. J'vous entends pas avec tout ce raffut. »

Des fracas et des cris fusèrent des maisons de part et d'autre de la rue.

Madame Evadne Cake était médium, à la limite de la petite taille.

Ce n'était pas un emploi astreignant. Peu de défunts à Ankh-Morpork montraient beaucoup d'empressement à bavarder avec leurs proches survivants. Mettre autant de dimensions possibles entre eux et nous, telle était leur devise. Madame Cake meublait son temps entre deux rendez-vous avec des travaux de couture et ses activités dans les édifices religieux – quelle que soit la religion. Elle se passionnait pour la religion, à sa façon du moins.

Evadne Cake n'était pas une médium façon rideaux-de-perles-et-encens, d'abord parce qu'elle désapprouvait l'encens, mais surtout parce qu'elle s'y entendait vraiment dans sa partie. Un bon illusionniste surprend son monde avec une simple boîte d'allumettes et un jeu de cartes tout à fait ordinaire – « Si vous voulez vous donner la peine de les examiner, monsieur, vous constaterez qu'il s'agit d'un jeu de cartes tout à fait ordinaire » –, il n'a pas besoin des tables pliantes qui pincent les doigts ni des chapeaux claques compliqués des petits prestidigitateurs. De la même manière, madame Cake n'avait guère besoin d'accessoires. À vrai dire, sa boule de cristal de série n'était là que pour rassurer ses clients. Madame Cake pouvait lire l'avenir dans un bol de porridge[1]. Avoir une révélation dans une poêlée de bacon frit. Elle avait passé son existence à mettre son nez dans le monde des esprits, sauf que l'expression « mettre son nez » ne s'appliquait guère au cas d'Evadne Cake. Elle n'était pas du genre à mettre son nez dans le monde des esprits. Plutôt à mettre les pieds dans le plat et à demander à voir le patron.

Et, tandis qu'elle se préparait son petit déjeuner et hachait la pâtée pour chien de Ludmilla, elle entendit des voix.

Des voix très faibles. Non pas à la limite de l'audible, vu qu'il s'agissait de voix que l'oreille ordinaire ne perçoit pas. Elle les entendait dans sa tête.

... regarde ce que tu fais... où je suis... arrête de pousser, là ...

Puis elles moururent.

Pour être remplacées par un grincement en provenance de la chambre voisine. Elle écarta son œuf à la coque et franchit le rideau de perles en se dandinant.

Le bruit sortait de sous la housse en toile de jute simple et austère de sa boule de cristal.

Evadne regagna la cuisine et choisit une poêle à frire

1. Qui révélerait, par exemple, que vous allez sous peu souffrir de selles douloureuses.

bien lourde. Elle l'agita dans le vide une ou deux fois, histoire de se faire à son poids, puis revint à pas de loup vers la boule de cristal sous son capuchon.

La poêle brandie, prête à l'abattre sur tout ce qui ne lui plairait pas, elle arracha la housse d'un coup sec.

La boule tournait lentement sur son support.

Evadne l'observa un moment. Puis elle tira les rideaux, se laissa tomber sur sa chaise, prit une profonde inspiration et demanda : « Il y a quelqu'un ? »

La majeure partie du plafond s'écroula.

Au bout de plusieurs minutes et de beaucoup d'efforts, madame Cake parvint à se dégager la tête.

« Ludmilla ! »

Des pas légers parcoururent le couloir depuis la cour de derrière, et quelque chose entra. Par son allure générale, voire son charme, c'était manifestement féminin, vêtu d'une robe toute simple et visiblement affligé d'une pilosité superflue que la plupart des rasoirs délicats pour dames auraient du mal à éliminer. Par ailleurs, dents et ongles se portaient longs cette année. On s'attendait à ce que la chose grogne, mais elle parla d'une voix agréable et incontestablement humaine.

« Mère ?

— Chuis là-d'sous. »

La terrible Ludmilla souleva une solive impressionnante et la rejeta de côté d'un geste dégagé.

« Qu'est-ce qui s'est passé ? Ta prémonition n'était pas branchée ?

— Je l'ai coupée pour parler au boulanger. Mince alors, ça m'a fichu un coup.

— Je vais te faire une tasse de thé, d'accord ?

— Allons, tu sais bien que t'écrases toujours les tasses dans ces périodes-là.

— Je fais des progrès, dit Ludmilla.

— Tu es une bonne fille, mais je vais m'en occuper ; merci quand même. »

Madame Cake se leva, épousseta le plâtre de son tablier et s'exclama : « Ils ont crié ! Ils ont crié ! Tous en même temps ! »

Modo, le jardinier de l'Université, désherbait un parterre de roses lorsque l'antique pelouse duveteuse à côté de lui se souleva et germa d'un Vindelle Pounze vivace qui cligna des yeux à la lumière.

« C'est vous, Modo ?

— Tout juste, m'sieur Pounze, répondit le nain. Vous voulez que j'vous aide à sortir ?

— Je crois que je peux y arriver tout seul, merci.

— J'ai une pelle dans la cabane, si vous voulez.

— Non, ça va très bien comme ça. »

Vindelle se hissa hors de l'herbe et brossa la terre des restes de sa robe. « Pardon pour votre pelouse, ajouta-t-il en baissant les yeux sur le trou.

— Sans importance, m'sieur Pounze.

— Il a fallu longtemps pour lui donner cet aspect-là ?

— Dans les cinq cents ans, je pense.

— Bon sang, je suis navré. Je cherchais les caves mais j'ai dû me perdre, on dirait.

— Vous inquiétez pas pour ça, m'sieur Pounze, fit joyeusement le nain. Tout pousse comme du chiendent, de toute façon. J'vais reboucher ça cet après-midi, semer quelques graines, et les cinq cents ans vont passer en un rien de temps, vous verrez.

— Vu comment ça se présente, sûrement », fit Vindelle d'un air maussade. Il regarda autour de lui. « L'archichancelier est là ? demanda-t-il.

— J'ai vu tout l'monde partir au palais, répondit le jardinier.

— Alors je crois que je vais aller prendre un bain vite fait et me changer. Je ne voudrais gêner personne.

— J'ai entendu dire que vous étiez pas seulement mort, mais aussi enterré, fit le jardinier tandis que Vindelle s'éloignait en titubant.

— C'est vrai.

— On aime pas rester allongé, hein ? »

Vindelle se retourna.

« Au fait… c'est où, la rue de l'Orme ? »

Modo se gratta l'oreille. « C'est pas celle qui prend dans la rue d'la Mine-de-Mélasse ?

— Ah, oui, ça me revient. »

Modo reprit son désherbage.

La nature cyclique de la mort de Vindelle Pounze ne le troublait pas outre mesure. Après tout, des arbres à l'air crevé en hiver reprenaient du poil de la bête chaque printemps. De vieilles graines toutes sèches mises en terre donnaient naissance à de nouvelles plantes. Quasiment rien ne mourait définitivement. Prenez le compost, par exemple.

Modo croyait au compost avec la même passion que d'autres croient aux dieux. Ses tas de compost haletaient, fermentaient et luisaient légèrement dans le noir, peut-être à cause des ingrédients mystérieux voire illicites dont il les nourrissait, mais on n'avait jamais rien prouvé, et de toute façon personne n'allait creuser dedans pour voir de quoi il retournait.

Que du végétal mort, mais d'une certaine façon vivant. Et qui faisait pousser des roses, parfaitement. Le major de promo avait expliqué à Modo que ses roses poussaient bien parce que c'était un miracle de la vie, mais Modo se disait en son for intérieur qu'elles cherchaient seulement à s'écarter le plus loin possible du compost.

Ses tas d'engrais seraient gâtés ce soir. Les mauvaises herbes donnaient drôlement bien. Il n'avait jamais vu de plantes sortir aussi vite de terre et avec une telle luxuriance.

Ça doit être le compost, songea Modo.

À leur entrée, les mages trouvèrent le palais en plein tumulte. Des meubles glissaient au plafond. Un banc de couverts, comme du fretin argenté aérien, passa en flèche devant l'archichancelier et fila dans un couloir. Le bâtiment semblait la proie d'un ouragan sélectif et méthodique.

D'autres visiteurs étaient arrivés. Parmi lesquels un groupe d'hommes vêtus sous bien des rapports comme les mages, malgré des différences notables pour l'œil exercé.

« Des prêtres ? s'étonna le doyen. Ici ? Avant nous ? »

Les membres des deux groupes commencèrent très discrètement à prendre des postures qui leur laissaient les mains libres.

« Ils sont bons à quoi ? » fit le major de promo.

La température métaphorique chuta sensiblement.

Un tapis passa en ondulant.

L'archichancelier croisa le regard pachydermique de l'archiprêtre d'Io l'Aveugle qui, premier ecclésiastique du principal dieu du panthéon décousu du Disque-Monde, était ce qu'Ankh-Morpork avait de plus approchant d'un porte-parole pour les questions religieuses.

« Crétins crédules, marmonna le major de promo.

— Bricoleurs impies, lança un petit acolyte en pointant son nez de derrière la masse de l'archiprêtre.

— Minus nunuches !

— Salauds d'athées !

— Débiles serviles !

— Illusionnistes puérils !

— Prêtres sanguinaires !

— Mages fouineurs ! »

Ridculle haussa un sourcil. L'archiprêtre hocha à peine la tête.

Ils laissèrent les deux groupes s'abreuver d'injures à distance prudente et se dirigèrent d'un pas nonchalant vers un secteur relativement plus calme de la salle où, près de la statue d'un des prédécesseurs du Patricien, ils pivotèrent pour se faire face à nouveau.

« Alors… comment ça tourne, l'bizness du divin ? demanda Ridculle.

— Nous faisons humblement de notre mieux. Et l'ingérence hasardeuse dans des domaines que l'homme n'est pas censé comprendre ?

— On s'plaint pas. On s'plaint pas. » Ridculle ôta son chapeau et plongea la main dans l'extrémité pointue. « J'peux vous offrir une p'tite goutte ?

— L'alcool est un leurre pour l'esprit. Voulez-vous une cigarette ? Je crois que vous fumez, vous autres mages.

— Pas moi. Si j'vous disais ce que cette cochonnerie vous fait aux poumons… »

Ridculle dévissa le sommet de son chapeau et y versa une dose généreuse de fine. « Bon, dit-il, qu'est-ce qui s'passe ?

— Nous avons eu un autel qui s'est envolé et nous est retombé dessus.

— Nous, un lustre s'est dévissé tout seul. Tout s'dévisse tout seul. Vous savez que j'ai vu un costume passer sous mon nez au pas d'course en venant ici ? Avec deux pantalons pour sept piastres !

— Hmm. Avez-vous vu l'étiquette ?

— Tout vibre, en plus. Vous avez remarqué, vous, que tout vibre ?

— Nous pensions que c'étaient vous, les mages, qui étiez derrière tout ça.

— C'est pas d'la magie. Les dieux sont pas plus mécontents que d'habitude, j'imagine ?

— Apparemment non. »

Dans leur dos, prêtres et mages braillaient, menton contre menton.

L'archiprêtre se rapprocha un peu.

« Je crois que je prendrais bien le risque d'un petit coup de leurre, dit-il. Je ne me suis pas senti comme ça depuis l'époque où madame Cake faisait partie de mes ouailles.

— Madame Cake ? C'est quoi, ça, une madame Cake ?

— Vous, vous avez… des Choses effrayantes des dimensions de la Basse-Fosse et tout, pas vrai ? Les risques épouvantables de votre métier impie ? fit l'archiprêtre.

— Oui.

— Nous, nous avons une madame Cake. »

Ridcull lui lança un regard interrogateur.

« Ne m'en demandez pas plus, reprit le prêtre en frissonnant. Estimez-vous heureux de n'avoir jamais à connaître ça. »

Sans un mot, Ridculle lui passa la fine.

« Juste entre nous, poursuivit le prêtre, avez-vous une idée de ce qui se passe ? Les gardes sont en train de dégager Sa Seigneurie. Vous vous doutez qu'il va vouloir des réponses. Moi, je ne suis même pas sûr de connaître les questions.

— Ni magie ni dieux, fit Ridculle. Vous pouvez me rendre mon leurre ? Merci. Ni magie ni dieux. Ça nous laisse pas grand-chose, hein ?

— Il n'y aurait pas une espèce de magie dont vous ne seriez pas au courant, par hasard ?

— Si y en a une, on est pas au courant.

— Bien sûr, concéda le prêtre.

— Les dieux feraient pas un peu d'impiété sur les bords, des fois ? demanda Ridculle en se raccrochant à un dernier espoir. Y en a peut-être deux qu'ont eu une prise de bec, un truc comme ça ? Qu'ont fait les imbéciles avec des pommes d'or ou autre chose ?

— Du côté des dieux, rien de nouveau pour l'instant », répondit l'archiprêtre. Ses yeux se voilèrent alors, comme s'il lisait un texte à l'intérieur de son crâne. « Hypermétrope, déesse des Chaussures, croit que Sandelfon, dieu des Couloirs, est le frère jumeau disparu de Grain, dieu des Fruits hors saison. Qui a mis la chèvre dans le lit d'Offler, le dieu crocodile ? Est-ce qu'Offler va passer un traité avec Sek aux Sept Mains ? Pendant ce temps, Hoki le Plaisantin se livre à ses bonnes vieilles blagues…

— Oui, oui, d'accord, le coupa Ridculle. Moi, j'ai jamais pu m'intéresser à ces histoires-là. »

Derrière eux, le doyen tentait d'empêcher l'assistant des runes modernes de changer le prêtre d'Offler le dieu crocodile en une gamme de valises assorties, et l'économe saignait méchamment du nez suite à un coup d'encensoir décoché au petit bonheur.

« Ce qu'il faut, dit Ridculle, c'est présenter un front uni. D'accord ?

— Entendu, fit l'archiprêtre.

— Ça ira. Pour le moment. »

Un petit tapis sinusoïda à hauteur d'yeux. L'archiprêtre rendit la bouteille de fine.

« Au fait, maman se plaint que tu n'as pas écrit depuis un moment, dit-il.

— Ouais… » Les autres mages auraient été étonnés de voir la mine contrite de leur archichancelier. « J'ai été débordé. Tu sais ce que c'est.

— Elle m'a bien demandé de te rappeler qu'elle compte sur nous deux pour déjeuner le jour du Porcher.

— J'ai pas oublié, fit Ridculle d'un air morne. J'ai hâte d'y être. » Il se tourna vers la mêlée derrière eux.

« Suffit, les gars, lança-t-il.

— Frères ! Arrêtez ! » s'époumona l'archiprêtre.

Le major de promo relâcha son étreinte sur la tête du grand prêtre du culte de Hinki. Deux vicaires cessèrent de flanquer des coups de pieds à l'économe. Tout le monde se rectifia la tenue, rechercha son chapeau et toussa d'un air gêné.

« C'est mieux, fit Ridculle. Alors voilà, Son Éminence l'archiprêtre et moi-même, on a décidé… »

Le doyen jeta un regard mauvais à un tout petit évêque. « Il m'a donné un coup de pied ! Tu m'as donné un coup de pied !

— Oooh ! Jamais de la vie, mon fils.

— Ben merde, si, tu me l'as donné, siffla le doyen. En vache, pour que personne ne le voie !

— … *on a décidé…*, répéta Ridculle en fusillant des yeux le doyen, de chercher une solution aux troubles actuels dans un esprit de fraternité et de bonne volonté *et ça vous concerne aussi, major de promo.*

— Je n'ai pas pu me retenir ! Il m'a poussé !

— Bon ! Alors vous êtes pardonné ! » dit résolument l'archidiacre de Thrume.

Il y eut un fracas à l'étage. Une chaise longue descendit

l'escalier au petit galop et s'écrasa après avoir franchi la porte de la salle.

« À mon avis, les gardes doivent toujours être en train de libérer le Patricien, fit l'archiprêtre. Apparemment, même ses passages secrets se sont fermés.

— Tous ? Je croyais qu'il en avait partout, faux jeton comme il est, dit Ridculle.

— Fermés, répéta l'archiprêtre. Tous.

— Presque tous », fit une voix derrière lui.

Le ton de Ridculle ne changea pas lorsqu'il se retourna, peut-être un peu plus sirupeux, mais à peine.

On aurait dit qu'une silhouette était sortie du mur. Une silhouette humaine, mais uniquement par défaut. Mince, pâle et vêtu de noir fané, le Patricien évoquait toujours à Ridculle un flamant prédateur, à condition d'imaginer un flamant noir d'une patience toute minérale.

« Ah, seigneur Vétérini, dit l'archichancelier, j'suis si content de vous voir sain et sauf.

— Et moi, messieurs, je veux vous voir dans le Bureau Oblong », répliqua le Patricien. Derrière lui, un panneau dans le mur coulissa sans bruit et reprit sa position initiale.

« Je… euh… je crois qu'un certain nombre de gardes essayent de vous dégager au premier… », commença l'archiprêtre.

Le Patricien agita une main délicate. « Loin de moi l'idée de les arrêter, dit-il. Ça les occupe et ils se sentent importants. Sinon, ils passent leurs journées à prendre l'air féroce et à retenir leur vessie. Par ici. »

Les dirigeants des autres guildes d'Ankh-Morpork arrivèrent par un ou par deux et remplirent peu à peu la salle.

Assis à son bureau, le Patricien regardait d'un air sombre la paperasse devant lui tandis qu'ils discutaient.

« Eh bien, ce n'est pas nous, affirma le directeur des alchimistes.

— Y a tout l'temps des trucs qui volent quand vous bricolez dans l'coin, vous autres, dit Ridculle.

— Oui, mais c'est uniquement à cause des réactions exothermiques inopinées.

— Ça n'arrête pas de sauter, traduisit le directeur adjoint des alchimistes sans lever la tête.

— Ça saute peut-être, mais ça redescend. Ça ne se balade pas en battant de l'aile, et ça ne se dévisse pas tout seul non plus, par exemple, répliqua son chef en le gratifiant d'un froncement de sourcils en guise d'avertissement. Et puis pourquoi est-ce qu'on s'infligerait ça à nous-mêmes ? J'vais vous dire, c'est le vrai bazar dans mon atelier ! J'ai des machins qui volent partout en sifflant ! Juste avant que je vienne, un récipient de verre très gros et très cher s'est brisé en éclats et m'a piqué méchamment !

— Ma foi, ça devait être une vipère cornue », fit une voix démoralisée.

La masse des corps s'écarta pour dévoiler le secrétaire général et souffre-douleur en chef de la Guilde des Fous et Drilles. Il tressaillit sous l'attention qu'on lui portait, mais il tressaillait de toute façon pour un oui pour un non. Il donnait l'impression d'un homme dont la figure a été le point d'impact d'une tarte à la crème de trop, dont le pantalon a trop souvent trempé dans du blanc de chaux, dont les nerfs allaient définitivement lâcher au premier sifflement de coussin péteur. Les autres patrons de guilde s'efforçaient d'être gentils avec lui, comme on est gentil avec les malheureux qui se tiennent debout sur le rebord d'un immeuble de trente étages.

« Qu'est-ce que vous voulez dire, Geoffroy ? » demanda Ridculle aussi gentiment que possible.

Le fou déglutit avec peine. « Ben, vous voyez, marmonna-t-il, une vipère, ça pique, et une cornue, c'est un ustensile alchimique ; ça donne un calembour sur “vipère cornue” qui est une espèce de serpent venimeux. Vipère cornue. Vous comprenez ? Un jeu de mots. Hum. Pas fameux, hein ? »

L'archichancelier plongea le regard dans des yeux comme deux œufs baveux. « Oh, un calembour, fit-il. Bien sûr. Ho ho ho. » Il encouragea les autres du geste.

« Ho ho ho, fit l'archiprêtre.

— Ho ho ho, fit le président de la Guilde des Assassins.

— Ho ho ho, fit le directeur des alchimistes. Et vous savez, le plus drôle, c'est que c'était en fait un alambic.

— Donc, si j'ai bien compris, enchaîna le Patricien tandis que des mains prévenantes emmenaient le fou, aucun de vous n'est responsable des événements actuels ? »

Il posa sur Ridculle un regard éloquent en disant ces mots. L'archichancelier allait répondre lorsque son œil surprit un mouvement sur le bureau du Patricien.

Une petite reproduction du palais dans une boule de verre y voisinait avec un coupe-papier.

Le coupe-papier se tordait lentement. « Alors ? fit le Patricien.

— Pas nous », répondit Ridculle d'une voix caverneuse. Le Patricien suivit son regard.

Le coupe-papier était déjà courbé comme un arc.

Le seigneur Vétérini passa en revue la masse de ses visiteurs penauds jusqu'à ce qu'il déniche le capitaine Catin du Guet municipal de jour.

« Vous ne pouvez rien faire, vous ? demanda-t-il.

— Euh… Comme quoi, monsieur ? Le coupe-papier ? Euh… Je pense que je pourrais l'arrêter pour coup tordu. »

Le seigneur Vétérini leva les bras au ciel.

« D'accord ! Ce n'est pas de la magie ! Ce ne sont pas les dieux ! C'est quoi, alors ? Et qui va mettre fin à tout ça ? À qui dois-je m'adresser ? »

Une demi-heure plus tard, le petit globe de verre avait disparu. Personne ne le remarqua. On ne les remarque jamais.

Madame Cake, elle, savait à qui s'adresser.

« T'es là, Un-homme-seau ? » demanda-t-elle.

À la suite de quoi elle se baissa vivement, au cas où.

Une voix flûtée mais irritée suinta du néant.

« où vous étiez ? impossible de bouger, ici ! »

Madame Cake se mordit la lèvre. Une réponse aussi directe trahissait l'inquiétude de son guide dans l'au-delà. Quand rien ne le tracassait, il passait cinq minutes à parler de bisons et de grand esprit ; pour lui, il devait sûrement s'agir d'esprit-de-vin qu'il se serait empressé de boire s'il était tombé dessus ; du coup, difficile de prévoir le sort qu'il aurait réservé à un bison. Et il n'arrêtait pas d'émailler sa conversation de « ugh » et de « hao ».

« Comment ça ?

— *une catastrophe, quelque chose ? un genre de peste éclair ?*

— Non. Je ne crois pas.

— *ça se bouscule drôlement ici, vous savez. qu'est-ce qui retarde tout ?*

— Comment ça ?

— *taisezvoustaisezvoustaisezvous j'essaye de parler à la dame ! vous autres là-bas, faites moins de bruit ! ah ouais ? dites donc... »*

Madame Cake eut conscience d'autres voix qui tentaient de le couvrir.

« Un-homme-seau !

— *sauvage païen, ah oui ? eh ben, savez ce qu'il vous dit, le sauvage païen ? ouais ? écoutez, je suis ici depuis cent ans, moi ! vais pas supporter ça d'un mort à peine refroidi ! bon... ça suffit, espèce... »*

Sa voix s'éteignit.

Madame Cake serra les mâchoires.

La voix revint.

« ... ah ouais ? ah ouais ? eh ben, p't-être que t'étais important de ton vivant, l'ami, mais ici t'es plus qu'un drap avec des trous dedans ! ah, t'aimes pas ça, hein...

— Il va recommencer à se battre, m'man, fit Ludmilla, couchée en rond près du poêle de la cuisine. Il traite tout le temps les gens d'"amis" avant de leur taper dessus. »

Madame Cake soupira.

« Et on dirait qu'il va se battre avec beaucoup de monde, ajouta Ludmilla.

— Oh, d'accord. Va m'chercher un vase. Un pas cher, attention. »

On pense communément, sans véritable certitude, que toute chose a son pendant immatériel qui, à l'instant du trépas, existe un bref instant sous la même forme dans l'intervalle plein de courants d'air séparant le monde des vivants de celui des morts. Un détail d'importance.

« Non, pas celui-là. Il était à ta mémé. »

Cette survivance fantomatique ne dure guère sans conscience pour assurer sa cohésion, mais elle peut se maintenir le temps qu'il faut pour ce qu'on a en tête.

« Celui-là, ça ira. J'ai jamais aimé le motif. »

Madame Cake retira un vase orange décoré de pivoines roses des pattes de sa fille.

« T'es toujours là, Un-homme-seau ? demanda-t-elle.

— *... je vais te faire regretter d'être mort, espèce de pleurnichard...*

— Attrape. »

Elle laissa tomber le vase sur le poêle. Il se brisa.

Un instant plus tard, un bruit lui parvint depuis l'Autre Côté. Si un esprit désincarné avait tapé sur un autre esprit désincarné avec le fantôme d'un vase, c'est exactement ce qu'on aurait entendu.

« *voilà*, fit la voix d'Un-homme-seau, *et il a ses p'tits frères là d'où il vient, vu ? »*

La mère Cake et sa fille velue échangèrent un signe de tête.

Lorsqu'Un-homme-seau reprit la parole, sa voix dégoulinait de satisfaction avantageuse.

« juste un petit différend sur le respect aux anciens, dit-il. *fallu régler une histoire d'espace personnel. beaucoup de problèmes ici, madame Cake. une vraie salle d'attente... »*

D'autres voix stridentes se mirent à vociférer.

« ... pourriez-vous transmettre un message, s'il vous plaît, à monsieur...

— ... dites-lui qu'il y a un sac de pièces sur le rebord en haut de la cheminée...

— ... Agnès ne mérite pas l'argenterie après tout ce qu'elle a dit sur notre Molly...

— ... je n'ai pas eu le temps de donner à manger au chat, est-ce que quelqu'un pourrait aller...

— taisezvoustaisezvoustaisezvous ! » Ça, c'était à nouveau Un-homme-seau. *« c'est n'importe quoi, hein ? on est dans une discussion de fantômes, non ? donner* à *manger au chat ? qu'est-ce que vous faites des "je suis très bien ici, j'attends que tu me rejoignes" ?*

— ... écoutez, s'il y en a d'autres qui nous rejoignent, on va s'entasser les uns sur les autres...

— c'est pas la question. c'est pas la question, voilà ce que je dis, moi. quand on est un esprit, y a des phrases rituelles à dire. madame Cake ?

— Oui ?

— faut prévenir quelqu'un de ce qui s'passe ici. »

Madame Cake opina. « Maintenant, allez-vous-en tous, dit-elle. Je sens ma migraine qui revient. »

La boule de cristal perdit son éclat.

« Ben ça ! fit Ludmilla.

— C'est pas les prêtres que j'vais prévenir », dit madame Cake, catégorique.

N'allez pas croire que madame Cake n'était pas pieuse. Elle l'était profondément, au contraire, comme nous l'avons déjà signalé. Il n'y avait pas un temple, une église, une mosquée ou un petit alignement de menhirs en ville qu'elle n'eût un jour ou l'autre visité, à la suite de quoi elle avait inspiré davantage de crainte qu'un Siècle des lumières ; la seule vue de la petite silhouette ronde de madame Cake sur le seuil suffisait à couper net le sifflet à la plupart des prêtres, à leur imposer un silence de mort au beau milieu de leurs invocations.

Et puisqu'on parle de mort, justement... Toutes les religions avaient des opinions bien arrêtées sur la communication avec les défunts. Et madame Cake aussi. Pour les religions, c'était un péché de leur parler. Pour madame Cake, la moindre des politesses.

Ce qui entraînait d'ordinaire un débat ecclésiastique houleux au terme duquel madame Cake abreuvait l'archiprêtre de ce qu'elle appelait le « fond de sa pensée ». Elle avait désormais tellement de fonds de sa pensée disséminés en ville qu'on se demandait comment son cerveau ne s'était pas déjà vidé, mais curieusement, plus elle en donnait, plus il lui en restait, semblait-il.

Il y avait aussi la question de Ludmilla. Ludmilla posait un problème. Feu monsieur Cake, quelesdieuxaientsonâme, n'avait jamais ne serait-ce que sifflé à la pleine lune de toute sa vie, et madame Cake craignait que sa fille ne soit une réminiscence d'un lointain passé familial dans les montagnes, à moins qu'elle n'ait attrapé une mutation dans son enfance. Elle était quasiment sûre que sa mère avait une fois fait une allusion discrète au grand-oncle Erasme qui devait parfois prendre ses repas sous la table. N'importe comment, Ludmilla était une jeune femme tout à fait normale et verticale trois semaines sur quatre, et le reste du temps une espèce de louve velue obéissante comme tout.

Les prêtres n'avaient pas souvent le même point de vue. Généralement, au moment où elle se fâchait avec les prêtres[1] qui intercédaient en sa faveur auprès des dieux, madame Cake assurait déjà la décoration florale, l'époussetage de l'autel, le balayage du temple, le récurage de la pierre sacrificielle, la gratouille de bénitiers, le dépunaisage de sacristie, le ravaudage de coussins et tout autre soutien religieux vital qu'apportait la seule force de sa personnalité, aussi son départ entraînait-il un véritable chaos.

1. Madame Cake n'ignorait pas que certaines religions ordonnaient des prêtresses. Ce qu'elle pensait de l'ordination des femmes n'est pas imprimable. À Ankh-Morpork, les religions à prêtresses avaient tendance à drainer une foule de prêtres en civil d'autres confessions venant chercher deux trois heures de répit quelque part où ils ne risquaient pas de tomber sur madame Cake.

Madame Cake boutonna son manteau.
« Ça ne marchera pas, dit Ludmilla.
— Je vais essayer les mages. À eux, faut leur dire », affirma madame Cake. Elle frissonnait de suffisance, comme un petit ballon de football enragé.
« Oui, mais tu prétends qu'ils n'écoutent jamais.
— Faut que j'essaye. Dis donc, toi, qu'est-ce que tu fais hors de ta chambre ?
— Oh, maman. Tu sais bien que je la déteste, cette chambre. Ce n'est pas la peine…
— On est jamais trop prudent. Et si tu t'mettais dans l'idée d'aller courir après les poulets du quartier ? Ils diraient quoi, les voisins ?
— Je n'ai jamais eu la moindre envie de courir après un poulet, mère, répondit Ludmilla d'un ton las.
— Ou courir après les charrettes en aboyant.
— Ça, ce sont les chiens, maman.
— Tu vas quand même retourner dans ta chambre, t'enfermer et faire de la couture comme une bonne fille.
— Tu sais bien que je n'arrive pas à tenir l'aiguille comme il faut, maman.
— Fais un effort pour ta mère.
— Oui, maman, dit Ludmilla.
— Et t'approche pas d'la fenêtre. On tient pas à déranger le monde.
— Oui, maman. Et toi, n'oublie pas de brancher ta prémonition, m'man. Tu sais que ta vue n'est plus ce qu'elle était. »
Madame Cake regarda sa fille monter l'escalier. Puis elle ferma à clé la porte d'entrée derrière elle et partit à grands pas vers l'Université de l'Invisible où, à ce qu'on lui avait dit, l'absurdité était reine.

Quiconque aurait observé la marche de madame Cake dans la rue aurait noté deux ou trois détails bizarres. Malgré sa trajectoire fantasque, personne ne lui rentrait dedans. Les passants ne l'évitaient pas, elle ne se trouvait tout bonnement jamais sur leur chemin. Un moment, elle hésita et s'engagea dans une ruelle. La seconde d'après un tonneau dégringola d'une charrette qui livrait une taverne et s'écrasa sur les pavés, là où elle aurait dû se tenir. Elle ressortit de la ruelle et enjamba les débris en grommelant toute seule.

Madame Cake passait beaucoup de temps à grommeler. Elle remuait sans arrêt les lèvres, comme si elle voulait se déloger un pépin gênant d'entre les dents.

Elle arriva devant les hautes portes noires de l'Université où elle hésita une fois encore, l'air d'écouter une voix intérieure. Puis elle entra et attendit.

Pierre Porte, allongé dans l'obscurité du fenil, attendait lui aussi. D'en dessous montaient de temps en temps les bruits chevalins de Bigadin : un mouvement léger, un mâchonnage.

Pierre Porte. Ainsi, il avait un nom désormais. Évidemment, il en avait toujours eu un, mais qui désignait ce qu'il incarnait, si l'on peut dire, et non lui-même. Pierre Porte. Un nom qui sonnait bien. Monsieur Pierre Porte. Sire Pierre Porte. Pierrot P… Non. Pas Pierrot.

Pierre Porte s'enfonça davantage dans le foin. Il plongea la main dans sa robe et sortit le sablier doré. Il y avait visiblement moins de sable dans l'ampoule supérieure. Il le rempocha.

Et puis il y avait cette histoire de « dormir ». Il savait de quoi il s'agissait. Les gens y consacraient une bonne partie de leur temps. Le sommeil, ils appelaient ça. Ils s'allongeaient et, hop, le sommeil se produisait. Ça devait avoir son utilité. Il attendait le phénomène avec intérêt. Il faudrait qu'il l'analyse.

Sur le monde passa la nuit qu'une nouvelle journée poursuivait effrontément de ses assiduités.

On s'agita dans le poulailler de l'autre côté de la cour.

« Coco… euh… »

Pierre Porte regarda fixement l'envers du toit de la grange.

« Cocori… euh… »

Une lumière grise filtrait par les interstices.

Pourtant, quelques instants plus tôt, c'était la lueur rouge du soleil couchant !

Six heures avaient disparu.

Pierre extirpa le sablier. Oui. Le niveau avait incontestablement baissé. Pendant qu'il attendait de faire l'expérience du sommeil, quelque chose lui avait volé une partie de… de sa vie. En plus de ça, il était complètement passé à côté de l'expérience en question…

« Coc… coco… euh… »

Il descendit du fenil par l'échelle et sortit dans la brume ténue de l'aube.

Les vieux poulets l'observèrent avec circonspection lorsqu'il fouilla des yeux leur abri. Un coq plus tout jeune et plutôt gêné lui lança un regard noir et haussa les épaules.

Il entendit des chocs métalliques du côté de la maison. Un vieux cercle de tonneau pendait près de la porte, et mademoiselle Trottemenu tapait dessus à grands coups de louche.

Il s'approcha à grands pas afin d'en apprendre davantage.

« POUR QUELLE RAISON FAITES-VOUS TOUT CE BRUIT, MADEMOISELLE TROTTEMENU ? »

Elle se retourna vivement, la louche à demi brandie.

« Bon sang, vous devez marcher comme un chat ! dit-elle.

— JE DOIS ?

— J'veux dire que j'vous ai pas entendu. » Elle recula et le toisa. « Vous avez tout de même quelque chose… J'arrive pas à mettre le doigt dessus, Pierre Porte, fit-elle. J'aimerais bien savoir ce que c'est. »

Le squelette de deux mètres dix la considéra d'un air stoïque. Il sentait qu'il n'y avait rien à répondre.

« Qu'est-ce que vous voulez pour votre petit déjeuner ? demanda la vieille femme. Ça changera rien, ce que vous voulez, remarquez, vu que c'est d'la bouillie d'avoine. »

Plus tard, elle se dit qu'il avait dû la manger, sa

bouillie, parce que le bol était vide. Pourquoi je n'arrive pas à me rappeler ?

Puis il y eut la faux. Il la contempla comme s'il n'en avait encore jamais vu. Elle désigna le rabattoir et les poignées. Il les regarda d'un air poli.

« VOUS L'AIGUISEZ COMMENT, MADEMOISELLE TROTTEMENU ?

— Elle est bien assez aiguisée comme ça, grands dieux.

— COMMENT L'AIGUISE-T-ON DAVANTAGE ?

— On peut pas. Quand c'est aiguisé, c'est aiguisé. On peut pas l'aiguiser plus que ça. »

Il avait donné un coup de faux dans le vide à titre d'essai et lâché un petit sifflement déçu.

Et puis l'herbe.

Le pré à fourrage s'étendait en hauteur sur la colline derrière la ferme, avec vue sur le champ de blé. Elle regarda son nouvel employé travailler un moment.

Elle n'avait jamais vu technique plus fascinante. Elle n'aurait même pas cru la chose possible.

« C'est bien, dit-elle enfin. Vous avez le bon geste et tout.

— MERCI, MADEMOISELLE TROTTEMENU.

— Mais pourquoi un seul brin d'herbe à la fois ? »

Pierre Porte contempla un instant la rangée impeccable de tiges.

« IL Y A UNE AUTRE FAÇON ?

— Vous pouvez en faucher des tas d'un coup, vous savez.

— NON. NON. UN BRIN À LA FOIS. UN COUP, UN BRIN.

— Vous risquez pas d'en faucher beaucoup de cette façon-là, dit mademoiselle Trottemenu.

— JUSQU'AU DERNIER BRIN, MADEMOISELLE TROTTEMENU.

— Ah oui ?

— FAITES-MOI CONFIANCE. »

Mademoiselle Trottemenu le laissa à sa tâche pour retourner à la ferme. Debout à la fenêtre, elle observa quelque temps la silhouette sombre au loin qui passait par-dessus la colline.

Je me demande ce qu'il a fait, songeait-elle. Il a un passé. C'est un de ces hommes mystérieux comme on en voit dans les histoires, j'imagine. Il a peut-être commis un vol et il se cache.

Il a déjà fauché tout un rang. Un brin à la fois, mais quand même plus vite qu'un homme qui faucherait par andains…

La seule lecture de mademoiselle Trottemenu, c'était *l'Almanach et Catalogue de graines du fermier,* lequel pouvait durer une année entière dans les cabinets si personne n'était malade. En plus des renseignements sérieux sur les phases de la lune et les semailles, l'ouvrage prenait un certain plaisir macabre à rapporter les diverses tueries, rapines brutales et catastrophes naturelles qui accablaient l'humanité, du genre : *« 15 juin, année de l'Hermine impromptue. Ce même jour, il y a cent cinquante ans, un homme a été tué par une étonnante averse de goulasch à Quirm »,* ou *« Quatorze morts des mains de Chume, le jeteur de harengs de sinistre mémoire. »*

Ce qu'il fallait retenir de ces histoires, c'est qu'elles se passaient très loin, peut-être à la suite d'une intervention divine. Les seuls événements locaux se résumaient au vol d'un poulet de temps en temps et au passage accidentel d'un troll errant. Évidemment, on trouvait aussi des voleurs et des bandits dans les collines, mais ils vivaient en bonne intelligence avec les gens du cru et jouaient un rôle prépondérant dans l'économie locale. Quand bien même, se disait mademoiselle Trottemenu, elle se sentirait certainement davantage en sécurité avec quelqu'un d'autre chez elle.

La silhouette sombre à flanc de colline avait bien entamé le second rang. Derrière elle, l'herbe coupée se flétrissait au soleil.

« J'AI FINI, MADEMOISELLE TROTTEMENU.

— Allez donner à manger au cochon, alors. C'est une truie, elle s'appelle Claudine.

— CLAUDINE, répéta Pierre en tournant le nom dans sa bouche comme s'il essayait d'en examiner tous les aspects.

— Comme ma mère.

— JE VAIS DONNER À MANGER AU COCHON CLAUDINE, MADEMOISELLE TROTTEMENU. »

La fermière eut l'impression que quelques secondes seulement s'étaient écoulées.

« J'AI FINI, MADEMOISELLE TROTTEMENU. »

Elle le regarda, les yeux plissés. Puis, lentement, posément, elle s'essuya les mains à un torchon, sortit dans la cour et se dirigea vers la porcherie.

Claudine avait la tête enfoncée jusqu'aux prunelles dans son auge à pâtée.

Mademoiselle Trottemenu se demanda quelle observation faire. « Très bien. Très bien. Vous… Vous… Vous travaillez… vite, c'est sûr.

— MADEMOISELLE TROTTEMENU, POURQUOI EST-CE QUE LE COQ NE CHANTE PAS COMME IL FAUT ?

— Oh, ça, c'est Cyril. Il a pas bonne mémoire. Ridicule, hein ? J'aimerais bien qu'il y arrive. »

Pierre Porte trouva un morceau de craie dans la vieille forge de la ferme, dénicha un bout de planche parmi les débris et se mit à écrire avec application pendant un moment. Puis il cala la planche devant le poulailler et tourna Cyril vers elle.

« TU VAS ME LIRE ÇA », dit-il.

Cyril étudia de ses yeux de myope le *Cocorico* écrit en grosses lettres gothiques. Quelque part dans sa toute petite cervelle de poulet une pensée bien nette et glacée lui suggéra qu'il aurait intérêt à apprendre à lire très, très vite.

Pierre Porte se renversa dans le foin et réfléchit à sa journée. Il la trouvait plutôt bien remplie. Il avait coupé du foin, donné à manger aux bêtes et réparé une fenêtre. Il avait découvert une vieille salopette accrochée dans la grange. Elle avait l'air beaucoup plus appropriée à un Pierre Porte qu'une robe tissée de noir absolu, aussi l'avait-il enfilée. Et mademoiselle Trottemenu lui avait donné un chapeau de paille à larges bords.

Puis il avait osé se rendre à pied au village, à près d'un kilomètre. Pire qu'un Trifouillis-les-Oies, ce village. S'il y avait eu des oies, les habitants les auraient boulottées. Des habitants qui avaient l'air de gagner leur vie en se volant mutuellement leur linge.

Le village avait une place, mais ridicule. Il ne s'agissait en réalité que d'un croisement élargi pourvu d'un beffroi. Il y avait aussi une taverne. Pierre Porte y était entré.

Après le silence initial, le temps que les cerveaux des clients enregistrent et acceptent sa présence, on lui avait fait bon accueil, quoiqu'avec prudence ; les nouvelles se propagent plus vite quand la transmission passe par moins de bouches et d'oreilles.

« Vous d'vez être le nouveau d'chez m'zelle Trottemenu, fit le bistrotier. M'sieur Porte, à ce qu'on m'a dit.

— APPELEZ-MOI PIERRE.

— Ah ? C'était une bonne vieille ferme dans le temps. On aurait jamais cru qu'la vieille fille resterait.

— Ah, renchérirent deux vieux près de la cheminée.

— AH.

— Nouveau dans l'pays, alors ? » lança le bistrotier.

Le brusque silence des autres clients de la taverne fit l'impression d'un trou noir.

« PAS PRÉCISÉMENT.

— Déjà venu, c'est ça ?

— JE N'AI FAIT QUE PASSER.

— À ce qu'on raconte, la vieille Trottemenu est cinglée, dit une des silhouettes assises sur les bancs le long des murs noirs de fumée.

— Mais maligne comme une guenon, r'marquez, ajouta un autre consommateur courbé sur son verre.

— Oh, oui. Pour ça, elle est maligne. Mais cinglée tout d'même.

— Et à ce qu'on raconte, elle a des trésors dans des boîtes, chez elle dans son salon.

— L'est près d'ses sous, j'peux vous l'dire.

— C'qui prouve bien. Les riches sont toujours près d'leurs sous.

— D'accord. Maligne et riche. Mais cinglée tout d'même.

— On peut pas être riche et cinglé. Faut être excentrique, quand on est riche. »

Le silence revint et plana sur l'assemblée. Pierre Porte cherchait désespérément quelque chose à dire. Il n'avait jamais eu la conversation facile. Il n'avait jamais beaucoup eu l'occasion de pratiquer.

Qu'est-ce qu'on disait dans ces cas-là, déjà ? Ah. Oui. « J'OFFRE UNE TOURNÉE GÉNÉRALE », annonça-t-il.

Plus tard ils l'initièrent à un jeu composé d'une table percée de trous au-dessus de filets autour du bord et de boules adroitement tournées dans du bois ; les boules devaient rebondir les unes sur les autres et tomber dans les trous. On appelait ça jouer au boulard. Il se révéla bon joueur. Un joueur de première force, pour tout dire. Au début, il ignorait comment jouer autrement qu'à la perfection. Mais après avoir entendu les autres suffoquer plusieurs fois, il se mit à rater ses coups avec une précision appliquée. Si bien qu'à l'instant d'apprendre les fléchettes les erreurs n'avaient plus de secret pour lui. Plus il en commettait, plus on l'appréciait. Aussi projetait-il les petits dards emplumés avec une adresse froide, s'arrangeant pour qu'aucun ne se plante à moins d'une trentaine de centimètres des cibles qu'on le pressait d'atteindre. Il en envoya même un qui ricocha sur une tête de pointe puis sur une lampe avant d'atterrir dans la bière d'un consommateur, ce qui déclencha un tel fou rire chez un des vieux qu'il fallut l'emmener lui faire respirer un peu d'air frais dehors.

Ils l'avaient appelé « sacré vieux Pierre ».

Personne ne l'avait encore appelé comme ça.

Une drôle de soirée.

Il avait pourtant passé un moment critique. Il avait entendu une petite voix lancer : « Le monsieur, c'est un cequelette. » Et il s'était retourné pour voir une gamine en chemise de nuit qui l'observait par-dessus le comptoir, sans terreur mais avec une espèce d'horreur fascinée.

Le patron, du nom de Lifton comme l'avait appris Pierre Porte, avait lâché un rire nerveux et s'était excusé.

« C'est son imagination. Ça en dit des bêtises, les drôles, hein ? Veux-tu bien t'en retourner au lit, Sal. Et d'mande pardon à m'sieur Porte.

— C'est un cequelette avec des habits, avait insisté la gamine. Pourquoi ça passe pas à travers quand il boit ? »

Il avait presque paniqué. Ses pouvoirs intrinsèques déclinaient, alors. Normalement, les humains ne le voyaient pas – il occupait dans leur perception un angle « mort » qu'ils meublaient quelque part au fond de leur tête avec autre chose qu'ils préféraient rencontrer. Mais l'incapacité des adultes à le voir ne résistait pas à ce genre de déclaration insistante, et il sentait la perplexité autour de lui. Puis, juste à temps, la mère était arrivée de l'arrière-salle et avait emmené la gamine. Il avait entendu des récriminations étouffées du genre « … un cequelette, avec tous les os… », qui avaient disparu au détour de l'escalier.

Et durant tout ce temps, la vieille pendule au-dessus de la cheminée n'avait pas arrêté de tictaquer, de lui débiter des secondes de vie. Elles lui avaient paru tellement nombreuses, il n'y avait pas si longtemps…

On frappa doucement à la porte de la grange, sous le fenil. Il entendit qu'on l'ouvrait.

« Vous êtes visible, Pierre Porte ? » demanda la voix de mademoiselle Trottemenu dans le noir.

Pierre Porte analysa la phrase, en chercha le sens d'après le contexte.

« OUI ? hasarda-t-il.

— J'vous apporte un verre de lait chaud.

— OUI ?

— Allez, dépêchez-vous. Sinon ça va refroidir. »

Pierre Porte descendit prudemment l'échelle de bois. Mademoiselle Trottemenu tenait une lanterne, un châle autour des épaules.

« J'y ai mis de la cannelle. Mon Rufus, il aimait ça, la cannelle. » Elle soupira.

Pierre Porte avait conscience des inflexions et des intonations d'une voix de la même façon qu'un astronaute a conscience de la carte météo sous lui ; c'est là, bien visible, offert à l'étude et sans aucun lien avec ce qu'on vit.

« MERCI », dit-il.

Mademoiselle Trottemenu regarda autour d'elle. « Vous vous êtes rudement bien installé, fit-elle joyeusement.

— OUI. »

Elle resserra le châle autour de ses épaules.

« Je m'en retourne à la maison, alors, dit-elle. Vous me rapporterez la chope demain matin. »

Elle fila dans la nuit.

Pierre Porte monta sa chope au fenil. Il la posa sur une poutre basse, s'assit et la regarda. Il la regardait encore alors que le lait était devenu froid depuis longtemps et que la bougie s'était éteinte.

Au bout d'un moment, il prit conscience d'un chuintement persistant. Il sortit le sablier doré et le fourra sous un tas de foin à l'autre bout du fenil.

Ça n'y changea rien.

Les yeux plissés, Vindelle Pounze lisait avec effort les numéros des maisons – une centaine de pins comptables avaient péri rien que pour cette seule rue –, puis il se rendit compte qu'il n'était pas obligé de se fatiguer. Il était myope par habitude. Il améliora donc sa vue.

Il mit un certain temps à dénicher le 668 qui se trouvait en fait au premier étage au-dessus d'une boutique de tailleur. On y entrait par une ruelle. Il y avait une porte de bois au bout de la ruelle. Sur la peinture écaillée on avait punaisé une affichette qui disait, en caractères exubérants :

Entrez ! Entrez ! ! Le club du Nouveau Départ.
La mort n'est que le commencement ! ! !

La porte s'ouvrait sur une volée de marches qui sentaient la vieille peinture et les mouches crevées. Elles craquaient même davantage que les genoux de Vindelle.

Des graffitis ornaient les murs. La phraséologie était exotique mais le ton général plutôt familier : *Debout, les revenants de la terre, Vous n'avez rien d'autre à perdre que vos chaînes, La majorité silencieuse réclame les droits des morts* et *Assez de ségrégation vitale ! ! !*

L'escalier débouchait sur un palier où se dressait une autre porte. On avait jadis accroché une lampe à huile au plafond, mais elle donnait l'impression de ne pas avoir été allumée depuis des millénaires. Une vieille araignée qui vivait sans doute des résidus d'huile suivit Vindelle d'un regard fatigué depuis son aire.

Vindelle regarda encore la carte, prit une profonde inspiration par habitude et frappa au battant.

L'archichancelier revint à grands pas furieux à la faculté, tandis que ses collègues se traînaient désespérément dans son sillage.

« Il va s'adresser à qui ? C'est nous, les mages, ici !

— Oui, mais on ne sait pas exactement ce qui se passe, pas vrai ? fit le doyen.

— Alors on va l'découvrir ! gronda Ridculle. J'sais

pas à qui, lui, il va s'adresser, mais j'peux vous dire qui, moi, j'vais faire venir. »

Il s'arrêta brusquement. Les autres mages s'entassèrent dans son dos.

« Oh ! non, fit le major de promo. Je vous en prie, pas ça !

— C'est rien du tout, répliqua Ridculle. Y a pas à s'inquiéter. J'ai potassé l'truc hier soir, si vous v'lez savoir. Ça s'fait avec trois bouts de bois et...

— Quatre centimètres cubes de sang de souris, termina le major de promo d'un air affligé. On n'a même pas besoin de tout ça. On peut le faire avec deux bouts de bois et un œuf. Mais il faut qu'il soit frais, l'œuf.

— Pourquoi ?

— J'imagine que la souris préfère.

— Non, l'œuf, je veux dire.

— Oh, qui sait ce que ressent un œuf ?

— *N'importe comment,* trancha le doyen, c'est dangereux. J'ai toujours eu l'impression qu'il restait dans l'octogramme uniquement pour le côté spectaculaire. J'ai horreur de ça quand il vous regarde et qu'il a l'air de compter.

— Oui, fit le major de promo. On n'a pas besoin de faire ça. On vient à bout de presque tout. Dragons, monstres. Rats. Vous vous rappelez les rats, l'année dernière ? On aurait dit qu'il y en avait partout. Le seigneur Vétérini n'a pas voulu nous écouter, oh, non. Il a payé mille pièces d'or à ce baratineur en collant rouge et jaune pour qu'il nous en débarrasse.

— Mais ç'a marché, fit observer l'assistant des runes modernes.

— Et pour cause que ç'a marché, merde ! s'exclama le doyen. Ç'a marché aussi à Quirm et à Sto Lat. E s'en serait aussi tiré à Pseudopolis si un type ne l'avait pas reconnu. Le Fabuleux Maurice et ses Rongeurs Savants, soi-disant.

— Inutile d'essayer de détourner la conversation, dit Ridculle. On va faire le rite d'AshKente. Vu ?

— Et invoquer la Mort, fit le doyen. Oh, malheur.

— Je l'trouve bien, moi, la Mort, dit Ridculle. Un professionnel. Fait son boulot. Un type régulier. Joue franc-jeu, pas d'problème. Il saura ce qui s'passe.

— Oh, malheur », répéta le doyen.

Ils arrivèrent au portail. Madame Cake s'avança et se mit en travers du chemin de l'archichancelier.

Ridculle haussa les sourcils.

L'archichancelier n'était pas du genre à prendre un plaisir particulier à rudoyer et malmener les femmes. Ou plutôt, il rudoyait et malmenait tout le monde sans distinction de sexe – sa conception de l'égalité, sans doute. Et si la conversation qui suit ne s'était pas déroulée entre une personne qui écoutait ce qu'on lui disait plusieurs secondes avant qu'on n'ait ouvert la bouche, et une autre qui n'écoutait pas du tout ce qu'on lui racontait, les choses auraient peut-être pris un tour différent. Quoique.

Madame Cake entama le dialogue par une réponse. « J'suis pas votre p'tite dame ! cracha-t-elle.

— Vous êtes qui, ma p'tite dame ? demanda l'archichancelier.

— Eh ben, c'est pas des façons de parler à une femme respectable, dit madame Cake.

— Y a pas de quoi s'vexer, fit Ridculle.

— Oh, merde, c'est ce que j'fais ? demanda madame Cake.

— Madame, pourquoi est-ce que vous m'répondez avant même que j'parle ?

— Quoi ?

— Qu'esse vous voulez dire ?

— Qu'est-ce que vous, vous voulez dire ?

— Quoi ? »

Ils se regardèrent l'un l'autre fixement ; la discussion les avait entraînés dans un cul-de-sac. Puis madame Cake comprit.

« Voilà que j'prémonise encore prématurément », dit-elle. Elle se fourra un doigt dans l'oreille et l'agita avec un bruit de succion. « Ça va bien, maintenant. Bon, la raison qui… »

Mais Ridculle en avait assez. « Économe, dit-il, donnez un sou à cette femme et envoyez-la promener, vous voulez ?

— Quoi ? fit madame Cake, soudain dans une rage noire.

— On voit trop de spectacles de ce genre, d'nos jours, dit Ridculle au doyen tandis qu'ils s'éloignaient tranquillement.

— C'est dû aux contraintes et aux tensions de la vie dans une grande métropole, expliqua le major de promo. J'ai lu ça quelque part. Ça agit bizarrement sur les gens. »

Ils franchirent la petite porte découpée dans un des battants du grand portail, et le doyen la referma au nez de madame Cake.

« *Il* risque de ne pas venir, dit le major de promo alors qu'ils traversaient la cour. Il n'est pas venu pour le pot d'adieu du pauvre vieux Vindelle.

— Pour le rite, il viendra, assura Ridculle. Le rite, c'est comme une invitation, mais avec un putain de RSVP en plus !

— Oh, tant mieux. J'aime bien le cognac, dit l'économe.

— La ferme, vous. »

Il existe une ruelle, quelque part dans le quartier des Ombres, le quartier le plus foisonnant de ruelles d'une ville qui en compte déjà à profusion.

Un petit objet luisant y roula et disparut dans le noir. Au bout d'un moment retentirent de légers tintements métalliques.

L'ambiance dans le bureau de l'archichancelier était très froide.

L'économe finit par chevroter : « Peut-être qu'il est occupé ?

— La ferme », lui lancèrent les mages en chœur.

Quelque chose se passait. Le plancher à l'intérieur de l'octogramme magique tracé à la craie se couvrait d'une gelée blanche.

« Ça n'a encore jamais fait ça, dit le major de promo.

— Ce n'est pas comme ça, vous savez, fit le doyen. Il faudrait des bougies, des chaudrons, des liquides qui bouillonnent dans des creusets, de la poussière brillante et de la fumée de couleur…

— Le rite a pas besoin de tous ces machins, répliqua sèchement Ridculle.

— Lui, peut-être pas, mais moi, si, marmonna le doyen. Accomplir le rite sans le bon attirail, c'est comme se déshabiller complètement pour prendre un bain.

— C'est comme ça que je l'prends, moi, dit Ridculle.

— Oumph. Ben, chacun ses goûts, évidemment, mais certains d'entre nous aiment à croire qu'on est les garants des traditions.

— *Il* est peut-être en vacances ? fit l'économe.

— Ben, tiens, ricana le doyen. Sur une plage, quelque part ? Avec des boissons glacées et une casquette Richard sur les yeux ?

— Attendez. Attendez. Il y a quelqu'un qui vient », souffla le major de promo.

Les contours flous d'une silhouette encapuchonnée apparurent au-dessus de l'octogramme. Ils tremblotaient sans arrêt, comme si on les voyait à travers une atmosphère surchauffée. « C'est lui, dit le doyen.

— Non, fit l'assistant des runes modernes. C'est juste une robe gri… n'y a rien dedans… »

Il se tut.

La silhouette se retourna lentement. La robe gonflée suggérait un occupant mais en même temps donnait une impression de néant, comme s'il s'agissait d'une enveloppe pour quelque chose dépourvu de forme propre. Le capuchon était vide.

Le vide regarda les mages quelques secondes avant de se fixer sur l'archichancelier.

Le capuchon demanda : Qui êtes-vous ?

Ridculle déglutit. « Euh… Mustrum Ridculle. Archichancelier. »

Le capuchon opina. Le doyen se mit un doigt dans l'oreille et le gigota. La robe ne parlait pas. On n'entendait rien. Mais après coup, on se souvenait soudain de ce qui n'avait pas été dit, sans savoir comment c'était venu là.

Le capuchon demanda : Vous êtes un être supérieur dans ce monde ?

Ridculle regarda les autres mages. Les yeux du doyen fulminèrent.

« Ben… Vous savez… Oui… Premier parmi ses pairs, ces machins-là, quoi… Oui… », parvint à répondre l'archichancelier :

On lui dit : Nous apportons une bonne nouvelle.

« Une bonne nouvelle ? Une bonne nouvelle ? » Ridculle se tortillait sous le regard inexistant. « Oh, bien. Ça, c'est une bonne nouvelle. »

On lui dit : La Mort a pris sa retraite.

« Pardon ? »

On lui répéta : La Mort a pris sa retraite.

« Oh ? Ça, c'est… une nouvelle, fit Ridculle d'une voix mal assurée. Euh… Comment ? Exactement… comment ? »

On lui dit : Nous nous excusons pour la récente défaillance dans le processus habituel.

« Défaillance ? fit l'archichancelier, à présent complètement désorienté. Ben… Euh… J'suis pas sûr qu'il y a eu… J'veux dire ; évidemment le type était tout l'temps en vadrouille, mais la plupart du temps, c'est tout juste si… »

On lui dit : Des irrégularités ont été commises.

« Non ? Ah oui ? Oh, ben, les irrégularités, j'supporte pas », fit l'archichancelier.

On lui dit : Ç'a dû être affreux.

« Ben, je… Enfin… J'imagine qu'on… J'suis pas sûr… Ah bon ? »

On lui dit : Mais désormais ce poids vous est retiré des épaules. Réjouissez-vous. C'est tout. Il y aura une brève période de transition avant qu'un candidat adéquat se présente, ensuite le service reprendra normalement. En attendant, veuillez nous excuser pour les désagréments inévitables que pourraient vous causer des manifestations vitales excessives.

La silhouette tremblota et commença de s'estomper. L'archichancelier agita désespérément les mains.

« Attendez ! lança-t-il. Vous pouvez pas partir comme ça ! Je vous ordonne de rester ! Quel service ? Ça veut dire quoi, tout ça ? Vous êtes qui ? »

Le capuchon se retourna vers lui et répondit : Nous ne sommes rien.

« J'suis bien avancé, avec ça ! C'est quoi, votre nom ? »

Nous sommes l'oubli.

La silhouette disparut.

Les mages se turent. La gelée de l'octogramme commença de se sublimer à nouveau dans l'atmosphère.

« Oh-oh, fit l'économe.

— Une brève période de transition ? C'est ça, ce qui nous arrive, alors ? » dit le doyen.

Le plancher trembla.

« Oh-oh, répéta l'économe.

— Ça n'explique pas pourquoi tout se met à vivre sa vie, dit le major de promo.

— Minute… Minute, fit Ridculle. Si les gens arrivent au terme de leur vie, qu'ils abandonnent leur corps et tout, mais qu'la Mort les emporte pas…

— Alors ça veut dire qu'ils font la queue dans ce monde, termina le doyen.

— Sans nulle part où aller.

— Pas que les gens, ajouta le major de promo. Mais tout. Tout ce qui meurt.

— Et ça remplit le monde de force vitale », poursuivit Ridculle. Les mages parlaient d'une voix monocorde ; leur esprit, en avance de plusieurs longueurs sur la conversation, pressentait déjà toute l'horreur de la conclusion.

« Ça traîne partout sans rien à faire, dit l'assistant des runes modernes.

— Des fantômes.

— Des esprits frappeurs.

— Crénom.

— Attendez, tout de même, dit l'économe qui avait réussi à ne pas se laisser distancer dans le cours de la conversation. Pourquoi est-ce que ça devrait nous inquiéter ? On n'a rien à craindre des morts, pas vrai ? Après tout, ce sont des gens qui sont morts, rien d'autre. Des gens tout ce qu'il y a d'ordinaires. Des gens comme nous. »

Les mages réfléchirent là-dessus. Ils s'entre-regardèrent. Ils se mirent à crier, tous en même temps.

Aucun ne se souvint du détail du candidat adéquat.

La foi est une des forces organiques les plus puissantes du multivers. Elle n'est peut-être pas franchement capable de déplacer des montagnes. Mais elle peut générer quelqu'un qui l'est.

On se fait une idée complètement fausse de la foi. On s'imagine qu'elle fonctionne d'arrière en avant. Qu'elle suit toujours le même processus : d'abord l'objet, puis la croyance. En réalité, ça se passe dans l'autre sens.

La foi gravite dans le firmament comme des mottes d'argile en rotation sur le tour d'un potier. C'est ainsi que s'engendrent les dieux, par exemple. Ils sont manifestement créés par ceux-là même qui croient en eux, parce qu'une brève biographie de la plupart des dieux donne à penser qu'ils ne sont sûrement pas d'origine divine. Ils ont tendance à faire exactement ce qu'on ferait tous si on en avait les moyens, notamment en matière de nymphes, de pluies d'or et d'ennemis anéantis.

La foi crée d'autres choses encore.

Elle a créé la Mort. Non pas la mort, simple terme technique qui définit un état dû à une absence prolongée de vie, mais la Mort, le personnage. Un personnage qui s'est développé, comme qui dirait, avec la vie. Le jour où un organisme vivant a pris ne serait-ce que confusément conscience qu'il pouvait brusquement ne plus vivre, la Mort a fait son apparition. Il était la Mort bien avant que les humains ne se préoccupent de lui ; ils n'ont fait qu'ajouter la silhouette et toute la panoplie de robe et de faux à un personnage déjà vieux de millions d'années.

Et maintenant il n'était plus là. Mais la foi ne s'arrête jamais. On continue de croire vaille que vaille. Et comme l'objet de la croyance était perdu, de nouveaux apparurent. Encore petits, guère puissants. Des Morts propres à chaque espèce, non plus réunis en une seule entité mais distincts les uns des autres.

Dans les cours d'eau nageait la nouvelle Mort aux écailles noires des éphémères. Dans les forêts se propageait le *tchactchac-tchac* d'une créature invisible, uniquement sonore : la Mort des arbres.

Dans le désert, l'air décidé, se déplaçait au ras du sol une carapace sombre et vide : la Mort des tortues.

La Mort de l'humanité n'était pas encore terminée. L'homme peut croire en des choses très compliquées.

C'est la même différence qu'entre le prêt-à-porter et le sur mesure.

Les tintements métalliques cessèrent dans la ruelle.

Un silence s'ensuivit. Le silence extrêmement attentif de quelque chose qui ne fait pas de bruit.

Finalement, un tout petit cliquetis le rompit avant de disparaître au loin.

« Ne restez pas à la porte, l'ami. Ne bloquez pas le couloir. Entrez donc. »

Vindelle Pounze battit des paupières dans l'obscurité.

Une fois que ses yeux se furent habitués, il vit des chaises disposées en demi-cercle dans une pièce par ailleurs vide et poussiéreuse. Toutes les chaises étaient occupées.

Au milieu – au centre, comme qui dirait, du demi-cercle – se dressait une petite table où quelqu'un s'était assis. Le quelqu'un en question s'avançait maintenant vers lui, la main tendue, un grand sourire aux lèvres.

« Ne dites rien, laissez-moi deviner, fit la silhouette. Vous êtes un zombi, c'est ça ?

— Euh… » Vindelle Pounze n'avait encore jamais vu personne affligé d'une peau aussi blafarde – là où il en restait. Ni accoutré de guenilles qui donnaient l'impression de sortir d'un lavage à travers des lames de rasoir et qui empestaient comme si son propriétaire était non seulement mort dedans, mais qu'il s'y trouvait encore. Ni affublé d'un badge *Le blême, j'aime.*

« Je ne sais pas, reprit Vindelle. Sans doute. Seulement, on m'a enterré, voyez-vous, et j'ai trouvé cette carte… » Il la brandit comme un bouclier.

« 'videmment. 'videmment, tiens », fit la silhouette.

Il va vouloir que je lui serre la main, songea Vindelle. Si je fais ça, je vais me retrouver avec davantage de doigts qu'avant, c'est sûr. Oh, bontés divines. Est-ce que je vais finir comme ça ?

« Et je suis mort, dit-il maladroitement.

— Et z'en avez plein le dos de vous faire marcher sur les pieds, hein ? » lança son interlocuteur à la peau verdâtre. Vindelle lui serra la main avec beaucoup de précautions.

« Ben, pas vraiment plein…

— Mon nom, c'est Soulier. Raymond Soulier.

— Pounze. Vindelle Pounze. Euh…

— Ouais, c'est toujours pareil, fit amèrement Raymond Soulier. Une fois qu'on est mort, les gens ne veulent plus rien savoir, hein ? Ils font comme si on avait une maladie honteuse. Mourir, ça peut arriver à n'importe qui, pas vrai ?

— À tout le monde, j'aurais cru, moi, dit Vindelle. Euh… je…

— Ouais, je sais ce que c'est. Dites que vous êtes mort, et on vous regarde comme si vous étiez un fantôme », poursuivit monsieur Soulier.

Vindelle comprit que parler à monsieur Soulier, c'était en gros comme parler à l'archichancelier. Ce qu'on racontait n'avait pas grande importance, vu qu'il n'écoutait pas. Seulement, dans le cas de Mustrum Ridculle, c'était parce que ça ne l'intéressait pas, tandis que Raymond Soulier, lui, se répondait tout seul à votre place quelque part au fond de sa tête.

« Ouais, c'est ça. » Vindelle renonça.

« On finissait juste, en fait, dit monsieur Soulier. Laissez-moi vous présenter. Vous tous, voici… » Il hésita.

« Pounze. Vindelle Pounze.

— Frère Vindelle, dit monsieur Soulier. Faites-lui un accueil chaleureux, comme on sait le faire au Nouveau Départ ! »

Un chœur embarrassé de « Salut » lui répondit. Un jeune homme costaud passablement velu au bout de la rangée croisa le regard de Vindelle et roula de ses yeux jaunes dans une mimique théâtrale de sympathie.

« Voici frère Arthur Clindieux…

— *Le gomte Nosferoutard,* rectifia sèchement une voix de femme.

— Et sœur Dorine… J'veux dire la comtesse Nosferoutard, évidemment…

— Enjantée, fraiment », dit la voix tandis que la petite femme boulotte assise à côté du petit comte boulot tendait une main alourdie de bagues. Quant au comte, il gratifia Vindelle d'un sourire gêné. Il avait l'air de porter un costume d'opéra coupé pour un homme de plusieurs tailles plus grand que lui.

« Et frère Crapahut… »

La chaise était vide. Mais une voix grave, depuis les ténèbres en dessous, lança : « B'soir.

— Et frère Lupin. » Le jeune homme musclé et velu

aux longues canines et aux oreilles en pointe tendit une main cordiale à Vindelle.

« Et sœur Drulle. Et frère Morfale. Et frère Ixolite. »

Vindelle exécuta une série de variations sur le thème de la poignée de main.

Frère Ixolite lui tendit un petit bout de papier jaune. Un seul mot y était écrit : *OuuuIiiiOuuuIiiiOuuuIIIii*.

« Je suis désolé qu'on soit aussi peu nombreux ce soir, dit monsieur Soulier. Je fais de mon mieux, mais certains m'ont l'air lents à se décider, j'en ai peur.

— Euh… certains morts, vous voulez dire ? demanda Vindelle, les yeux toujours fixés sur le bout de papier.

— De l'indifférence, moi, j'appelle ça, fit amèrement monsieur Soulier. Comment notre mouvement peut-il se développer si tout le monde reste les bras croisés ? »

Lupin se mit à effectuer des signes frénétiques – Ne le lancez pas là-dessus – derrière la tête de monsieur Soulier, mais Vindelle ne put s'arrêter à temps.

« Quel mouvement ? demanda-t-il.

— Les droits des morts, répondit aussi sec monsieur Soulier. Je vais vous donner une de mes brochures.

— Mais, euh… les morts n'ont pas de droits, tout de même ? » s'étonna Vindelle. Du coin de l'œil, il vit Lupin se plaquer la main sur le front.

« Tout juste, et on ne va pas en mourir », fit le jeune homme velu en gardant son sérieux. Monsieur Soulier lui jeta un regard noir.

« De l'indifférence, répéta-t-il. C'est toujours pareil. Vous faites des pieds et des mains pour vos semblables, et ça les laisse froids. Vous savez que les vivants peuvent dire tout ce qui leur passe par la tête sur votre compte et s'emparer de tous vos biens, uniquement parce que vous êtes mort ? Et ils…

— Moi, je croyais que la plupart des gens, quand ils mouraient, ils… vous savez bien, quoi… ils mouraient et puis voilà, fit Vindelle.

— C'est de la fainéantise. Ils ne veulent pas faire d'efforts. » Vindelle n'avait jamais vu mine plus abattue. Raymond Soulier avait l'air rétréci de plusieurs pointures.

« Depuis gombien de temps êtes-fous mort fivant, Findelle ? demanda Dorine avec une gaieté forcée.

— Depuis très peu, répondit un Vindelle soulagé par le changement de ton. Je dois avouer que je m'attendais à autre chose.

— On s'y fait, commenta d'une voix lugubre Arthur Clindieux alias le comte Nosferoutard. C'est ça, quand on est mort vivant. Aussi facile que de tomber du haut d'une falaise. On est tous des morts vivants, ici. »

Lupin toussa.

« Sauf Lupin, précisa Arthur.

— Je suis davantage que ce qu'on pourrait appeler un mort vivant honoraire, dit le jeune velu.

— C'est un loup-garou, expliqua Arthur.

— C'est ce que je me suis dit dès que je l'ai vu, reconnut Vindelle en opinant.

— À chaque pleine lune, fit Lupin. Réglé comme du papier à musique.

— Vous vous mettez à hurler et vos poils poussent », dit Vindelle.

Tous firent non de la tête.

« Euh… non, rectifia Lupin. Disons plutôt que je m'*arrête* de hurler et qu'une partie de mes poils tombe provisoirement. C'est vachement embarrassant.

— Mais je croyais qu'à la pleine lune, normalement, les loups-garous…

— Le broplème de Loupine, dit Dorine, z'est qu'il prozède dans l'autre zens, voyez-fous.

— Techniquement, je suis un loup, expliqua Lupin. De quoi rire, vraiment. À chaque pleine lune, je me transforme en homme-garou. Le reste du temps, je suis un… un loup, quoi.

— Bon sang, fit Vindelle. C'est une situation affreuse.

— Les pantalons, c'est le pire.

— Euh… Ah bon ?

— Oh, ouais. Voyez, pour les loups-garous humains, ça va. Ils gardent leurs vêtements, et puis voilà. Je veux dire, leurs vêtements se déchirent peut-être un peu, mais au moins ils les gardent sur eux, c'est pratique, non ?

Tandis que moi, si je vois la pleine lune, aussitôt je me mets à marcher, à parler, et je risque de gros ennuis vu que je suis un peu léger du côté pantalon. Je suis donc obligé d'en garder un planqué en permanence quelque part. Monsieur Soulier...

— ... Appelez-moi Raymond...

— ... me permet d'en laisser un en dépôt à son travail.

— Je travaille à la morgue de la rue de l'Orme, dit monsieur Soulier. Je n'en ai pas honte. Ça vaut la peine de sauver un frère ou une sœur.

— Pardon ? fit Vindelle. De sauver ?

— C'est moi qui épingle la carte sous le couvercle, expliqua monsieur Soulier. On ne sait jamais. Qui ne risque rien n'a rien.

— Ça marche souvent ? » demanda Vindelle. Il fit des yeux le tour de la pièce. Le ton de sa voix laissait entendre que la salle était plutôt grande pour seulement huit personnes ; enfin, neuf si l'on comptait la voix sous la chaise qui devait sans doute avoir un propriétaire.

Dorine et Arthur échangèrent un regard.

« Z'a marché bour Artoure, fit Dorine.

— Excusez-moi, reprit Vindelle, je n'ai pas pu m'empêcher de me demander... Vous ne seriez pas deux... euh... vampires, par hasard ?

— Tout jus', répondit Arthur. Pas d'bol.

— Hah ! Vous ne defriez pas barler gomme za, fit Dorine avec hauteur. Vous afez des manières de proute. Vous defriez être fier de fotre nople lignée.

— De prout ? fit Arthur.

— Vous vous êtes fait avoir par une chauve-souris, un truc comme ça ? demanda bien vite Vindelle qui ne tenait pas à semer la zizanie dans le ménage.

— Non, répondit Arthur, par un notaire. J'ai reçu une lettre, voyez. Avec un pâté de cire dessus et tout, très chic, quoi. Blablabla... arrière-grand-oncle... blablabla... seul parent encore en vie... blablabla... les premiers à vous offrir nos félicitations les plus... blablabla. Avant ça, j'étais Arthur Clindieux, grossiste en fruits et légumes plein d'avenir, et d'un coup je me retrouvais comte Nosferoutard, propriétaire de cinquante arpents de falaise à pic où une chèvre tiendrait pas debout, d'un château que même les cafards avaient déserté et d'une invitation du bourgmestre à descendre le voir au village un de ces quatre pour discuter des trois siècles d'arriérés d'impôts.

— Je les déteste, les notaires », fit la voix sous la chaise. Une voix au timbre triste et caverneux. Vindelle tâcha de rapprocher ses jambes un peu plus de sa propre chaise.

« Z'était un bon jâteau, dit Dorine.

— Un foutu tas de cailloux pourris, oui, voilà ce que c'était, répliqua Arthur.

— La fue était cholie, fit observer Dorine.

— Ouais, à travers tous les murs, lâcha Arthur comme une herse en travers du chemin que prenait la conversation. J'aurais dû m'en douter avant même d'aller y jeter un coup d'œil. Alors j'ai fait faire demi-tour à la voiture, comprenez ? Je me disais, voilà quatre jours de perdus, en pleine saison. Je fais une croix dessus. Et après, je me réveille dans le noir, je me retrouve dans une boîte, je finis par dénicher des allumettes, j'en gratte une et je vois une carte au-dessus de mon nez. Elle disait…

— “Ne vous laissez pas marcher sur le ventre”, cita fièrement monsieur Soulier. Une de mes premières cartes.

— Ze n'était bas ma faute, se défendit Dorine avec hauteur. Tu édais raide depouis drois jours.

— Ç'a lui a foutu un choc, au prêtre, moi je vous le dis, fit Arthur.

— Huh ! Les prêtres ! s'exclama monsieur Soulier. Tous pareils. Toujours à vous seriner qu'on ne vit pas après la mort, mais quand on leur prouve le contraire, ils font une de ces binettes !

— Je n'aime pas les prêtres non plus », fit la voix sous la chaise. Vindelle se demanda si d'autres que lui l'entendaient.

« J'suis pas près d'oublier la tête du révérend Velegare, dit sombrement Arthur. J'ai fréquenté ce temple pendant trente ans. J'étais respecté dans la communauté.

Maintenant, à la seule idée de mettre un pied dans un établissement religieux, j'ai mal dans toute la jambe.

— Oui, mais il avait pas besoin de dire tout ce qu'il a dit quand tu as repoussé le couvercle, fit Dorine. Un prêtre, tout de même… Ça devrait pas connaître des mots pareils.

— Je l'aimais bien, moi, ce temple, poursuivait Arthur avec nostalgie. Ça me donnait une occupation le mercredi. »

Vindelle s'aperçut que Dorine avait miraculeusement perdu son accent.

« Et vous aussi, vous êtes vampire, madame Clind… je vous prie de m'excuser… comtesse Nosferoutard ? » s'enquit-il poliment.

La comtesse sourit. « Ma voi, oui, répondit-elle.

— Par alliance, précisa Arthur.

— On peut ? Je croyais qu'il fallait être mordu », dit Vindelle.

La voix sous la chaise pouffa.

« J'vois pas pourquoi je m'amuserais à mordre ma femme après trente ans de mariage, un point c'est tout, dit le comte.

— Une vemme doit bartager les basse-temps de zon époux, ajouta Dorine. Z'est ze gui rend le mariache indéressant.

— Ça intéresse qui, un mariage intéressant ? J'ai jamais dit que je voulais un mariage intéressant, moi. C'est bien ça, de nos jours, faut que tout soit intéressant, même le mariage. Et puis, c'est pas un passe-temps, gémit Arthur. Vampire, c'est pas aussi formidable qu'on le dit ; vous savez. On peut pas sortir le jour, on peut pas manger d'ail, on peut pas se raser comme il faut…

— Pourquoi vous ne pouvez pas vous… commença Vindelle.

— On peut pas se servir de miroir, le coupa Arthur. Et puis le coup de se changer en chauve-souris, je croyais que ce serait marrant, mais les chouettes du coin… pas chouettes du tout, des tueuses. Et pour ce qui est de… vous savez… avec le sang… ben… » Sa voix mourut.

« Artoure n'a chamais eu le gontact facile avec les gens, précisa Dorine.

— Et le pire, c'est d'être obligé de rester tout le temps en tenue de soirée. » Arthur jeta un regard en coin à son épouse. « Je suis sûr que c'est pas vraiment obligatoire.

— Z'est drès imbortant de berbétuer la dradition », rétorqua Dorine. La comtesse, outre son accent un-coup-je-le-prends-un-coup-je-l'enlève, avait décidé de s'aligner sur la tenue de soirée d'Arthur avec ce qu'elle estimait de bon ton pour une femme vampire : une robe noire boudinante, de longs cheveux bruns coupés en V sur le front et un maquillage d'une pâleur extrême. Dame Nature l'avait conçue boulotte, les cheveux crépus et le caractère jovial. Les signes de conflit sautaient aux yeux.

« J'aurais dû rester dans ce cercueil, dit Arthur.

— Oh, non, fit monsieur Soulier. Ça, c'est la solution de facilité. Le mouvement a besoin de gens comme vous, Arthur. Il fallait donner l'exemple. Souvenez-vous de notre slogan.

— Lequel, Raymond ? demanda Lupin d'un air las. On en a tellement.

— " Inhumés, oui. Inhumains, non ! " répondit Raymond.

— Vous voyez, il est plein de bonnes intentions », dit Lupin, une fois la réunion terminée.

Vindelle et lui rentraient à pied dans la lumière grise de l'aube. Les Nosferoutard avaient quitté la séance plus tôt afin de regagner leurs pénates avant que le lever du jour n'ajoute aux ennuis déjà nombreux d'Arthur, et monsieur Soulier était parti prononcer un discours, avait-il dit.

« Il descend au cimetière derrière le temple des Petits-Dieux et il pousse des cris, expliqua Lupin. Il appelle ça réveiller les consciences, mais à mon avis, il se fait des illusions.

— Qui c'était, sous la chaise ? demanda Vindelle.

— Crapahut, répondit Lupin. Un croque-mitaine, à notre avis.

— Les croque-mitaines sont des morts vivants ?

— Il ne se prononce pas.

— Vous ne l'avez jamais vu ? Je croyais que les croque-mitaines, ça se cachait sous des trucs et... enfin, *derrière* des trucs et ça sautait sur les gens, quoi.

— Pour se cacher, ça, il sait faire. Je suis moins sûr qu'il aime sauter sur les gens », dit Lupin.

Vindelle réfléchit. Un croque-mitaine agoraphobe, ça complétait le lot.

« Tiens donc, fit-il distraitement.

— On continue d'aller au club uniquement pour faire plaisir à Raymond, reprit Lupin. D'après Dorine, ça lui briserait le cœur si on arrêtait. Vous savez ce que c'est, le pire ?

— Dites toujours.

— Des fois, il apporte une guitare et nous fait chanter des chansons comme *Sous les ponts d'Ankh-Morpork* et *l'Internationale*[1]. L'horreur.

— Sait pas chanter, c'est ça ?

— Chanter ? Ce n'est pas ça le problème. Est-ce que vous avez déjà vu un zombi essayer de jouer de la guitare ? Le plus embêtant, c'est de l'aider à retrouver ses doigts après. » Lupin soupira. « Au fait, sœur Drulle est une goule. Si elle vous propose un pâté à la viande, refusez. »

Vindelle se souvint vaguement d'une vieille dame réservée en robe grise informe. « Oh, mince, fit-il. Vous voulez dire qu'elle les farcit avec de la chair humaine ?

— Quoi ? Oh, non. Elle ne cuisine pas très bien, c'est tout.

— Oh.

— Et frère Ixolite est sans doute le seul esprit hurleur au monde affligé d'un défaut d'élocution, si bien qu'au lieu de grimper sur les toits et de hurler quand les gens

1. Une chanson qui, en diverses langues, est commune à tous les mondes connus du multivers. Ce sont toujours les mêmes gens qui la chantent, c'est-à-dire ceux auxquels, plus tard, la génération suivante la chantera.

vont mourir – comme font les banshees –, il leur écrit un mot qu'il glisse sous la porte… »

Vindelle revit une longue figure triste. « À moi aussi il en a donné un.

— On essaye de l'encourager, dit Lupin. Il est très gauche. » Son bras se détendit et plaqua Vindelle contre un mur.

« Taisez-vous !

— Quoi ? »

Les oreilles de Lupin pivotèrent. Ses narines s'évasèrent. Faisant signe à Vindelle de rester où il était, l'homme-garou suivit à pas de loup la ruelle jusqu'à un carrefour avec une autre ruelle, encore plus petite et plus déplaisante. Il s'arrêta un moment, puis lança une main velue au détour du mur.

Un glapissement suivit. La main de Lupin ramena un type qui se débattait. Les muscles imposants du jeune homme-garou jouèrent sous sa chemise déchirée lorsqu'il leva sa prise au niveau de ses crocs.

« Tu attendais pour nous sauter sur le poil, hein ? fit-il.

— Qui ? Moi… ?

— Je t'ai senti, dit Lupin d'un ton égal.

— J'ai jamais… »

Lupin soupira. « Les loups ne font pas ce genre de choses, tu sais », dit-il.

L'homme pendouillait dans le vide.

« Oh, vraiment ? fit-il.

— On se bat face à face, croc contre croc, griffe contre griffe, dit Lupin. On ne voit jamais de loup se cacher derrière des rochers pour agresser un blaireau de passage.

— Pas possible ?

— Ça te plairait que je t'égorge ? »

L'homme fixait les yeux jaunes de Lupin. Il soupesait ses chances face à un gars de plus de deux mètres armé de dents pareilles.

« J'ai le choix ? demanda-t-il.

— Mon ami, là, dit Lupin en indiquant Vindelle, c'est un zombi…

— Ben, j'connais pas grand-chose aux vrais zombis,

moi, j'crois qu'il faut manger un certain poisson et une espèce de racine pour être zom…

— … et tu sais ce qu'ils font aux gens, les zombis, pas vrai ? »

L'homme essaya de hocher la tête malgré le poing de Lupin serré autour de son cou. « Ouiggg, réussit-il à répondre.

— Alors voilà, il va bien te regarder, et si jamais il te revoit…

— Hé, minute, murmura Vindelle.

— … il viendra te chercher. Pas vrai, Vindelle ?

— Hein ? Oh, oui. C'est vrai. Aussi sec, répondit Vindelle d'un air malheureux. À présent, file, tu seras gentil. D'accord ?

— D'agggOrd », fit l'ex-agresseur potentiel. Il songeait : Eg yeux ! Omme es rilles !

Lupin le lâcha. L'homme atterrit sur les pavés, lança un dernier regard terrifié à Vindelle et prit ses jambes à son cou.

« Euh… Qu'est-ce qu'ils font aux gens, les zombis, exactement ? demanda Vindelle. Vaudrais mieux que je sache, j'imagine.

— Ils les déchirent en morceaux comme une feuille de papier sec, répondit Lupin.

— Oh ? Bon », fit Vindelle. Ils reprirent leur déambulation en silence. Vindelle se disait : Pourquoi moi ? Des centaines de gens doivent mourir dans cette ville tous les jours. Je parie qu'ils n'ont pas tous ces embêtements. Ils ferment les yeux et se réveillent dans une nouvelle peau, ou dans une espèce de paradis, ou peut-être dans une espèce d'enfer. Ou alors ils vont festoyer avec les dieux dans leur château, ce qui n'est pas une idée si fameuse que ça – les dieux sont très bien dans leur genre, mais pas les convives avec qui un honnête homme voudrait partager son repas. Les bouddhistes yen, eux, croient qu'on devient très riche. Certaines religions klatchiennes prétendent qu'on se rend dans un joli jardin peuplé de jeunes femmes, ce que je ne trouve pas très religieux, moi…

Vindelle finit par se demander comment on faisait pour obtenir la religion klatchienne après la mort.

Et à cet instant, les pavés montèrent à sa rencontre.

Il s'agit le plus souvent d'une tournure poétique pour dire qu'on s'est écrasé la figure par terre. Mais dans le cas qui nous occupe, les pavés montèrent réellement à la rencontre de Vindelle. Ils jaillirent comme une fontaine, volèrent silencieusement en rond un moment au-dessus de la ruelle, puis retombèrent comme des pierres.

Vindelle les regarda fixement. Lupin de même.

« Ça, c'est un truc qu'on ne voit pas souvent, dit l'homme-garou après quelques secondes. Je n'ai encore jamais vu de pavés voler, je crois bien.

— Ni retomber comme des pierres », fit Vindelle. Il en poussa un du bout de sa chaussure. Le pavé avait l'air très content du rôle que la pesanteur lui avait réservé.

« Vous êtes mage…

— J'*étais* mage, rectifia Vindelle.

— Vous étiez mage. Qu'est-ce qui a provoqué ça ?

— Je crois qu'il s'agit d'un phénomène inexplicable, répondit Vindelle. Il s'en produit souvent, ne me demandez pas pourquoi. Mais j'aimerais bien savoir. »

Il tâta du pied un autre pavé. Qui ne montra aucune envie de bouger.

« Je ferais mieux d'y aller, dit Lupin.

— C'est comment, quand on est homme-garou ? » demanda Vindelle.

Lupin haussa les épaules. « On est seul, répondit-il. On ne s'intègre pas, vous voyez. Quand je suis loup, je me rappelle ma condition d'homme, et *vice versa*. Comme… Je veux dire… Des fois… Des fois, tenez, quand je suis en loup, je monte courir dans les collines… En hiver, vous savez, quand un croissant de lune brille dans le ciel, qu'une croûte recouvre la neige, que les collines n'en finissent pas… Les autres loups, ben, ils sentent que c'est beau, évidemment, mais ils n'en ont pas conscience comme moi. Moi, je le sens et j'en ai conscience à la fois. Personne ne sait quel effet ça fait.

Personne au monde ne peut savoir ça. C'est le mauvais côté de la chose. Se dire que personne d'autre… »

Vindelle se vit déjà basculer dans un abîme de lamentations. Il ne savait jamais quoi dire dans des moments pareils.

Lupin s'anima. « Puisqu'on en parle… Comment c'est, quand on est zombi ?

— Ça va. Pas trop mal. » Lupin hocha la tête. « À la prochaine », dit-il, et il partit à grands pas.

Les rues commençaient à se peupler tandis que les habitants d'Ankh-Morpork procédaient à la relève informelle du monde de la nuit par celui du jour. Tous évitaient Vindelle. On ne rentre pas dans un zombi si on peut s'en dispenser.

Il atteignit les portes de l'Université, à présent ouvertes, et prit le chemin de sa chambre.

Il aurait besoin d'argent s'il déménageait. Il en avait mis un bon paquet de côté au fil des ans. Avait-il fait un testament ? Il n'avait plus eu toute sa tête durant à peu près les dix dernières années. Il en avait peut-être fait un. Était-il assez gâteux pour se léguer tout son argent à lui-même ? Il l'espérait. Il n'existait aucun cas connu d'un défunt qui aurait contesté ses propres volontés…

Il souleva une latte au pied de son lit et sortit un sac de pièces. Il se rappelait qu'il avait économisé pour ses vieux jours.

Il retrouva aussi son agenda. Un agenda de cinq ans, se souvint-il ; il avait donc gâché, techniquement – il fit un rapide calcul –, oui, à peu près les trois cinquièmes de son argent. Voire davantage, à bien y réfléchir. Après tout, il n'y avait pas grand-chose d'écrit là-dedans. Des années durant, Vindelle n'avait rien fait qui vaille la peine qu'on le note dans un journal, du moins rien dont il se souvenait en fin de journée. L'agenda ne contenait que les phases de la lune, des listes de fêtes religieuses et de temps en temps un bonbon collé à une page.

Il y avait encore autre chose sous le plancher. Il farfouilla dans l'espace poussiéreux et tomba sur deux sphères parfaitement lisses. Il les sortit et les contempla, perplexe. Il les secoua et observa les tout petits flocons de neige. Il lut l'inscription et remarqua qu'elle tenait moins de l'écriture que d'un dessin d'écriture. Il plongea la main à nouveau et saisit le troisième objet : une petite roue métallique tordue. Rien qu'une petite roue métallique. Et, à côté d'elle, une sphère brisée.

Vindelle les regarda fixement.

Évidemment, sa raison avait décliné ces trente dernières années, il avait peut-être porté ses sous-vêtements par-dessus ses habits et bavé un peu, mais de là à collectionner des souvenirs… Et des petites roues…

On toussa dans son dos.

Vindelle relâcha les objets mystérieux dans le trou et se retourna. La chambre était vide, mais il crut deviner une ombre derrière la porte ouverte.

« Ohé ? » lança-t-il.

Une voix grave mais mal assurée grommela : « Ce n'est que moi, m'sieur Pounze. »

Vindelle plissa le front sous l'effort de mémoire.

« Crapahut ? fit-il.

— C'est ça.

— Le croque-mitaine ?

— C'est ça.

— Derrière *ma* porte ?

— C'est ça.

— Pourquoi ?

— C'est une porte accueillante. »

Vindelle s'approcha du battant et le referma doucement. Il ne vit rien d'autre derrière que du vieux plâtre, mais il eut cependant l'impression d'un déplacement d'air.

« Je suis sous le lit maintenant, m'sieur Pounze, fit la voix de Crapahut qui sortait, oui, de sous le lit. Ça ne vous gêne pas, dites ?

— Ben, non. J'imagine que non. Mais vous ne devriez pas vous mettre dans un placard quelque part ? C'est là que se cachaient les croque-mitaines dans mon jeune temps.

— Un bon placard, ce n'est pas facile à trouver, m'sieur Pounze. »

Vindelle soupira. « D'accord. Je vous laisse le dessous du lit. Faites comme chez vous, si je peux dire.

— J'aimerais mieux retourner me cacher derrière la porte, m'sieur Pounze, si ça ne vous dérange pas.

— Oh, d'accord.

— Vous voulez bien fermer les yeux un moment ? »

Vindelle ferma docilement les yeux.

Il sentit un autre déplacement d'air.

« Maintenant, vous pouvez regarder, m'sieur Pounze. »

Vindelle rouvrit les yeux.

« Bon sang, fit la voix de Crapahut, vous avez même un portemanteau et tout, là derrière. »

Vindelle regardait les boutons de cuivre au pied de son lit se dévisser tout seuls.

Un tremblement agita le plancher.

« Qu'est-ce qui se passe, Crapahut ? demanda-t-il.

— Une accumulation de force vitale, m'sieur Pounze.

— Vous voulez dire que vous êtes au courant ?

— Oh, oui. Hé, hou-là, il y a une serrure, une poignée, une plaque de propreté en cuivre et tout, là derrière…

— Comment ça, une accumulation de force vitale ?

— … et les charnières, des hélicoïdales ; c'est drôlement bien, ça, jamais vu une porte avec…

— Crapahut !

— De la force vitale, c'est tout, m'sieur Pounze. Vous savez. Une espèce de force qu'on trouve dans tout ce qui vit ? Je croyais que vous autres, les mages, vous connaissiez ces choses-là. »

Vindelle Pounze ouvrit la bouche, prêt à lancer une réplique du genre « Évidemment qu'on les connaît », mais il préféra user de diplomatie afin de découvrir de quoi pouvait bien parler le croque-mitaine. Puis il se souvint que rien ne l'obligeait à recourir à de tels procédés. C'est comme ça qu'il aurait réagi de son vivant, mais malgré ce que prétendait Raymond Soulier, on avait beaucoup de mal à garder sa fierté une fois mort. Une légère raideur, sans doute, mais pas de fierté.

« Jamais entendu parler, dit-il. Ça s'accumule pour quoi faire ?

— Aucune idée. Pas du tout de saison. Ça devrait se calmer ces temps-ci », répondit Crapahut.

Le plancher trembla encore. Puis la latte amovible qui avait dissimulé la petite fortune de Vindelle craqua et se mit à bourgeonner.

« Comment ça, pas du tout de saison ? demanda-t-il.

— On en a beaucoup au printemps, répondit la voix derrière la porte. Ça fait sortir les jonquilles de terre, tous ces trucs-là.

— Jamais entendu parler, avoua Vindelle, fasciné.

— Je croyais que vous autres, les mages, vous saviez tout sur tout. »

Vindelle contempla son chapeau de mage. L'enterrement et le creusement d'un tunnel ne l'avaient pas arrangé, mais après plus d'un siècle de loyaux services il n'était déjà plus à la pointe de la haute couture.

« On a toujours des choses à apprendre », dit-il.

Un nouveau jour se levait. Le coq Cyril s'agita sur son perchoir.

Les mots à la craie luisaient dans la pénombre.

Il se concentra.

Il prit une inspiration profonde.

« Rocoricoco ! »

Maintenant que la question de la mémoire était réglée, ne restait plus que celle de la dyslexie.

Dans les champs en hauteur sur la colline, le vent soufflait fort et le soleil proche tapait dur. Pierre Porte allait et venait à grandes enjambées dans l'herbe décimée du coteau comme une navette de tisserand en travers d'une chaîne verte.

Il se demandait s'il avait déjà éprouvé des sensations de vent et de rayons de soleil par le passé. Oui, il les avait éprouvées, sûrement. Mais jamais de cette façon-là ; la sensation du vent qui vous poussait, la sensation du soleil qui vous donnait chaud. La sensation du temps qui passait.

Qui vous emportait.

On frappa timidement à la porte de la grange.

« OUI ?

— Descendez donc voir, Pierre Porte. »

Il descendit l'échelle dans le noir et ouvrit prudemment le battant.

Mademoiselle Trottemenu protégeait une bougie de la main.

« Hum, fit-elle.

— JE VOUS DEMANDE PARDON ?

— Vous pouvez venir à la maison si vous voulez. Pour la soirée, 'videmment, pas pour la nuit. J'veux dire, j'aime pas vous savoir tout seul ici le soir quand moi, j'ai du feu et tout. »

Pierre Porte n'avait pas le talent de lire sur les visages. Il n'en avait jamais eu besoin. Il observa le sourire figé, inquiet, implorant de mademoiselle Trottemenu comme un babouin cherchant un sens à la pierre de Rosette.

« MERCI », dit-il.

Elle déguerpit en vitesse.

Lorsqu'il arriva à la maison, elle n'était pas dans la cuisine. Il entendit un bruissement et un grattement, plus loin ; il passa dans un couloir étroit puis sous une porte basse. Mademoiselle Trottemenu, à quatre pattes dans le petit local où il entra, allumait fiévreusement le feu.

Elle leva la tête, énervée, lorsqu'il toqua poliment au battant ouvert.

« Ça vaut guère le coup de l'allumer pour une seule personne, marmonna-t-elle en manière d'explication embarrassée. Asseyez-vous donc. Je vais nous faire du thé. »

Pierre Porte se plia dans un des fauteuils exigus près du feu et regarda autour de lui.

Une pièce inhabituelle. Il en ignorait les fonctions, mais elles ne prévoyaient sûrement pas qu'on y vive. Alors que la cuisine était une sorte d'ajout extérieur recouvert d'un toit et le centre des activités de la ferme, cette pièce avait tout d'un mausolée.

Contrairement à ce qu'on pourrait croire, Pierre Porte n'était pas très au fait des décors funéraires. En principe, les décès ne surviennent pas à l'intérieur même des tombes, sauf dans des cas aussi rares que malheureux. À l'air libre, au fond des fleuves, dans la gueule d'un requin, dans quantité de chambres à coucher, oui. Dans les tombes, non.

Son travail consistait à séparer le grain de l'âme de la paille du corps mortel, et il s'effectuait longtemps avant tous les rites mortuaires qui s'apparentaient, à bien y réfléchir, à une forme révérencielle de mise au rebut.

Mais cette pièce ressemblait aux tombes de ces rois qui voulaient tout emporter avec eux.

Calé dans son fauteuil, les mains sur les genoux, Pierre Porte examina les lieux plus en détail.

D'abord, les bibelots. Des théières en pagaille, davantage que ce qu'on aurait cru possible. Des chiens en porcelaine au regard fixe. D'étranges présentoirs à gâteaux. Diverses statuettes et assiettes peintes agrémentées de légendes guillerettes : *Souvenir de Quirm, Bonheur et Santé*. Tous ces objets recouvraient la moindre surface plane dans une démocratie parfaite, si bien qu'un bougeoir ancien de grande valeur voisinait avec un chien en porcelaine aux couleurs vives tenant un os dans la gueule avec une expression d'imbécillité coupable.

Des tableaux masquaient les murs. La plupart, peints dans des tons gadouilleux, représentaient du bétail à la mine abattue dans un paysage de lande humide par temps de brouillard.

Pour tout dire, les bibelots dissimulaient presque entièrement le mobilier, mais on n'y perdait pas grand-chose. En dehors de deux fauteuils qui gémissaient sous le poids de têtières volumineuses, le reste des meubles n'avait apparemment d'autre utilité que d'exposer des bibelots. Il y avait des tables maigrelettes partout. Le plancher disparaissait sous des couches de tapis en lirette. Quelqu'un s'était vraiment passionné pour la confection de tapis en lirette. Et par-dessus tout, noyant tout, imprégnant tout, il y avait l'odeur.

Une odeur de longs après-midi d'ennui.

Sur un buffet drapé de tissu, deux petits coffrets de bois en entouraient un plus grand. Il doit s'agir des deux fameuses boîtes aux trésors, se dit Pierre Porte.

Il prit conscience d'un tic-tac.

Une pendule était accrochée au mur. Quelqu'un avait un jour eu la riche idée, de son point de vue en tout cas, de réaliser une pendule en forme de chouette. En cadence avec le mouvement du balancier, les yeux de la chouette se livraient à un va-et-vient que seul un reclus sérieusement privé de distraction devait trouver drôle. Au bout d'un moment, on avait aussi les yeux qui oscillaient en mesure.

Mademoiselle Trottemenu entra d'un pas vif, un plateau lourdement chargé dans les bras. Ensuite, l'œil eut du mal à suivre tandis qu'en un éclair elle sacrifiait à la cérémonie alchimique du thé, beurrait des petits pains au lait, disposait des biscuits, accrochait une pince à sucre au sucrier…

Elle s'assit. Puis, comme si elle sortait d'un petit somme de vingt minutes, elle roucoula, légèrement à bout de souffle : « Hmm… on est bien.

— OUI, MADEMOISELLE TROTTEMENU.

— Pas souvent l'occasion d'ouvrir le petit salon ces temps-ci.

— NON.

— Pas depuis que j'ai perdu mon p'pa. »

Un instant, Pierre Porte se demanda si elle avait perdu feu monsieur Trottemenu dans le petit salon. Peut-être avait-il pris un mauvais embranchement au milieu des bibelots. Il se souvint alors des tournures de langage bizarres des humains.

« AH.

— Il s'asseyait dans ce fauteuil, là, et il lisait l'almanach. »

Pierre Porte fouilla sa mémoire.

« GRAND, hasarda-t-il. AVEC UNE MOUSTACHE ? LUI MANQUAIT LE BOUT DU PETIT DOIGT DE LA MAIN GAUCHE ? »

Mademoiselle Trottemenu le regarda fixement pardessus le bord de sa tasse.

« Vous l'avez connu ? demanda-t-elle.

— JE CROIS L'AVOIR RENCONTRÉ UNE FOIS.

— Il a jamais parlé de vous, dit-elle d'un ton malicieux. Pas nommément. Pas en tant que Pierre Porte.

— ÇA M'ÉTONNERAIT QU'IL AIT PARLÉ DE MOI, répondit lentement Pierre Porte.

— Ça va. J'suis au courant. P'pa faisait aussi un peu de contrebande. Comprenez, la ferme est pas bien grosse. Difficile d'en vivre. Il disait toujours qu'on doit s'dépatouiller comme on peut. Vous étiez dans sa partie, j'imagine. Je vous ai bien regardé. C'était aussi votre partie, c'est sûr. »

Pierre Porte réfléchit dur.

« TRANSPORT EN TOUS GENRES, dit-il.

— C'est ce qu'y m'semblait, oui. Vous avez de la famille, Pierre ?

— UNE FILLE.

— C'est bien.

— JE L'AI PERDUE DE VUE, JE LE CRAINS.

— C'est dommage, dit mademoiselle Trottemenu d'un ton convaincu. On a eu de bons moments ici dans le temps. Du vivant du garçon avec qui je vivais, évidemment.

— VOUS AVEZ UN FILS ? » fit Pierre Porte qui perdait le fil.

Elle lui lança un regard acéré.

« Je vous demande de bien réfléchir au mot "mademoiselle", fit-elle. On rigole pas avec ces affaires-là, par chez nous autres.

— PARDON.

— Non, il s'appelait Rufus. Un trafiquant, comme p'pa. Pas si bon, remarquez. Faut reconnaître. Plus artiste. Il m'offrait toutes sortes de choses de l'étranger, vous savez. Des p'tits bijoux et ainsi de suite. Et on allait danser. Il avait de très bons mollets, je m'souviens. J'aime les hommes qu'ont de bonnes jambes. »

Elle contempla un moment le feu.

« Voyez… un jour, il est pas revenu. Juste avant notre mariage. D'après p'pa, il aurait jamais dû s'en aller courir dans les montagnes si près de l'hiver, mais je sais qu'il était parti parce qu'il voulait me ramener un beau cadeau. Il voulait aussi se faire un peu d'argent et impressionner p'pa, vu que p'pa était contre… »

Elle empoigna le tisonnier et l'enfonça dans l'âtre avec une violence que les braises ne méritaient pas.

« Bref, certains ont prétendu qu'il serait allé à Farfelut, ou à Ankh-Morpork, ou je n'sais où, mais moi, je sais qu'il aurait pas fait une chose pareille. »

Le regard pénétrant qu'elle posa sur Pierre Porte le cloua au fauteuil.

« D'après vous, Pierre Porte ? » lança-t-elle sèchement.

Il se sentit assez fier de deviner la question dans la question.

« MADEMOISELLE TROTTEMENU, IL FAUT BEAUCOUP SE MÉFIER DE LA MONTAGNE EN HIVER. »

Elle parut soulagée. « C'est ce que je répète toujours, fit-elle. Et vous savez quoi, Pierre Porte ? Vous savez ce que je m'suis dit ?

— NON, MADEMOISELLE TROTTEMENU.

— C'était la veille de notre mariage, comme j'ai dit. Un de ses poneys de bât est rentré tout seul, alors les hommes y sont allés et ont découvert l'avalanche… Et vous savez ce que je m'suis dit ? Je m'suis dit : c'est ridicule. C'est idiot. Affreux, hein ? Oh, je m'suis dit d'autres choses par la suite, naturellement, mais d'abord que le monde devrait pas ressembler à ce qu'on lit dans les livres. C'est affreux de se dire une chose pareille, non ?

— JE N'AI MOI-MÊME JAMAIS FAIT CONFIANCE AU THÉÂTRE, MADEMOISELLE TROTTEMENU. »

Elle n'écoutait pas vraiment.

« Et je m'suis dit : Ce que la vie attend de moi à présent, c'est que je m'languisse dans ma robe de mariée pendant des années et que je devienne complètement maboule. Voilà ce qu'elle veut, la vie. Ha ! Ben voyons ! Alors j'ai fourré la robe dans le sac à chiffons et on a quand même invité tout le monde au repas de noces, ç'aurait été un crime de laisser perdre de la bonne nourriture. »

Elle porta une autre attaque contre le feu, puis lança à Pierre Porte un nouveau regard de mille watts.

« Je trouve ça important de toujours voir ce qui est vraiment vrai et ce qui l'est pas, pas vous ?

— MADEMOISELLE TROTTEMENU ?

— Oui ?

— ÇA VOUS ENNUIE SI J'ARRÊTE LA PENDULE ? »

Elle leva la tête vers la chouette aux yeux globuleux.

« Quoi ? Oh, pourquoi ?

— ELLE ME PORTE SUR LES NERFS, J'EN AI PEUR.

— Elle est pas très bruyante, pourtant. »

Pierre Porte aurait voulu dire que chaque tic et chaque tac lui faisaient l'effet de coups de gourdin de fer sur des piliers de bronze. « C'EST JUSTE GÊNANT, MADEMOISELLE TROTTEMENU.

— Ben, arrêtez-la si vous voulez, alors. Je la remonte uniquement pour me faire de la compagnie. »

Pierre Porte se leva avec reconnaissance, louvoya prudemment dans la forêt de bibelots et saisit le balancier en forme de pomme de pin. La chouette de bois lui jeta un regard noir et le tic-tac cessa, du moins dans le monde des sons ordinaires. Ailleurs, il en avait conscience, le temps continuait de battre la cadence. Comment pouvait-on endurer ça ? On accueillait le temps chez soi comme s'il s'agissait d'un ami.

Il se rassit.

Mademoiselle Trottemenu s'était mise à tricoter avec férocité.

Le feu bruissait dans l'âtre.

Pierre Porte se renversa dans son fauteuil et fixa le plafond.

« Votre cheval se plaît bien ?

— PARDON ?

— Votre cheval. Il a l'air de bien se plaire dans le pré, souffla mademoiselle Trottemenu.

— OH, OUI.

— À courir partout comme s'il avait encore jamais vu d'herbe.

— IL AIME ÇA, L'HERBE.

— Et vous, vous aimez bien les animaux. Ça se voit. »

Pierre Porte hocha la tête. Ses réserves de bavardage, jamais très liquides, s'étaient taries.

Il resta assis en silence pendant les deux heures suivantes, les mains agrippées aux bras du fauteuil, jusqu'à ce que mademoiselle Trottemenu annonce qu'elle allait se coucher.

Il reprit alors le chemin de la grange et dormit.

Pierre Porte ne l'avait pas sentie venir. Mais elle était là, silhouette grise qui flottait dans l'obscurité de la grange.

Il ne savait pas comment, mais elle s'était emparée du sablier doré.

Elle lui dit : Pierre Porte, il y a eu erreur.

Le verre vola en éclats. Des secondes dorées délicates scintillèrent l'espace d'un instant avant de retomber.

Elle lui dit : Reviens. Tu as du travail. *Il y a eu erreur.*

La silhouette s'évanouit.

Pierre Porte hocha la tête. Évidemment qu'il y avait eu erreur. Tout le monde voyait bien qu'il y avait eu erreur. Lui le savait depuis le début.

Il balança la salopette dans un coin et reprit la robe de noir absolu.

Bah, il avait fait une expérience. Une expérience, il devait le reconnaître, qu'il ne tenait pas à revivre. Il se sentait comme soulagé d'un grand poids.

Alors c'était ça, être vivant ? Une impression de ténèbres qui vous tiraient en avant ?

Comment pouvaient-ils vivre avec ça ? Ils l'acceptaient pourtant, ils avaient même l'air d'y trouver du plaisir, alors qu'ils auraient logiquement dû sombrer dans le désespoir. Étonnant. Sentir qu'on est une toute petite chose vivante, prise en sandwich entre deux falaises de ténèbres. Comment supportaient-ils d'être vivants ?

À l'évidence, fallait être né comme ça.

La Mort sella son cheval et s'envola au-dessus des champs. Le blé ondulait loin en contrebas, comme la mer. Mademoiselle Trottemenu serait obligée de se trouver quelqu'un d'autre pour l'aider à rentrer la moisson.

Bizarre. Il éprouvait quelque chose. Du regret ? C'était ça ? Mais c'était Pierre Porte qui l'éprouvait, et Pierre Porte était… mort. N'avait jamais vécu. Il était redevenu lui-même, à l'abri des sentiments et des regrets.

Là où les regrets n'existaient pas.

Soudain il fut dans son cabinet, phénomène d'autant plus étrange qu'il ne se rappelait pas bien comment il y était arrivé. La seconde d'avant, il chevauchait Bigadin, et d'un coup il se retrouvait dans son bureau, au milieu de ses registres, de ses sabliers et de ses instruments.

Un bureau plus grand que dans son souvenir. Les murs restaient tapis à la limite de sa vision.

C'était Pierre Porte le responsable. Le cabinet paraîtrait évidemment grand à Pierre Porte, et sans doute que des parcelles de sa personnalité subsistaient. La meilleure solution : trouver à s'occuper. Se consacrer à son travail.

Des sabliers attendaient déjà sur son bureau. Il ne se rappelait pas les y avoir posés, mais ça n'avait pas d'importance ; l'important, c'était de se remettre à la tâche…

Il saisit le plus proche et en lut le nom.

« Coucouroucoucou ! »

Mademoiselle Trottemenu s'assit dans son lit. En marge de ses rêves, elle avait entendu un autre bruit, lequel avait dû réveiller le coq.

Elle tripota une allumette, finit par allumer une bougie, puis tâta sous le lit où ses doigts trouvèrent le manche d'un coutelas dont feu monsieur Trottemenu s'était beaucoup servi au cours de ses voyages d'affaires à travers les montagnes.

Elle descendit en hâte les marches grinçantes et sortit dans l'air frisquet de l'aube.

Elle hésita devant la porte de la grange, puis l'entrouvrit d'une traction, suffisamment pour se glisser à l'intérieur. « Monsieur Porte ? »

Elle entendit un bruissement dans le foin, suivi d'un silence attentif.

« MADEMOISELLE TROTTEMENU ?

— Vous avez appelé ? Je suis sûre d'avoir entendu quelqu'un crier mon nom. »

Un autre bruissement, puis la tête de Pierre Porte apparut par-dessus le bord du fenil.

« MADEMOISELLE TROTTEMENU ?

— Oui. Qui d'autre, d'après vous ? Vous allez bien ?

— EUH… OUI. OUI, JE CROIS.

— Vous êtes sûr que vous allez bien ? Vous avez réveillé Cyril.

— OUI. OUI. C'ÉTAIT JUSTE… J'AI CRU QUE... OUI. »

Elle souffla la bougie. Les premières lueurs annonciatrices de l'aube suffisaient déjà pour y voir.

« Ben, si vous êtes sûr… Maintenant que je suis levée, autant que je prépare le porridge. »

Pierre Porte resta allongé dans le foin jusqu'à ce qu'il sente ses jambes en mesure de le porter, puis il descendit l'échelle et traversa la cour au petit trot jusqu'à la ferme.

Il garda le silence pendant qu'elle servait du porridge dans un bol devant lui et le noyait dans la crème. Finalement, il ne put se contenir davantage. Il ne savait pas comment poser les questions, mais il avait grand besoin des réponses.

« MADEMOISELLE TROTTEMENU ?

— Oui ?

— QU'EST-CE QUE C'EST… LA NUIT… QUAND ON VOIT DES CHOSES MAIS QU'ELLES NE SONT PAS RÉELLES ? »

Elle s'immobilisa, la casserole de porridge dans une main et la louche dans l'autre.

« Les rêves, vous voulez dire ?

— C'EST ÇA, LES RÊVES ?

— Vous ne rêvez pas ? Je croyais que tout le monde rêvait.

— DE CHOSES QUI VONT SE PRODUIRE ?

— Alors ça, c'est de la prémonition. Moi, j'y ai jamais cru. Me dites pas que les rêves, vous savez pas ce que c'est, tout de même ?

— NON. NON. BIEN SÛR QUE NON.

— Qu'est-ce qui vous tarabuste, Pierre ?

— D'UN COUP, JE ME RENDS COMPTE QU'ON VA MOURIR. »

Elle le regarda d'un air songeur.

« Ben, comme tout le monde, fit-elle. Et c'est de ça que vous avez rêvé, hein ? Ça arrive à tout le monde d'avoir ce genre d'idées. Moi, je m'inquiéterais pas, à votre place. Le mieux, c'est de s'occuper et de garder le moral, c'est ce que j'dis toujours.

— MAIS UN JOUR NOTRE VIE VA S'ARRÊTER !

— Oh, ça, j'en sais rien. Ça dépend de l'existence qu'on a menée, j'présume.

— JE VOUS DEMANDE PARDON ?

— Vous avez de la religion ?

— VOUS VOULEZ DIRE, CE QUI ARRIVE QUAND ON MEURT, C'EST CE QU'ON CROIT QU'IL VA ARRIVER ?

— Ce serait bien si c'était comme ça, non ? fit-elle joyeusement.

— MAIS, VOUS VOYEZ, JE SAIS CE QUE MOI, JE CROIS. JE CROIS… À RIEN.

— On broie du noir ce matin, hein ? Ce que vous avez

de mieux à faire maintenant, c'est de finir ce porridge. C'est bon pour ce que vous avez. Paraît que ça fortifie les os. »

Pierre Porte regarda son bol.

« JE PEUX AVOIR DU RAB ? »

Pierre Porte passa la matinée à couper du bois. Une tâche d'une monotonie agréable.

Se fatiguer. Ça, c'était important. Il avait sûrement déjà dormi avant la nuit précédente, mais il devait être si fatigué qu'il n'avait pas rêvé. Et il était bien décidé à ne plus rêver. La hache s'élevait et s'abattait sur les bûches comme un mouvement d'horlogerie.

Non ! Pas comme un mouvement d'horlogerie !

Mademoiselle Trottemenu avait plusieurs casseroles sur le poêle lorsqu'il entra.

« ÇA SENT BON », dit spontanément Pierre. Il avança la main vers le couvercle tremblotant d'une casserole. Mademoiselle Trottemenu se retourna soudain.

« Touchez pas ! C'est pas pour vous ! C'est pour les rats !

— LES RATS NE SE NOURRISSENT PAS TOUT SEULS ?

— Oh si, vous pouvez y aller ! C'est pour ça qu'on va leur donner un petit supplément avant la moisson. Quelques bons morceaux de ce truc-là autour des trous et… plus de rats. »

Il fallut quelques secondes à Pierre Porte pour faire le rapport, un rapport qui, à l'instant de la conclusion, tint de l'accouplement de mégalithes.

« C'EST DU POISON ?

— Extrait de spiquelle mélangé avec des flocons d'avoine. Rate jamais.

— ET ILS MEURENT ?

— Sur le coup. Tombent à la renverse, les quatre fers en l'air. Nous, on a du pain et du fromage, ajouta-t-elle. J'fais pas de la grande cuisine deux fois dans la même journée, et ce soir on a du poulet. À propos de poulet, au fait… venez donc… »

Elle décrocha un fendoir du râtelier et sortit dans la cour. Le coq Cyril la suivit d'un œil méfiant depuis le sommet du tas de fumier. Son harem de grosses poules sur le retour qui grattaient par terre bondirent pour courir maladroitement vers la fermière comme toutes les poules du multivers, l'air d'avoir l'élastique de leur slip cassé.

Mademoiselle Trottemenu baissa prestement le bras et en attrapa une.

Le volatile fixa Pierre Porte de ses yeux brillants et stupides. « Vous savez plumer un poulet ? » demanda Mademoiselle Trottemenu.

Le regard de Pierre passa de la fermière à la poule.

« MAIS ON LEUR DONNE À MANGER, dit-il, au désespoir.

— C'est vrai. Et après, c'est elles qui nous donnent à manger. Celle-là, elle a pas pondu depuis des semaines. C'est comme ça que ça marche, dans le monde des poules. Monsieur Trottemenu, il leur tordait le cou, mais moi, j'ai jamais eu le… le coup, quoi ; le fendoir, c'est plus sale, et elles continuent encore un peu de courir après, mais elles sont bel et bien mortes, et elles le savent. »

Pierre Porte réfléchit aux choix proposés. La poule avait braqué une prunelle toute ronde sur lui. Les poulets sont beaucoup plus bêtes que les humains et dépourvus des filtres mentaux compliqués qui les empêchent de voir la réalité présente. Elle savait où elle était et qui la regardait.

Il jeta un coup d'œil dans l'existence courte et simple du gallinacé et vit s'écouler les dernières secondes.

Il n'avait jamais tué. Il avait pris des vies, mais uniquement quand elles ne servaient plus. Il y a une différence entre voler et récupérer.

« PAS LE FENDOIR, dit-il d'une voix lasse. DONNEZ-MOI LE POULET. »

Il tourna un instant le dos, puis tendit le corps flasque à mademoiselle Trottemenu.

« Bravo », approuva-t-elle avant de regagner sa cuisine.

Pierre Porte sentit peser sur lui le regard accusateur de Cyril.

Il ouvrit la main. Un tout petit point de lumière flottait au-dessus de sa paume.

Il souffla doucement dessus ; le point de lumière disparut.

Après le déjeuner, ils déposèrent le poison pour les rats. Il se fit l'impression d'un assassin.

Beaucoup de rats moururent.

Dans les galeries souterraines sous la grange – les plus profondes, creusées des siècles plus tôt par des ancêtres rongeurs depuis longtemps oubliés –, quelque chose apparut dans l'obscurité.

La chose en question avait semblait-il du mal à décider quelle forme elle allait prendre.

Elle opta d'abord pour un gros morceau de fromage extrêmement louche. Ce qui n'eut pas l'air de lui plaire.

Puis elle essaya ce qui ressemblait beaucoup à un petit fox-terrier affamé. Cette solution aussi fut rejetée.

Un instant, elle fut un piège aux mâchoires d'acier. Ça ne convenait manifestement pas.

Elle chercha de nouvelles idées ; à sa grande surprise, il lui en vint une facilement, comme si elle arrivait de tout près. Moins une forme qu'un souvenir de forme.

Elle l'essaya. La forme ne cadrait pas du tout avec son travail, mais la chose, avec une satisfaction profonde, trouva que c'était la seule possible.

Elle se mit à la tâche.

Ce soir-là, les hommes s'entraînaient à l'arc sur la place du village. Pierre Porte s'était soigneusement forgé la réputation locale de plus mauvais archer dans toute l'histoire de la discipline ; personne ne s'était jamais dit qu'expédier des flèches à travers les chapeaux de badauds derrière soi exigeait logiquement davantage d'adresse que dans une grosse cible à cinquante malheureux mètres droit devant.

Étonnant, le nombre d'amis qu'on se découvrait en faisant mal les choses, à condition de les faire assez mal pour que ce soit drôle.

On lui permettait ainsi de s'asseoir sur un banc devant l'auberge en compagnie des vieux.

À côté, des étincelles jaillissaient de la cheminée du forgeron et montaient en tournoyant dans le crépuscule. On entendait des coups de marteau acharnés derrière les portes closes. Pierre Porte se demandait pourquoi la forge restait toujours fermée. La plupart des forgerons travaillaient portes ouvertes, et leur forge tenait lieu de salle de réunion officieuse du village. Ce forgeron-là se passionnait pour son travail…

« B'jour, cequelette. »

Il pivota.

La petite gamine de la maison le fixait du regard le plus pénétrant qu'il eût jamais vu.

« T'es un cequelette, hein ? fit-elle. Je l'sais à cause des os.

— TU TE TROMPES, PETITE FILLE.

— Si, c'est vrai. Les gens se changent en cequelettes quand ils sont morts. Et après, ils se promènent pas partout, normalement.

— HA. HA. HA. ÉCOUTEZ-MOI CETTE GAMINE.

— Pourquoi toi, tu t'promènes, alors ? »

Pierre Porte regarda les vieux. Ils avaient l'air captivés par le tir à l'arc.

« JE VAIS TE DIRE, fit-il au désespoir, SI TU T'EN VAS, JE TE DONNE UN DEMI-SOU.

— Moi, j'ai un masque de cequelette pour la nuit du Gâteau des Morts, quand on fait la quête de porte-emporte, dit-elle. L'est en carton. On nous donne des bonbons. »

Pierre Porte commit la même erreur que des millions de gens avant lui aux prises avec de jeunes enfants dans des circonstances à peu près semblables. Il recourut au bon sens.

« ÉCOUTE, fit-il. SI J'ÉTAIS VRAIMENT UN SQUELETTE, PETITE, JE SUIS SÛR QUE CES VIEUX MESSIEURS, LÀ, ILS TROUVERAIENT À REDIRE. »

Elle considéra les vieux à l'autre bout du banc.

« Sont déjà presque des cequelettes, dit-elle. Je crois pas qu'ils auraient envie d'en voir un autre. »

Il renonça.

« JE DOIS RECONNAÎTRE QUE TU AS RAISON SUR CE POINT.

— Pourquoi tu tombes pas en morceaux ?

— JE NE SAIS PAS. ÇA NE M'EST JAMAIS ARRIVÉ.

— J'ai déjà vu des cequelettes d'oiseaux et d'autres bêtes, et ils tombent tous en morceaux.

— PEUT-ÊTRE QU'ILS SONT UN RESTE DE QUELQUE CHOSE, ALORS QUE MOI, C'EST CE QUE JE SUIS.

— L'apothicaire qui soigne les gens à Chamblis, il a un cequelette sur un crochet avec plein de fil de fer pour tenir les os ensemble, dit la gamine avec l'air de qui transmet une information obtenue au prix de recherches laborieuses.

— MOI, JE N'AI PAS DE FIL DE FER.

— Y a une différence entre les cequelettes vivants et les cequelettes morts ?

— OUI.

— Lui, c'est un cequelette mort qu'il a, hein ?

— OUI.

— Qu'était dans quelqu'un ?

— OUI.

— Oh. Beurk. »

La fillette contempla un moment le paysage au loin, puis elle annonça : « J'ai des nouvelles chaussettes.

— OUI ?

— Tu peux voir, si tu veux. »

Un pied sale se tendit pour qu'il constate.

« DITES DONC. VOYEZ-VOUS ÇA. DE NOUVELLES CHAUSSETTES.

— Ma m'man, elle les a tricotées avec du mouton.

— MA PAROLE. »

L'horizon eut droit à une nouvelle inspection.

« T'sais, fit-elle, t'sais… on est vendredi.

— OUI.

— J'ai trouvé une cuiller. »

Pierre Porte s'aperçut qu'il attendait la suite. Il n'avait pas l'habitude des interlocuteurs dont la concentration ne dépassait pas les trois secondes.

« Tu travailles à mademoiselle Trottemenu ?

— Oui.

— Mon p'pa, il dit qu'y fait bon s'mettre les pieds sous la table là-bas. »

Pierre Porte ne trouva rien à répondre parce que le sens de la phrase lui échappait. C'était une de ces expressions humaines toutes faites qui masquent un sens plus subtil, sens que le simple ton de voix ou la lueur dans le regard fait souvent comprendre mais dont se passait la gamine.

« Mon p'pa, il dit qu'elle a plein de boîtes de trésors, qu'elle a dit.

— AH BON ?

— Moi, j'ai deux sous.

— BON SANG.

— Sal ! »

Ils levèrent tous les deux la tête tandis que madame Lifton apparaissait sur le seuil.

« L'heure d'aller te coucher. Arrête d'embêter monsieur Porte.

— OH, JE VOUS ASSURE, ELLE NE…

— Dis bonne nuit, tout de suite.

— Comment ils font pour dormir, les cequelettes ? Ils peuvent pas fermer les yeux parce qu'ils… »

Il entendait leurs voix étouffées dans l'auberge.

« Faut pas appeler monsieur Porte comme ça, c'est pas parce qu'il… qu'il est… très… qu'il est très maigre…

— C'est pas grave. C'est pas un cequelette mort. »

Madame Lifton parlait avec l'accent d'inquiétude typique de ceux qui ne peuvent se résoudre à croire le témoignage de leurs propres yeux. « Il a peut-être été très malade, voilà tout.

— Moi, j'pense qu'il pourra jamais être aussi malade. »

Pierre Porte rentra à la ferme d'un pas songeur.

Il y avait de la lumière dans la cuisine, mais il gagna directement la grange, escalada l'échelle du fenil et s'allongea.

Il pouvait s'éviter de rêver, mais pas de se souvenir.

Il fixa les ténèbres.

Au bout d'un moment, il eut conscience d'une multitude de pieds qui couraient. Il se retourna.

Un flot de fantômes pâles en forme de rats s'écoulait le long de la poutre faîtière au-dessus de sa tête, des fantômes qui s'estompèrent bientôt et dont il ne resta plus qu'un bruit de débandade.

Les suivait une… silhouette.

Elle avait une quinzaine de centimètres de haut. Elle portait une robe noire. Elle tenait une petite faux dans une patte squelettique. Un museau d'une blancheur d'os flanqué de moustaches grises d'aspect friable dépassait des profondeurs sombres d'une capuche.

Pierre Porte tendit la main et l'attrapa. Elle ne résista pas mais, debout sur sa paume, posa sur lui un regard de professionnel à professionnel.

« ET TU ES… ? » fit Pierre Porte.

La Mort aux Rats hocha la tête.

« COUIII.

— JE ME RAPPELLE, dit Pierre Porte, QUAND TU FAISAIS PARTIE DE MOI. »

La Mort aux Rats couina encore.

Pierre Porte fouilla dans les poches de sa salopette. Il y avait mis des restes de son déjeuner. Ah, voilà.

« J'IMAGINE, dit-il, QUE TU FERAIS BIEN UN SORT À UN BOUT DE FROMAGE ? »

La Mort aux Rats le prit de bonne grâce.

Pierre Porte se souvenait avoir une fois – rien qu'une fois – rendu visite à un homme qui avait passé presque toute son existence enfermé dans une cellule au fond d'une tour pour un délit quelconque, et qui avait apprivoisé de petits oiseaux afin d'avoir de la compagnie durant sa peine d'emprisonnement à perpétuité. Ils chiaient sur ses couvertures et bouffaient ses repas, mais il les tolérait et souriait en les voyant entrer et sortir en volant à travers les barreaux de sa fenêtre. La Mort s'était demandé, à l'époque, à quoi ça rimait, des extravagances pareilles.

« JE NE VEUX PAS TE RETARDER, dit-il. J'IMAGINE QUE TU AS À FAIRE, DES RATS À VISITER. JE SAIS CE QUE C'EST. »

Maintenant il comprenait.

Il reposa la silhouette sur la poutre et se rallongea.

« REVIENS ME VOIR SI TU PASSES DANS LE COIN. »

Pierre Porte se remit à fixer les ténèbres.

Le sommeil. Il le sentait rôder. Le sommeil, des rêves plein les poches.

Étendu dans le noir, il résista.

Les cris de mademoiselle Trottemenu le firent se redresser d'un coup et ne s'arrêtèrent pas, bien qu'il soit éveillé, ce qui le soulagea momentanément.

La porte de la grange s'ouvrit à la volée.

« Pierre ! Descendez vite ! »

Il bascula les jambes sur l'échelle.

« QU'EST-CE QUI SE PASSE, MADEMOISELLE TROTTEMENU ?

— Y a le feu quelque part ! »

Ils traversèrent la cour au pas de course et gagnèrent la route. Le ciel au-dessus du village était rouge.

« Venez !

— MAIS IL N'EST PAS À NOUS, CE FEU.

— Il va être à tout le monde ! Ça se répand à toute allure sur le chaume ! »

Ils entrèrent sur le petit bout de place du village. L'auberge brûlait déjà allègrement et le chaume rugissait vers les étoiles des millions d'étincelles tourbillonnantes.

« Regardez-moi ça, ils sont tous là et ils font rien, gronda mademoiselle Trottemenu. Y a la pompe, des seaux partout, ils ont donc rien dans la tête ? »

Il y eut une bousculade un peu plus loin lorsque deux clients voulurent empêcher Lifton de se précipiter dans le bâtiment. Il leur criait quelque chose.

« La petite est restée dedans, fit mademoiselle Trottemenu. C'est bien ce qu'il a dit ?

— OUI. »

Des flammes enguirlandaient toutes les fenêtres de l'étage.

« Doit y avoir un moyen, dit mademoiselle Trottemenu. On pourrait peut-être trouver une échelle…

— IL VAUT MIEUX ÉVITER.

— Quoi ? Faut essayer. On peut pas laisser quelqu'un là-dedans !

— VOUS NE COMPRENEZ PAS, dit Pierre Porte. MODIFIER LE DESTIN D'UN SEUL INDIVIDU RISQUERAIT DE DÉTRUIRE L'ENSEMBLE DU MONDE. »

Mademoiselle Trottemenu le regarda comme s'il était devenu fou.

« Qu'est-ce que c'est que ces foutaises ?

— JE VEUX DIRE QU'IL Y A UN TEMPS POUR CHACUN DE MOURIR. »

Elle le fixa. Puis elle leva la main et lui expédia une gifle retentissante en pleine figure.

Il était plus dur qu'elle n'avait cru. Elle glapit et se suça les jointures.

« Vous décampez de ma ferme dès ce soir, monsieur Pierre Porte, grogna-t-elle. Compris ? » Puis elle se retourna et courut vers la pompe.

Quelques hommes avaient amené de longs crochets pour faire tomber le chaume en feu du toit. Mademoiselle Trottemenu forma une équipe pour dresser une échelle contre une des fenêtres des chambres mais, le temps qu'on persuade un homme d'y grimper sous la protection fumante d'une couverture mouillée, le haut de l'échelle commençait déjà à se consumer.

Pierre Porte observa les flammes.

Il plongea la main dans sa poche et en sortit le sablier doré. La lueur rouge de l'incendie se réfléchit sur le verre. Il le rempocha.

Une partie du toit s'effondra.

« COUIII. »

Pierre Porte baissa les yeux. Une petite silhouette en robe lui passa entre les jambes d'un pas énergique et franchit la porte embrasée d'un air important.

On hurla quelque chose à propos de barils d'eau-de-vie.

Pierre Porte replongea la main dans sa poche et ressortit le sablier. Le sifflement du sable noya le rugissement des flammes. Le futur s'écoulait dans le passé, et il y avait beaucoup plus de passé que de futur, mais un détail le frappa : ce qui s'écoulait passait par le présent.

Il remit doucement l'objet dans sa poche.

La Mort savait que modifier le destin d'un seul individu risquait de détruire l'ensemble du monde. Ça, il le savait. C'était inscrit en lui.

Pour Pierre Porte, s'aperçut-il, tout ça, c'était de la foutaise.

« OH, MERDE », lâcha-t-il.

Et il entra dans le brasier.

« Hum. C'est moi, bibliothécaire, s'efforça de crier Vindelle par le trou de la serrure. Vindelle Pounze. »

Il essaya de frapper encore au battant.

« Pourquoi il ne répond pas ?

— Sais pas, fit une voix dans son dos.

— Crapahut ?

— Oui, monsieur Pounze.

— Qu'est-ce que vous faites derrière moi ?

— Faut que je sois derrière quelque chose, monsieur Pounze. C'est ça, les croque-mitaines.

— Bibliothécaire ? lança Vindelle en cognant davantage.

— Oook.

— Pourquoi vous ne me laissez pas entrer ?

— Oook.

— Mais il faut que je vérifie quelque chose.

— Oook oook !

— Ben, oui. C'est vrai. Qu'est-ce que ç'a à voir là-dedans ?

— Oook !

— C'est… C'est inique !

— Qu'est-ce qu'il dit, monsieur Pounze ?

— Il ne veut pas me laisser entrer parce que je suis mort !

— C'est typique. Le genre de truc dont Raymond Soulier nous rebat tout le temps les oreilles, vous savez.

— Vous voyez quelqu'un d'autre qui serait au courant de la force vitale ?

— Il y a bien madame Cake, j'imagine. Mais elle est un peu bizarre.

— C'est qui, madame Cake ? » Vindelle se rendit alors compte de ce que venait de dire Crapahut. « De toute façon, vous êtes un croque-mitaine, vous.

— Vous n'avez jamais entendu parler de madame Cake ?

— Non.

— Je ne pense pas qu'elle s'intéresse à la magie… En tout cas, d'après Raymond Soulier, il ne faut pas lui parler. Elle exploite les morts, qu'il dit.

— Comment ça ?

— Elle est médium. Enfin, plutôt petite taille.

— Vraiment ? D'accord, on va la voir. Et… Crapahut ?

— Oui ?

— Ça fiche les chocottes, de vous sentir tout le temps derrière moi.

— Je suis très embêté si je ne suis pas derrière quelque chose, monsieur Pounze.

— Vous ne pouvez pas vous cacher derrière autre chose ?

— Qu'est-ce que vous proposez, monsieur Pounze ? »

Vindelle réfléchit. « Oui, ça pourrait marcher, fit-il doucement, mais faut pour ça que je trouve un tournevis. »

Modo le jardinier, à genoux, paillait les dahlias lorsqu'il entendit dans son dos des raclements et des coups sourds réguliers, comme si on essayait de déplacer un objet lourd.

Il tourna la tête.

« Bonsoir, m'sieur Pounze. Toujours mort, à ce que j'vois ?

— Bonsoir, Modo. Vous avez très bien arrangé le jardin.

— Y a quelqu'un qui traîne une porte derrière vous, m'sieur Pounze.

— Oui, je sais. »

La porte glissa prudemment le long de l'allée. En passant devant Modo, elle pivota maladroitement, comme si celui qui la portait s'efforçait de rester le plus possible derrière.

« C'est une sorte de porte de secours », expliqua Vindelle.

Il marqua un temps. Quelque chose clochait. Il ne savait pas trop quoi, mais soudain ça clochait beaucoup dans le coin, comme lorsqu'on entend une fausse note dans un orchestre. Il passa en revue ce qu'il avait sous les yeux.

« C'est quoi, cet engin où vous mettez les mauvaises herbes ? » demanda-t-il.

Modo regarda l'engin en question près de lui.

« Pas mal, hein ? fit-il. Je l'ai trouvé à côté des tas de compost. Ma brouette était cassée, j'ai levé les yeux, et là…

— Je n'ai encore jamais rien vu de pareil, dit Vindelle. Drôle d'idée de faire un grand panier en fil de fer, non ? Et ces roues, elles n'ont pas l'air assez grandes.

— Mais on arrive bien à le pousser avec le guidon,

dit Modo. Ça m'étonne qu'on ait voulu le jeter. Pourquoi jeter un truc pareil, monsieur Pounze ? »

Vindelle contempla le chariot. Il ne pouvait se départir du sentiment que l'engin l'observait.

Il s'entendit dire : « Peut-être qu'il est venu ici tout seul !

— C'est ça, monsieur Pounze ! Il voulait un peu de tranquillité, sûrement ! railla Modo. Vous êtes un sacré numéro !

— Oui, fit Vindelle d'un air malheureux. On le dirait bien. »

Il sortit dans la ville, conscient des raclements et des coups sourds de la porte derrière lui.

Si on m'avait dit il y a un mois, songea-t-il, que quelques jours après ma mort je marcherais dans la rue, suivi par un croque-mitaine timide caché derrière une porte… ben, ça m'aurait drôlement fait rigoler.

Non, ça ne m'aurait pas fait rigoler. J'aurais dit : « Hein ? Quoi ? Parlez plus fort ! » Et de toute façon je n'aurais rien compris.

À côté de lui, on aboya.

Un chien l'observait. Un très gros chien. En fait, la seule raison qui poussait à le qualifier de chien plutôt que de loup, c'est qu'on ne trouve pas de loups dans les villes, tout le monde sait ça.

L'animal cligna de l'œil. Vindelle se dit : pas de pleine lune hier soir.

« Lupin ? » hasarda-t-il.

Le chien répondit oui de la tête.

« Vous ne pouvez pas parler ? »

Le chien répondit non de la tête.

« Vous faites quoi, là, maintenant ? »

Lupin haussa les épaules.

« Voulez venir avec moi ? »

Autre haussement d'épaules qui rendait presque audible la pensée : Pourquoi pas ? Qu'est-ce que j'ai d'autre à faire ?

Si on m'avait dit il y a un mois, songea Vindelle, que quelques jours après ma mort je marcherais dans la rue, suivi par un croque-mitaine timide caché derrière une porte et en compagnie d'une espèce de version en négatif d'un loup-garou… ben, ça m'aurait sans doute drôlement fait rigoler. Après qu'on me l'aurait répété plusieurs fois, évidemment. Et fort.

La Mort aux Rats rassembla ses derniers clients, parmi lesquels beaucoup s'étaient trouvés dans le chaume, et les conduisit au milieu des flammes vers la destination où se rendaient les bons rats.

Il eut la surprise de croiser une silhouette en feu qui se frayait un passage à travers un fatras incandescent de poutres abattues et de planchers effondrés. Alors qu'elle gravissait l'escalier embrasé, la silhouette sortit quelque chose des restes calcinés de son vêtement et le tint soigneusement entre les dents.

La Mort aux Rats n'attendit pas de voir la suite. Bien que, par certains côtés, aussi ancien que le premier protorat, il était également âgé de moins d'un jour et tâtonnait en tant que Mort, et il avait peut-être conscience que les battements sourds qui faisaient trembler la bâtisse provenaient de l'eau-de-vie se mettant à bouillir dans ses tonneaux.

La spécificité de l'eau-de-vie qui bout, c'est qu'elle ne bout pas longtemps.

La boule de feu dispersa des morceaux d'auberge sur près d'un kilomètre. Des flammes chauffées à blanc jaillirent des trous laissés par les portes et les fenêtres. Les murs explosèrent. Des chevrons en feu volèrent en ronflant au-dessus des têtes. Certains se plantèrent dans des toits voisins et allumèrent d'autres incendies.

Ne resta plus de l'établissement qu'un rougeoiement pénible pour les yeux.

Puis de petites taches opaques apparurent dans le rougeoiement.

Elles se déplacèrent et se regroupèrent rapidement pour dessiner une haute silhouette qui s'avançait à grands pas en portant un fardeau devant elle.

Elle traversa la foule couverte de cloques et remonta péniblement la route obscure et fraîche qui conduisait à la ferme. Les badauds se ressaisirent et la suivirent dans le crépuscule comme la queue d'une comète sombre.

Pierre Porte gravit l'escalier donnant sur la chambre de mademoiselle Trottemenu et déposa la fillette sur le lit.

« ELLE A DIT QU'IL Y AVAIT UN APOTHICAIRE PAS TRÈS LOIN D'ICI. »

Mademoiselle Trottemenu s'ouvrit un chemin dans la cohue en haut des marches. « Y en a un à Chamblis, dit-elle. Mais y a une sorcière du côté de Lancre.

— PAS DE SORCIÈRE. PAS DE MAGIE. ENVOYEZ-LE CHERCHER. ET TOUS LES AUTRES, VOUS PARTEZ. »

Ce n'était pas un conseil. Ni même un ordre. Seulement une affirmation irréfutable.

Mademoiselle Trottemenu agita ses bras maigres en direction des gens.

« Allez, c'est fini ! Ouste ! C'est ma chambre, ici ! Allez, sortez !

— Comment qu'il a fait ? lança quelqu'un à l'arrière de l'attroupement. Personne aurait pu sortir de là-dedans vivant ! On a bien vu, tout a explosé ! »

Pierre Porte se retourna lentement.

« ON S'EST CACHÉS, dit-il. DANS LA CAVE.

— Là ! Vous voyez ? fit mademoiselle Trottemenu. Dans la cave. C'est logique.

— Mais l'auberge, elle a pas de… » objecta l'incrédule avant de s'arrêter net. Pierre Porte lui lançait un regard noir.

« Dans la cave, se reprit-il. Ouais. 'videmment. Malin.

— *Très* malin, conclut mademoiselle Trottemenu. Maintenant, allez-vous-en tous. »

Pierre Porte l'entendit chasser tout le monde jusqu'en

bas de l'escalier puis dehors, dans la nuit. La porte claqua. Il ne l'entendit pas remonter un bol d'eau froide et un gant de toilette. Mademoiselle Trottemenu pouvait elle aussi marcher sans bruit quand elle le voulait.

Elle entra et referma la porte derrière elle.

« Ses parents vont avoir envie de la voir, dit-elle. Sa maman est évanouie et le gros Henri, le meunier, il a estourbi son papa qui voulait foncer dans les flammes, mais ils vont débarquer sous peu. »

Elle se pencha et passa le gant de toilette sur le front de la fillette.

« Où elle était ?

— ELLE SE CACHAIT DANS UN PLACARD.

— Pour échapper au feu ? »

Pierre Porte haussa les épaules.

« Trouver quelqu'un dans cette fournaise et cette fumée, ça paraît incroyable, dit-elle.

— J'IMAGINE QUE C'EST CE QUE VOUS APPELLERIEZ UN TALENT.

— Et aucune trace sur elle. »

Pierre Porte ignora la question dans la voix de la demoiselle.

« VOUS AVEZ ENVOYÉ QUELQU'UN CHERCHER L'APOTHICAIRE ?

— Oui.

— IL NE DOIT RIEN EMPORTER.

— Qu'est-ce que vous voulez dire ?

— RESTEZ ICI QUAND IL VIENDRA. IL NE FAUT RIEN SORTIR DE CETTE CHAMBRE.

— C'est idiot. Pourquoi il sortirait quelque chose ? Qu'est-ce qu'il voudrait sortir ?

— C'EST TRÈS IMPORTANT. ET MAINTENANT, IL FAUT QUE JE VOUS LAISSE.

— Vous allez où ?

— À LA GRANGE. J'AI À FAIRE. IL NE RESTE PEUT-ÊTRE PLUS BEAUCOUP DE TEMPS. »

Mademoiselle Trottemenu contempla la petite silhouette sur le lit. Elle se sentait perdre pied et elle savait tout juste garder la tête hors de l'eau.

« On dirait qu'elle dort, fit-elle en désespoir de cause. Qu'est-ce qu'elle a qui va pas ? »

Pierre Porte s'arrêta en haut des marches.

« ELLE VIT SUR DU TEMPS D'EMPRUNT », répondit-il.

Il y avait une vieille forge derrière la grange. Elle ne servait plus depuis des années. Mais à présent elle répandait dans la cour une lumière rouge et jaune qui palpitait à la façon d'un cœur.

Et à la façon d'un cœur, des battements sourds et réguliers s'en échappaient. À chacun d'eux, la lumière s'embrasait de bleu.

Mademoiselle Trottemenu se glissa par la porte ouverte. Elle aurait juré, mais ce n'était pas son genre, n'avoir fait aucun bruit perceptible au milieu des crépitements du feu et des coups de marteau, mais Pierre Porte pivota, jambes fléchies, une lame incurvée brandie devant lui.

« C'est moi ! »

Il se détendit, ou du moins passa à un autre niveau de tension.

« Qu'est-ce que vous fichez ? »

Il regarda la lame dans ses mains comme s'il la voyait pour la première fois.

« J'AI EU ENVIE D'AFFÛTER CETTE FAUX, MADEMOISELLE TROTTEMENU.

— À une heure du matin ? »

Il posa sur la faux un œil vide d'expression.

« ELLE NE COUPE PAS MIEUX LA NUIT, MADEMOISELLE TROTTEMENU. »

Il l'abattit alors sur l'enclume.

« ET JE N'ARRIVE PAS À L'AFFÛTER SUFFISAMMENT !

— À mon avis, la chaleur a dû vous monter à la tête, dit mademoiselle Trottemenu qui tendit la main et lui prit le bras. Et puis elle m'a l'air bien assez aiguisée comme… » poursuivit-elle avant de s'interrompre. Ses doigts bougèrent sur l'os du bras de Pierre Porte. Ils se rouvrirent un instant puis se refermèrent.

Pierre Porte frissonna.

Mademoiselle Trottemenu n'hésita pas longtemps. En soixante-quinze, ans, elle avait connu des guerres, la famine, d'innombrables bêtes malades, deux épidémies et des milliers de mini-tragédies quotidiennes. Un squelette déprimé n'entrait même pas dans le palmarès des dix pires calamités qu'elle avait subies.

« Comme ça, c'est *vous*, fit-elle.

— MADEMOISELLE TROTTEMENU, JE...

— J'ai toujours su que vous viendriez un jour.

— JE CROIS PEUT-ÊTRE QUE…

— Vous savez, j'ai passé la majeure partie de ma vie à attendre un chevalier sur un destrier blanc. » Elle eut un grand sourire. « Y a de quoi rire, hein ? »

Pierre Porte s'assit sur l'enclume.

« L'apothicaire est passé, reprit-elle. Il a dit qu'il pouvait rien faire. Il a dit qu'elle allait bien. Seulement, impossible de la réveiller. Et, vous savez, ça nous a pris un temps fou pour lui ouvrir la main. Elle la gardait fermée drôlement fort.

— J'AI DIT QU'IL NE FALLAIT RIEN EMPORTER !

— Tout va bien. Tout va bien. On lui a laissé ce qu'elle tenait.

— BON.

— C'était quoi ?

— MON TEMPS À MOI.

— Pardon ?

— MON TEMPS À MOI. LE TEMPS DE MA VIE.

— Ça ressemble à un sablier pour des œufs de luxe. »

Pierre Porte parut surpris. « OUI. EN UN SENS. JE LUI AI DONNÉ UNE PARTIE DE MON TEMPS.

— Vous avez besoin de temps, vous ? Comment ça s' fait ?

— TOUT CE QUI VIT A BESOIN DE TEMPS ET QUAND IL EST ÉCOULÉ, ON MEURT. QUAND IL SERA ÉCOULÉ, ELLE MOURRA ET MOI AUSSI, JE MOURRAI. DANS QUELQUES HEURES.

— Mais vous, vous pouvez pas…

— Si. C'est dur à expliquer.
— Poussez-vous.
— Quoi ?
— J'ai dit : poussez-vous. Je veux m'asseoir. »
Pierre Porte fit une petite place sur l'enclume. Mademoiselle Trottemenu s'assit.
« Comme ça, vous allez mourir, dit-elle.
— Oui.
— Et vous, vous voulez pas.
— Non.
— Pourquoi ça ? »
Il la regarda comme si elle était folle.
« Parce qu'après il n'y aura plus rien. Parce que je n'existerai pas.
— Ça se passe aussi comme ça pour les humains ?
— Je ne crois pas. Pour vous, c'est différent. Vous êtes mieux organisés. »
Tous deux observèrent un instant la lueur déclinante du charbon dans la forge.
« Alors, vous vouliez aiguiser la faux pour quoi ? demanda mademoiselle Trottemenu.
— Je me suis dit que je pourrais peut-être... me défendre...
— Ç'a déjà marché ? Avec vous, je veux dire.
— Pas vraiment. Parfois, on me défie à un jeu. L'enjeu, c'est leur vie, vous savez.
— Ça leur arrive de gagner ?
— Non. L'année dernière, quelqu'un a eu trois rues et tous les services publics.
— Hein ? C'est quoi, ce jeu-là ?
— Je ne me rappelle pas. "Propriété exclusive", je crois. J'avais la boîte.
— Attendez voir, dit mademoiselle Trottemenu. Si vous êtes ce que vous êtes, qui va venir vous chercher ?
— La Mort. Hier soir, on a glissé ça sous ma porte. »
La Mort ouvrit la main et montra un bout de papier crasseux à mademoiselle Trottemenu qui lut avec peine le mot : *OUuuuIIIiiOUUuuuIIiiiOUUuuuIIiii.*

« C'EST L'ANNONCE, MAL ÉCRITE, QUE M'ENVOIE LE BANSHEE. »

Mademoiselle Trottemenu regarda Pierre Porte, la tête penchée de côté.

« Mais… Reprenez-moi si je me trompe, mais…

— LA NOUVELLE MORT. »

Pierre Porte ramassa la lame.

« IL SERA TERRIBLE. »

Il fit tourner la lame dans ses mains. Une lumière bleue dansa sur le fil de la faux.

« JE SERAI LE PREMIER. »

Mademoiselle Trottemenu regardait fixement la lumière, comme fascinée.

« Terrible comment, exactement ?

— QU'EST-CE QUE VOUS POUVEZ IMAGINER DE PLUS TERRIBLE ?

— Oh.

— TERRIBLE COMME ÇA, EXACTEMENT. »

Il inclina la lame d'un côté puis de l'autre.

« Et pour la gamine aussi, dit mademoiselle Trottemenu.

— OUI.

— J'pense pas avoir de service à vous rendre, monsieur Porte. J'pense que personne au monde a de service à vous rendre.

— VOUS AVEZ SANS DOUTE RAISON.

— Remarquez, la vie, elle a sa part de responsabilité, elle aussi. Faut être juste.

— JE NE SAURAIS DIRE. »

Mademoiselle Trottemenu le jaugea encore d'un long regard.

« Y a une bonne meule dans le coin là-bas, dit-elle.

— JE M'EN SUIS DÉJÀ SERVI.

— Et y a une pierre à aiguiser dans le placard.

— ÇA AUSSI, JE M'EN SUIS DÉJÀ SERVI. »

Elle crut entendre un bruit qui accompagnait le mouvement de la lame. Une sorte de faible gémissement d'air comprimé.

« Et elle est toujours pas assez aiguisée ? »

Pierre Porte soupira. « ELLE NE SERA PEUT-ÊTRE JAMAIS ASSEZ AIGUISÉE.

— Allons, mon vieux. Faut pas s'avouer vaincu, dit mademoiselle Trottemenu. Tant qu'y a de la vie, hein ?

— TANT QU'Y A DE LA VIE, HEIN, QUOI ?

— Y a de l'espoir.

— AH BON ?

— Comme je vous dis. »

Pierre Porte fit courir un doigt osseux sur le fil de la lame.

« DE L'ESPOIR ?

— Vous avez une autre solution ? »

Il fit non de la tête. Il avait essayé un certain nombre d'émotions, mais celle-là était nouvelle.

« VOUS POURRIEZ M'APPORTER UN AIGUISOIR ? »

Une heure plus tard.

Mademoiselle Trottemenu passait en revue le contenu de son sac à chiffons.

« Et maintenant ?

— ON A ESSAYÉ QUOI JUSQU'ICI ?

— Voyons voir... le jute, le calicot, le lin... Et le satin, dites ? En voilà un bout. »

Pierre Porte prit le chiffon et le passa doucement sur la lame.

Mademoiselle Trottemenu arriva au fond du sac et sortit un échantillon de tissu blanc.

« OUI ?

— De la soie, souffla-t-elle. De la belle soie blanche. De la vraie. Jamais portée. »

Elle s'assit plus confortablement et la regarda fixement.

Au bout d'un moment, il la lui retira délicatement des doigts.

« MERCI.

— Bon, alors, fit-elle en se réveillant. Voilà, hein ? »

Lorsqu'il tourna la lame, elle produisit un son : *Whommmm.* Le feu de la forge était presque mort à présent, mais le métal luisait comme un rasoir.

« Aiguisée sur de la soie, murmura mademoiselle Trottemenu. Qui aurait cru ça ?

— ET ELLE NE COUPE TOUJOURS PAS ASSEZ. »

Pierre Porte fit du regard le tour de la forge obscure puis se précipita dans un angle.

« Qu'est-ce que vous avez trouvé ?

— UNE TOILE D'ARAIGNÉE. »

Suivit un long gémissement ténu, comme des fourmis à la torture.

« C'est mieux ?

— TOUJOURS PAS ASSEZ TRANCHANTE. »

Elle le regarda sortir de la forge à grands pas et courut derrière lui. Il alla se placer au milieu de la cour et présenta le fil de la lame de faux face à la brise légère de l'aube.

Le métal bourdonna.

« Jusqu'où on peut aiguiser une lame, bon sang ?

— ON PEUT L'AIGUISER MIEUX QUE ÇA. »

Dans son poulailler, le coq Cyril s'éveilla et fixa de ses yeux larmoyants les lettres perfides tracées à la craie sur la planche. Il prit une profonde inspiration.

« Kikirococo ! »

Pierre Porte lança un coup d'œil vers l'horizon du côté Bord puis, l'air rêveur, vers la petite colline derrière la maison.

Il repartit brusquement dans un cliquetis de jambes.

La lumière de la journée nouvelle se déversa sur le monde. La lumière du Disque est vieille, lente et pesante ; elle se répand sur le paysage dans un rugissement de charge de cavalerie. Ici et là, une vallée la ralentit un moment, ou une chaîne de montagnes la retient le temps qu'elle en déborde le sommet pour dévaler le versant opposé.

Elle franchit une mer, remonta la plage au galop et prit de la vitesse dans les plaines sous les coups d'éperons du soleil.

Sur le continent fabuleux de Xxxx, quelque part près du Bord, existe une colonie perdue de mages qui portent des bouchons autour de leurs chapeaux pointus et ne vivent que de crevettes. La lumière y est encore jeune et fougueuse quand elle afflue de l'espace, et ils surfent sur l'interface bouillonnante entre la nuit et le jour.

Si l'un d'eux s'était laissé porter par l'aube sur des milliers de kilomètres à l'intérieur des terres, il aurait peut-être vu, alors que la lumière inondait les hautes plaines dans un bruit de tonnerre, une silhouette comme un phasme gravir péniblement une colline basse sur la route du matin.

Elle parvint au sommet un court instant avant l'arrivée de la lumière, inspira et se retourna en souriant, les jambes fléchies.

Elle tenait une longue lame verticale entre ses bras tendus. La lumière frappa… se déchira… glissa…

Le mage n'y aurait guère prêté d'attention, remarquez, les huit mille kilomètres à pied pour rentrer chez lui l'auraient davantage préoccupé.

Mademoiselle Trottemenu haletait à flanc de colline au milieu des flots du jour nouveau qui la dépassaient. Pierre Porte restait absolument immobile, seule la lame bougeait entre ses doigts tandis qu'il l'orientait face à la lumière.

Il parut enfin satisfait.

Il se retourna et porta un coup dans le vide, à titre d'essai. Mademoiselle Trottemenu se mit les mains sur les hanches. « Oh, allez, fit-elle, on peut/ /aigui/ /à
la lumière/ /rien/ /ser/
/du jour. »

Elle marqua un temps.

Il porta un autre coup de lame.

« Bon/tés/div/ines. »

Dans la cour, Cyril tendit le cou pour une nouvelle tentative. Pierre Porte sourit et donna un coup de taille de la lame en direction du chant.

« Co/cu/roco/co ! » Puis il baissa la lame.

« LÀ, ELLE COUPE. »

Son sourire s'estompa, du moins s'estompa autant qu'il le pouvait.

Mademoiselle Trottemenu se retourna et suivit la direction de son regard jusqu'à une brume légère sur les champs de blé.

On aurait dit une robe gris pâle, vide mais qui gardait néanmoins la forme de son occupant, comme un vêtement que gonfle le vent sur un fil à linge.

Elle tremblota un instant puis disparut.

« Je l'ai vu, dit mademoiselle Trottemenu.

— VOUS *LES* AVEZ VUS.

— Les quoi ?

— CE SONT COMME… (Pierre Porte eut un geste vague de la main) DES SERVITEURS. DES OBSERVATEURS. DES VÉRIFICATEURS. DES INSPECTEURS. »

Les yeux de mademoiselle Trottemenu s'étrécirent.

« Des inspecteurs ? Comme les "rev'nus", vous voulez dire ?

— JE SUPPOSE… »

La figure de mademoiselle Trottemenu s'éclaira.

« Pourquoi vous le disiez pas ?

— PARDON ?

— Mon père m'a toujours fait promettre de jamais aider les rev'nus. Rien que penser aux rev'nus, il disait, ça lui donnait envie d'aller se coucher. Il disait qu'il y avait la mort et les impôts, et que les impôts, c'était le pire, parce qu'au moins la mort vous tombait pas dessus tous les ans. Fallait qu'on décampe dehors quand il se mettait à parler des rev'nus. Des créatures mauvaises. Tout le temps à fureter, à demander ce qu'on a caché sous le tas de bois, derrière les panneaux secrets de la cave et d'autres affaires qui regardent personne. »

Elle renifla.

Pierre Porte était impressionné. Mademoiselle Trottemenu arrivait à charger le vocable anodin de « revenu » d'autant de force catégorique que le mot « saloperie ».

« Fallait le dire tout de suite, qu'ils étaient après vous, fit mademoiselle Trottemenu. Les rev'nus sont mal vus par chez nous, vous savez. Du temps de mon père, dès qu'un rev'nueur s'en venait fourrer le nez dans nos affaires, on lui attachait des poids aux pieds et on le laissait tomber dans la mare.

— MAIS LA MARE NE FAIT PAS PLUS DE DIX CENTIMÈTRES DE PROFONDEUR, MADEMOISELLE TROTTEMENU.

— Ouais, mais c'était drôle quand il s'en rendait compte. Fallait le dire tout de suite. Tout le monde a cru que vous aviez un rapport avec les impôts.

— NON, PAS LES IMPÔTS.

— Ben ça. Je savais pas qu'y avait aussi des rev'nus là-haut.

— OUI. D'UNE CERTAINE FAÇON. »

Elle se glissa plus près.

« Il va venir quand ?

— CE SOIR. JE NE CONNAIS PAS L'HEURE EXACTE. NOUS SOMMES DEUX PERSONNES À VIVRE SUR LE MÊME SABLIER. ON NE PEUT PAS ÊTRE SÛR.

— Je savais pas qu'on pouvait donner un peu de sa vie à d'autres.

— ÇA ARRIVE TOUT LE TEMPS.

— Et pour ce soir, y a pas de doute ?

— NON.

— Et cette lame, elle va suffire, hein ?

— JE N'EN SAIS RIEN. UNE CHANCE SUR UN MILLION.

— Oh. » Elle avait l'air de réfléchir à quelque chose. « Alors, vous êtes libre le reste de la journée ?

— Oui.

— Vous pouvez donc commencer à rentrer la moisson.

— QUOI ?

— Ça vous occupera. Vous changera les idées. Et puis je vous paye six sous par semaine. Et six sous, c'est six sous. »

La maison de madame Cake se trouvait aussi dans la rue de l'Orme. Vindelle frappa à la porte.

Au bout d'un moment, une voix assourdie lança : « Y a quelqu'un ?

— Frappez une fois pour oui », proposa Crapahut.

Vindelle souleva le rabat de la boîte aux lettres.

« Excusez-moi ? Madame Cake ? »

La porte s'ouvrit.

Madame Cake n'était pas ce à quoi s'attendait Vindelle. Elle était imposante, mais pas grosse pour autant. Seulement bâtie à une échelle un brin supérieure à la normale ; du genre à traverser la vie à demi accroupie et l'air de s'excuser, des fois qu'elle en imposerait à son entourage par mégarde. Et elle avait des cheveux magnifiques. Ils lui couronnaient la tête et lui cascadaient dans le dos comme une cape. Elle avait aussi les oreilles légèrement pointues et les dents qui, quoique blanches et plutôt belles, jetaient des reflets troublants à la lumière. Vindelle fut surpris par la vitesse avec laquelle ses sens plus performants de zombi arrivèrent à une conclusion. Il baissa les yeux.

Lupin était assis tout droit, trop excité même pour remuer la queue.

« À mon avis, vous n'êtes pas madame Cake, dit Vindelle.

— Vous venez pour maman, fit la grande jeune femme. Maman ! Il y a un monsieur ! »

Vindelle entendit au loin un marmonnement qui se rapprocha, puis madame Cake surgit de derrière sa fille comme une petite lune émergeant d'une ombre planétaire.

« Qu'esse vous voulez ? » lança-t-elle.

Vindelle recula d'un pas. Contrairement à sa fille, madame Cake était plutôt courtaude et presque parfaitement circulaire. Toujours contrairement à sa fille qui s'efforçait de paraître petite, elle en imposait terriblement. Ceci en grande partie à cause du chapeau qu'elle portait – il l'apprit plus tard – en toute occasion avec le même zèle qu'un mage. Immense et noir, il était en outre garni d'ailes d'oiseaux, de cerises de cire et d'épingles, entre autres ; un couvre-chef que Carmen Miranda aurait pu porter aux obsèques d'un continent. Madame Cake se déplaçait en dessous comme la nacelle sous un ballon. On se surprenait souvent à parler à son chapeau.

« Madame Cake ? fit un Vindelle fasciné.

— J'suis d'sous », répliqua une voix chargée de reproche.

Vindelle baissa les yeux.

« Tout jusse, fit madame Cake.

— Vous êtes bien madame Cake ?

— Oui, je l'sais.

— Je m'appelle Vindelle Pounze.

— Ça aussi, je l'sais.

— Je suis mage, vous voyez…

— D'accord, mais essuyez-vous bien les pieds.

— Je peux entrer ? »

Vindelle Pounze marqua un temps. Il se repassa les dernières répliques de la conversation dans le poste de commande bourdonnant de son cerveau. Puis il sourit.

« C'est ça même, fit madame Cake.

— Seriez-vous par hasard une extralucide naturelle ?

— En général, une dizaine de secondes, monsieur Pounze. »

Vindelle hésita.

« Faut poser votre question, s'empressa de dire madame Cake. J'attrape la migraine quand des pervers s'amusent à pas poser les questions que j'ai déjà présagées et auxquelles j'ai répondu.

— À quelle distance dans le futur vous voyez, madame Cake ? »

Elle hocha la tête.

« Bon, ça va », fit-elle, apparemment calmée. Elle montra le chemin par le couloir jusque dans un tout petit salon. « Et le croque-mitaine peut entrer aussi, seulement, faut qu'il laisse sa porte dehors et qu'il aille dans la cave. J'supporte pas les croque-mitaines dans la maison.

— Bon sang, ça fait une éternité que je ne suis pas allé dans une vraie cave, fit Crapahut.

— Y a plein d'araignées, dit madame Cake.

— Wouah !

— Et vous, vous voulez bien une tasse de thé », dit madame Cake à Vindelle.

Une autre aurait proposé : « Vous prendrez bien une tasse de thé ? » ou « Voulez-vous une tasse de thé ? » Mais l'extralucide, elle, énonçait un état de fait.

« Oui, s'il vous plaît, fit Vindelle. J'aimerais beaucoup boire une tasse de thé.

— Vous devriez pas. Ce truc-là, ça vous bouffe les dents. »

Vindelle résolut cette dernière énigme.

« Deux sucres, s'il vous plaît, demanda-t-il.

— C'est pas mal.

— Une jolie maison que vous avez là, madame Cake », dit Vindelle dont les cellules grises fonctionnaient à plein régime. L'habitude de madame Cake de répondre aux questions pendant qu'on les formait dans sa tête éprouvait les cervelles les plus solides.

« L'est mort depuis dix ans, dit-elle.

— Euh, fit Vindelle, mais la question était déjà dans son larynx. Monsieur Cake se porte bien, j'espère ?

— Ça va. J'y parle de temps en temps.

— Je suis navré de l'apprendre.

— D'accord, si ça peut vous arranger.

— Hum, madame Cake ? Je me sens un peu perdu. Est-ce que vous pourriez… couper… votre prémonition… ? »

Elle hocha la tête.

« Pardon. J'ai pris l'habitude de la laisser branchée, fit-elle, vu que j'vis toute seule avec Ludmilla et Un-homme-seau. Lui, c'est un fantôme, ajouta-t-elle. J'savais que vous alliez me demander qui c'est.

— Oui, j'ai entendu dire que les médiums emploient des esprits indigènes qui leur servent de guides, fit Vindelle.

— Lui ? C'est pas un guide, c'est une espèce de fantôme à tout faire. J'suis contre ces histoires de cartes, d'rate-à-tout et d'oui-jarre, figurez-vous. Et l'ectoplasme, j'trouve ça dégoûtant. J'en veux pas chez moi. Dame non, alors. Ça part pas du tapis, vous savez. Même avec du vinaigre.

— Dites donc, fit Vindelle Pounze.

— Et les hurlements. J'suis contre aussi. Ou mettre le nez dans le surnaturel. C'est pas naturel, le surnaturel. Pas d'ça chez moi.

— Hum, fit prudemment Vindelle. Certains pourraient penser qu'être médium, c'est un peu… vous savez… surnaturel, non ?

— Quoi ? *Quoi ?* Ç'a rien de surnaturel, les morts. D'la foutaise, tout ça. Tout le monde meurt un jour ou l'autre.

— Je l'espère, madame Cake.

— Alors c'est quoi que vous voulez, monsieur Pounze ? J'ai plus ma prémonition, alors faut m'dire.

— Je veux savoir ce qui se passe, madame Cake. »

Il y eut un coup assourdi sous leurs pieds, suivi du cri faible mais joyeux de Crapahut.

« Oh, wouah ! Des rats, en plus !

— J'ai décidé d'aller vous l'dire, à vous autres les mages, fit observer madame Cake d'un air guindé. Et personne m'a écoutée. J'savais qu'on m'écouterait pas, mais fallait essayer, sinon je l'aurais pas su.

— À qui vous avez parlé ?

— Au costaud en costume rouge, avec une moustache comme s'il essayait d'avaler un chat.

— Ah. L'archichancelier, le reconnut formellement Vindelle.

— Et y avait un très gros. Marche comme un canard.

— Oui, hein ? Ça, c'était le doyen.

— Ils m'ont appelée leur brave dame. Ils m'ont dit de m'occuper de mes affaires. J'vois pas pourquoi je devrais m'fatiguer à aider des mages qui me traitent de brave dame quand j'essaye seulement de donner un coup de main.

— Les mages n'écoutent pas souvent, j'en ai peur, fit Vindelle. Moi, je n'ai jamais écouté pendant cent trente ans.

— Pourquoi donc ?

— Pour éviter d'entendre les bêtises que je racontais, sans doute. Qu'est-ce qui se passe, madame Cake ? Vous pouvez me le dire. Je suis peut-être un mage, mais un mage mort.

— Ben…

— D'après Crapahut, c'est dû à la force vitale.

— Elle s'accumule, voyez ?

— Qu'est-ce que ça veut dire ?

— Y en a plus qu'y faudrait. Ça fait un… (elle agita vaguement les mains) … quand on met des choses dans une balance, mais pas autant de chaque côté…

— Déséquilibre ? »

Madame Cake, qui donnait l'impression de lire un texte au loin, hocha la tête.

« Un truc comme ça, ouais… Voyez, des fois ça se produit, et on obtient des fantômes, parce que la vie a quitté l'corps mais qu'elle est pas partie pour autant… On en a moins l'hiver, parce qu'elle s'épuise, comme qui dirait, mais elle revient au printemps… Et certaines choses la concentrent… »

Modo, le jardinier de l'Université, fredonnait un petit air tandis qu'il véhiculait dans son modeste domaine réservé entre la bibliothèque et le bâtiment de la Magie des Hautes Énergies[1] l'étrange chariot chargé de mauvaises herbes destinées au compost.

On s'agitait beaucoup dans le coin, semblait-il. C'était vraiment passionnant de travailler avec tous ces mages.

Un travail d'équipe, voilà ce que c'était. Eux s'occupaient de l'équilibre cosmique, de l'harmonie universelle et de la stabilité dimensionnelle, et lui veillait à ce que les pucerons ne s'approchent pas des roses.

Il entendit un tintement métallique. Il jeta un coup d'œil par-dessus le tas de mauvaises herbes. « Encore un ? »

Un panier en fil métallique luisant et à roulettes attendait au milieu du chemin.

Les mages l'avaient peut-être acheté pour lui ? Il trouvait le premier bien pratique, même s'il avait un peu de mal à le diriger ; les roulettes donnaient l'impression de vouloir aller dans des directions différentes. Sûrement un coup à prendre.

Bah, celui-là lui servirait a transporter les germoirs. Il

1. Le seul bâtiment du campus âgé de moins de mille ans. Les grands mages ne se sont jamais beaucoup souciés de savoir ce que leurs confrères plus jeunes, plus maigres et plus enlunettés y fabriquaient, traitant leurs sempiternels appels de fonds pour des accélérateurs de particules thaumiques et des boucliers antiradiations comme on traite des demandes d'augmentation d'argent de poche, prêtant une oreille amusée aux comptes rendus haletants de leurs recherches sur les particules élémentaires de la magie elle-même. Une attitude qui risque un jour de se révéler être une grave erreur de la part des grands mages, surtout s'ils laissent effectivement les jeunes construire le fichu bidule qu'ils tiennent à installer dans le court de squash.

Les grands mages savent que le but avoué de la magie, c'est de former une pyramide sociale dont ils occupent le sommet et où ils se gavent de bons repas, mais en réalité le bâtiment MHE a permis de faire connaître l'un des mets les plus rares de l'univers : les antipasta. Les pâtes ordinaires se préparent quelques heures avant d'être consommées. Les antipasta, elles, quelques heures après le repas. Là-dessus, elles remontent le temps et, à condition d'avoir été préparées dans les règles, arrivent sur les papilles exactement au moment de la dégustation, créant ainsi une véritable explosion gustative. Il en coûte cinq mille piastres la fourchetée, voire un peu plus si l'on ajoute les frais de nettoyage ultérieur de la sauce tomate sur les murs.

écarta donc le second chariot et surprit dans son dos un bruit qu'il aurait sûrement écrit *glop* s'il avait voulu l'écrire et s'il avait su.

Il se retourna et vit le plus gros de ses tas de compost palpiter dans l'obscurité. « Regarde ce que je t'amène pour le goûter ! »

Il s'aperçut alors que le tas se déplaçait.

« Y a certains coins, aussi…, fit madame Cake.

— Mais pourquoi ça s'accumule ? demanda Vindelle.

— C'est comme un orage, voyez ? Vous savez, quand ça vous picote partout avant qu'il éclate ? C'est ce qui s'passe en ce moment.

— Oui, mais pourquoi, madame Cake ?

— Ben… D'après Un-homme-seau, y a rien qui meurt.

— Quoi ?

— Dingue, hein ? Il dit que des tas de vies finissent mais qu'elles s'en vont pas. Elles restent ici.

— Quoi ? Comme des fantômes ?

— Pas vraiment des fantômes. C'est… comme des flaques. Quand on a plein de flaques, ça donne la mer. N'importe comment, on a des fantômes uniquement quand il s'agit de gens. On voit jamais de fantômes de choux. »

Vindelle Pounze se renversa dans son fauteuil. Il eut la vision d'une vaste étendue de vie, un lac qu'un million d'affluents éphémères alimentaient à mesure que des êtres vivants arrivaient au terme de leur existence. Et la pression croissante provoquait des fuites par où s'échappait la force vitale. Partout où elle pouvait.

« Vous croyez que je pourrais dire un mot à Un-homme… » commença-t-il avant de s'arrêter net.

Il se leva et tituba jusqu'à la cheminée de madame Cake.

« Depuis quand vous avez ça, madame Cake ? demanda-t-il en saisissant un objet de verre familier.

— Ça ? L'ai acheté hier. Joli, hein ? »

Vindelle secoua le globe. Un globe presque identique à ceux de sous son plancher. Des flocons de neige tourbillonnèrent et se déposèrent sur une reproduction délicate de l'Université de l'Invisible.

Ça lui rappelait fortement quelque chose. Le bâtiment lui rappelait bien sûr l'Université, mais la forme générale de l'objet, elle évoquait… lui faisait penser…

… au petit déjeuner ?

« Qu'est-ce qui se passe donc ? fit-il à mi-voix. Ces foutus bidules, il en pousse partout. »

Les mages couraient dans le couloir.

« Comment on tue les fantômes ?

— Est-ce que je sais, moi ? Le cas ne se présente pas souvent !

— Avec des… exorcismes, je crois.

— Quoi ? Sautiller, courir sur place, ces trucs-là ? »

Le doyen s'y attendait. « Pas exercices. Exorcismes, avec un *o*, archichancelier. Je ne crois pas qu'on doive leur imposer des… euh… des exercices physiques.

— Bien mon avis, mon vieux. On veut pas de fantômes en pleine forme à nous gigoter autour. »

Un cri à glacer le sang fusa. Son écho rebondit sur les piliers sombres et la voûte avant de s'interrompre brusquement.

L'archichancelier s'arrêta net. Les mages lui rentrèrent dedans.

« On aurait dit un cri à glacer le sang, fit-il. Suivez-moi ! »

Il tourna au coin au pas de course.

Un fracas métallique s'ensuivit, puis un chapelet de jurons.

Une bestiole volante à rayures rouges et jaunes, pourvue de petits crocs dégoulinants et de trois paires d'ailes, vira à l'angle et fonça au-dessus de la tête du doyen en produisant un bruit de scie circulaire miniature.

« Quelqu'un sait ce que c'est ? » demanda l'économe d'une petite voix. La chose tourna autour des mages avant de disparaître dans les ténèbres du toit. « Et j'aimerais bien qu'il arrête de jurer comme ça.

— Allons, dit le doyen. On ferait mieux d'aller voir ce qui lui est arrivé.

— On est obligés ? » fit le major de promo.

Ils passèrent la tête au coin. L'archichancelier, assis par terre, se massait la cheville.

« Quel est le crétin qu'a laissé traîner ça là ? demanda-t-il.

— Laissé quoi ? fit le doyen.

— Cette bons dieux d'espèce de panier métallique à roulettes. » À côté de lui, une toute petite créature violette ressemblant à une araignée surgit du néant et détala vers une fissure. Les mages ne la remarquèrent pas.

« Quel panier métallique à roulettes ? » s'étonnèrent-ils en chœur.

Ridculle regarda autour de lui.

« J'aurais juré… », souffla-t-il.

Un autre cri fusa.

Ridculle se remit tant bien que mal debout.

« Venez, vous autres ! ordonna-t-il en boitillant héroïquement devant.

— Pourquoi est-ce que tout le monde se précipite vers un cri à glacer le sang ? marmonna le major de promo. Ça n'a pas de sens. »

Ils traversèrent les ambulatoires au petit trot et sortirent dans la cour.

Une forme sombre, arrondie et ramassée occupait le centre de la pelouse ancestrale. De la vapeur s'en échappait en fines volutes fétides.

« Qu'est-ce que c'est ?

— Ça n'est tout de même pas un tas de compost au milieu de la pelouse, dites ?

— Modo ne va pas être content du tout. »

Le doyen regarda de plus près. « Euh… D'autant moins que ce sont ses pieds, je crois bien, qui dépassent par en dessous… »

Le tas pivota en direction des mages en faisant *glop*, *glop*. Puis il se déplaça.

« Bon, d'accord, fit Ridculle en se frottant les mains d'avance. Qui d'entre vous, les gars, aurait un sortilège sur lui, là ? »

Les mages se tapotèrent les poches, la mine embarrassée.

« Alors, je vais attirer son attention pendant que l'économe et le doyen essayent de dégager Modo, proposa Ridculle.

— Ah, bien, fit le doyen d'une petite voix.

— Comment on attire l'attention d'un tas de compost ? demanda le major de promo. Je ne sais même pas s'il en a une. »

Ridculle ôta son chapeau et s'avança d'un pas prudent.

« Tas d'ordures ! » rugit-il.

Le major de promo gémit et se plaqua la main sur les yeux.

Ridculle agita son chapeau devant le tas.

« Déchet biodégradable !

— Pauvre camelote verte ? proposa obligeamment l'assistant des runes modernes.

— C'est ce qu'il faut, dit l'archichancelier. Tâcher de mettre en rogne ce sale connard. » (Derrière lui, une variété légèrement différente de créature tendance guêpe hystérique se matérialisa dans le vide et fila en bourdonnant.)

Le tas allongea un coup au chapeau.

« Fumier ! lâcha Ridculle.

— Oh, dites », s'offusqua l'assistant des runes modernes.

Le doyen et l'économe s'approchèrent sur la pointe des pieds, attrapèrent une cheville du jardinier chacun et tirèrent. Modo glissa hors du tas.

« Ça lui a bouffé ses vêtements ! dit le doyen.

— Mais il va bien ?

— Il respire toujours, fit l'économe.
— Et avec de la chance, il a perdu son odorat », ajouta le doyen.
Le tas essaya de happer le chapeau de Ridculle. Il y eut un *glop*. La pointe du chapeau avait disparu.
« Hé, il restait presque une demi-bouteille là-dedans ! » tonitrua Ridculle. Le major de promo lui saisit le bras.
« Venez, archichancelier ! »
Le tas pivota et porta un coup en direction de l'économe.
Les mages reculèrent.
« Il n'est tout de même pas intelligent, dites ? fit l'économe.
— Il ne fait rien d'autre que se déplacer lentement et manger, dit le doyen.
— Coiffez-le d'un chapeau pointu, et ça fera un membre de la faculté », grogna l'archichancelier.
Le tas les suivit.
« Moi, je n'appelle pas ça se déplacer lentement », fit observer le doyen.
Ils regardèrent l'archichancelier d'un air interrogateur.
« Foncez ! »
Malgré la corpulence dont souffrait la majeure partie de la faculté, les mages atteignirent une vitesse respectable dans les ambulatoires et se bousculèrent pour passer la porte qu'ils claquèrent derrière eux avant de s'y adosser. Peu de temps après, ils entendirent un coup sourd, lourd et humide de l'autre côté du battant.
« Là, on ne risque rien », dit l'économe. Le doyen baissa les yeux.
« Je crois qu'il passe la porte, archichancelier, dit-il d'une toute petite voix.
— Racontez pas de bêtises, mon vieux, on s'appuie dessus.
— Je veux dire qu'il passe... *à travers*... »
L'archichancelier renifla.
« Qu'est-ce qui brûle ?

— Vos chaussures, archichancelier », répondit le doyen.

Ridculle baissa à son tour les yeux. Une flaque jaune verdâtre se répandait sous la porte. Le bois carbonisait, le dallage sifflait et les semelles de cuir de ses bottes filaient manifestement un mauvais coton. Lui-même se sentait s'enfoncer.

Il tripota ses lacets puis sauta à pieds joints sur une dalle au sec.

« Économe !

— Oui, archichancelier ?

— Passez-moi vos chaussures !

— Quoi ?

— Merde, mon vieux, je vous ordonne de m'passer vos putain de godasses ! »

Cette fois, une longue créature pourvue de quatre paires d'ailes, deux à chaque bout, et de deux yeux naquit brusquement au-dessus de la tête de Ridculle et tomba sur son chapeau.

« Mais…

— Je suis votre archichancelier !

— Oui, mais…

— Je crois que les gonds cèdent », fit remarquer l'assistant des runes modernes.

Ridculle jeta autour de lui un regard désespéré.

« On va se regrouper dans la Grande Salle, dit-il. On va… opérer une retraite stratégique vers des positions préparées à l'avance.

— Qui les a préparées ? demanda le doyen.

— On les préparera quand on y sera, répliqua l'archichancelier à travers ses dents serrées. Économe ! Vos godasses ! Tout de suite ! »

Ils gagnèrent la double porte de la Grande Salle à l'instant où le battant derrière eux s'effondrait et se dissolvait à la fois. Les portes de la Grande Salle étaient beaucoup plus solides. On tira barres et verrous dans leurs logements.

« Débarrassez les tables et entassez-les devant la porte, ordonna sèchement Ridculle.

— Mais ça ronge le bois », dit le doyen.

Un gémissement s'échappa du petit corps de Modo qu'on avait calé contre un fauteuil. Le nain ouvrit les yeux.

« Vite ! lui jeta Ridculle. Comment ça se tue, un tas de compost ?

— Hum. J'crois pas, monsieur Ridculle, que ce soit faisable, m'sieur, répondit le jardinier.

— Et le feu ? J'arriverais sûrement à lui lancer une petite boule de feu, fit le doyen.

— Ça marcherait pas. Trop humide, répliqua Ridculle.

— Il est là, dehors ! Il ronge la porte ! Il ronge la *porte* », chanta l'assistant des runes modernes.

Les mages battirent davantage en retraite dans la salle.

« J'espère qu'il va pas manger trop de bois, dit un Modo hébété manifestement très inquiet. C'est des saloperies, passez-moi l'expression, quand ils absorbent trop de carbone. Ça les chauffe trop.

— Vous savez, c'est bien le moment de nous faire un cours sur le processus de formation du compost, Modo », dit le doyen.

Les nains ignorent le sens du mot « persiflage ».

« Bon, d'accord. Hum. Les proportions correctes des matières, correctement disposées en couches selon…

— La porte, c'est fini », dit l'assistant des runes modernes en rejoignant pesamment ses collègues.

Le monticule de meubles s'ébranla.

L'archichancelier fit désespérément le tour de la salle du regard, l'air éperdu. Son œil fut alors attiré par une grosse bouteille familière sur un des buffets.

« Du carbone, fit-il. C'est comme du charbon de bois, non ?

— Comment je saurais, moi ? Je ne suis pas alchimiste », renifla le doyen.

Le tas de compost émergea des débris. Des nuages de vapeur s'en échappaient.

L'archichancelier contempla avec nostalgie la bouteille de sauce wow-wow. Il la déboucha. Il la flaira d'une grande inspiration.

« Les cuisiniers d'ici, ils savent pas bien la faire, vous savez, dit-il. Ça va prendre des semaines avant que j'en reçoive d'autres de chez moi. »

Il jeta la bouteille vers le tas qui avançait.

La bouteille disparut dans la masse en effervescence.

« Les orties, c'est toujours bon, fit Modo derrière lui. Elles apportent du fer. Et la consoude, eh ben, on en a jamais assez. Pour les minéraux, vous voyez. Personnellement, j'ai toujours trouvé qu'un peu d'achillée sauvage… »

Les mages passaient les yeux par-dessus une table renversée.

Le tas avait cessé d'avancer.

« C'est moi, ou est-ce qu'il grossit ? fit le major de promo.

— Et il a l'air content, ajouta le doyen.

— Ce qu'il pue ! dit l'économe.

— Et voilà. En plus, c'était une bouteille presque pleine, fit l'archichancelier d'une voix triste. À peine entamée.

— La nature est merveilleuse, quand on y réfléchit, dit le major de promo. Vous n'êtes pas obligés de tous me faire les gros yeux, vous savez. C'était juste une remarque en passant.

— Y a des jours où… », commença Ridculle, mais à cet instant le tas de compost explosa.

Il n'y eut pas de *bang* ni de *boum*. Ce fut la déflagration la plus massive de toute l'histoire de la flatulence en phase terminale. Des flammes rouge sombre bordées de noir rugirent jusqu'au plafond. Des morceaux du tas fusèrent à travers la salle et s'écrasèrent dans un claquement humide contre les murs.

Les mages observaient le spectacle depuis leur barricade désormais tapissée d'une couche épaisse de feuilles de thé.

Un trognon de chou atterrit en douceur sur la tête du doyen.

Le mage regarda une petite flaque bouillonnante sur le dallage.

Sa figure se fendit lentement d'un grand sourire.

« Wouah », fit-il.

Les autres mages se redressèrent. Le flux d'adrénaline accomplit son œuvre de séduction. Ils sourirent à leur tour et commencèrent à s'échanger des coups joyeux sur l'épaule.

« Ça te plaît, hein, la sauce forte ! rugit l'archichancelier.

— Collé à la haie, déchet fermenté !

— On sait les flanquer, les coups de pied au cul, ou bien ? marmonna gaiement le doyen.

— Vous voulez dire "ou bien on ne sait pas", je pense, pas "ou bien" tout seul. Et je me demande si, pour un tas de compost, on peut parler de…, commença le major de promo, mais la marée d'exaltation était trop forte pour lui.

— Voilà un tas qui ne viendra plus se frotter aux mages, déclara le doyen qu'on entraînait au loin. On est vifs, on est vaches…

— Il en reste trois autres dehors, d'après Modo », dit l'économe.

Tout le monde se tut.

« On pourrait aller chercher nos bourdons, non ? » proposa le doyen.

L'archichancelier poussa un morceau du tas éclaté du bout de sa botte.

« Des trucs morts qui se mettent à vivre, murmura-t-il. J'aime pas ça. Qu'est-ce qui va rappliquer, maintenant ? Des statues ambulantes ? »

Les mages levèrent les yeux sur les statues d'archichanceliers défunts qui bordaient la Grande Salle et, pour tout dire, la majorité des couloirs de l'Université. L'Université existait depuis des millénaires, et l'archichancelier moyen ne restait pas en fonction plus de onze mois, aussi les statues étaient-elles nombreuses.

« Vous savez, j'aurais préféré que vous vous taisiez, fit l'assistant des runes modernes.

— C'était juste une idée, dit Ridculle. Allez, on va jeter un coup d'œil aux autres tas.

— Ouais, fit le doyen en proie à un machisme débridé peu courant chez les mages. On est vaches ! Ouais ! Pas vrai qu'on est vaches ? »

L'archichancelier leva les sourcils, puis se retourna vers le reste des mages.

« Est-ce qu'on est vraiment vaches ? demanda-t-il.

— Euh... Moi, je me sens moyennement vache, répondit l'assistant des runes modernes.

— Moi, je suis franchement vache, je crois, dit l'économe. Depuis que je n'ai plus de chaussures, ajouta-t-il.

— Moi, je veux bien être vache si tout le monde s'y met », dit le major de promo.

L'archichancelier refit face au doyen.

« Oui, reconnut-il, on est tous vaches, on dirait.

— Yo ! fit le doyen.

— Yo quoi ? s'étonna Ridculle.

— Ce n'est pas yo quoi, mais yo tout court, expliqua le major de promo derrière lui. C'est une formule de salut passe-partout et une exclamation affirmative typique de la rue, aux connotations conviviales de groupes d'affinités militaristes et de rites initiatiques virils.

— Quoi ? Quoi ? Comme "rudement chouette" ?

— Oui, sans doute », répondit le major de promo de mauvaise grâce.

Ridculle était ravi. Ankh-Morpork n'offrait pas de belles perspectives de chasse. Il n'avait pas cru possible de s'amuser autant dans sa propre université.

« Bon, fit-il. On va se faire ces tas !

— Yo !

— Yo !

— Yo !

— Yo-yo. »

Ridculle soupira. « Économe ?

— Oui, archichancelier

— Essayez au moins d'faire un effort, d'accord ? »

Des nuages s'accumulaient au-dessus des montagnes. Pierre Porte allait et venait à grands pas dans le premier champ en maniant une des faux ordinaires de la ferme ; la plus affûtée était provisoirement remisée au fond de la grange, de peur que les variations de température ne l'émoussent. Certains des métayers de mademoiselle Trottemenu le suivaient pour lier les gerbes et les mettre en meules. Mademoiselle Trottemenu n'avait jamais employé plus d'un seul ouvrier à plein temps, avait appris Pierre Porte ; elle engageait de la main-d'œuvre supplémentaire selon ses besoins afin d'économiser quelques sous.

« Première fois que j'vois un type couper du blé à la faux, dit un des lieurs. Ça s'fait à la faucille, ce boulot-là. »

Ils firent une pause pour le déjeuner qu'ils prirent au pied de la haie.

Pierre Porte n'avait jamais prêté grande attention aux noms ni aux visages des gens ; enfin, pas plus que ne l'exigeait son travail. Le blé couvrait tout le flanc du coteau ; il se composait de tiges individuelles, et pour une tige donnée, une autre tige pouvait détonner, à cause d'une dizaine d'infimes traits particuliers et amusants qui la distinguaient de ses congénères. Mais aux yeux du faucheur, toutes les tiges… ne sont que des tiges.

Maintenant, il commençait à remarquer les petites différences.

Il reconnaissait Guillaume Fausset, Jacasse Roulette et Duc Fondelet. Que des vieillards, autant que Pierre Porte pouvait en juger, à la peau comme du cuir. Il y avait des jeunes au village, hommes et femmes, mais à un certain âge ils avaient l'air de sauter directement à la vieillesse sans passer par les étapes intermédiaires. Ensuite, ils restaient vieux longtemps. D'après mademoiselle Trottemenu, avant qu'on inaugure un cimetière dans le pays, il faudrait défoncer le crâne d'un habitant à coups de pelle.

Guillaume Fausset, c'était celui qui chantait pendant le travail ; il se lançait dans une longue plainte nasale qui annonçait l'exécution d'une chanson traditionnelle.

Jacasse Roulette ne disait jamais rien ; raison pc laquelle, selon Fausset, on l'avait appelé Jacasse. La logique de la chose, apparemment claire pour les autres, échappait à Pierre Porte. Et Duc Fondelet avait reçu son nom de parents qu'animaient des idées à mobilité sociale ascendante quoique plutôt simplistes sur les structures des classes sociales ; ses frères se prénommaient Châtelain, Comte et Roi.

Pour l'heure, assis au pied de la haie, ils repoussaient le moment où il leur faudrait reprendre le travail. Un glouglou s'éleva au bout de la rangée.

« Ben, on a pas eu un mauvais été, fit Fausset. Un beau temps de moisson, pour changer.

— Ah… Y a plus d'un jupon entre la robe et la culotte, déclara Duc. Hier au soir, j'ai vu une araignée tisser sa toile à l'envers. C'est signe qu'une grosse tempête se prépare.

— J'vois pas comment les araignées peuvent savoir ça. »

Jacasse Roulette passa un cruchon en terre cuite à Pierre Porte. Quelque chose clapota à l'intérieur.

« QU'EST-CE QUE C'EST ?

— Jus d'pomme », répondit Fausset. Les autres rigolèrent.

« AH, fit Pierre Porte. DE L'ALCOOL FORT QU'ON DONNE POUR BLAGUER AU NOUVEAU SANS MÉFIANCE, HISTOIRE DE RIGOLER UN PEU QUAND IL S'ENIVRE PAR MÉGARDE.

— Bon d'là », fit Fausset. Pierre Porte s'octroya une bonne lampée.

« Et j'ai vu les arondes voler bas, poursuivit Duc. Et les perdrix s'en vont dans les bois. Et y a beaucoup d'escargots d'sortie. Et…

— Moi, j'crois pas que ces p'tites saloperies de bestioles, elles y connaissent quoi qu'ce soit en météorologie, fit Fausset. M'est avis que c'est toi qui leur passes le mot. "Eh, les gars ? Y a une grosse tempête qui s'en vient, madame l'Araignée, alors faites-nous donc quèque chose de folklorique." »

Pierre Porte s'envoya une autre rasade.

« COMMENT S'APPELLE LE FORGERON DU VILLAGE ? »

Fausset hocha la tête. « Édouard Bottereau, sur la place. 'videmment, l'a drôlement à faire en ce moment, avec la moisson et tout.

— J'AI DU TRAVAIL POUR LUI. » Pierre Porte se leva et se dirigea vers la sortie du champ à grandes enjambées.

« Pierre ? »

Il s'arrêta. « Oui ?

— Tu peux laisser la goutte, dis donc. »

La forge du village était obscure et suffocante de chaleur. Mais Pierre Porte avait une vue excellente.

Quelque chose bougea dans un tas confus de métal. Quelque chose qui se révéla être la moitié inférieure d'un homme. La moitié supérieure se trouvait quelque part dans la machinerie d'où s'échappait de temps en temps un grognement.

Une main jaillit à l'approche de Pierre Porte.

« D'accord. File-moi un Griplet de dix. »

Pierre regarda autour de lui. Divers outils traînaient partout dans la forge. « Alors, ça vient ? » s'impatienta une voix depuis les entrailles de la machine.

Pierre Porte saisit au hasard un bout de métal façonné et le déposa dans la main. L'objet disparut dans l'engin. Il y eut un bruit métallique suivi d'un grognement.

« J'ai dit un Griplet. Ça, c'est pas un… (on entendit un couinement de métal qui cède) mon pouce, mon pouce, tu m'as fait… (puis un choc) aargh. Ma tête ! Regarde un peu ce que tu m'as fait faire. Et le ressort du rochet s'est encore cassé net de l'armature du tourillon, tu te rends compte ?

— NON. JE REGRETTE. »

Il y eut une pause.

« C'est toi, le jeune Egbert ?

— NON. C'EST MOI, LE VIEUX PIERRE PORTE. »

Dans un concert de chocs sourds et de vibrations, la

moitié supérieure du forgeron s'extirpa de la machinerie. Se dressa alors un jeune homme aux cheveux noirs bouclés, à la figure noire, à la chemise noire et au tablier noir. Il s'essuya le visage avec un chiffon qui laissa une traînée rose et cligna des yeux afin d'en déloger la sueur.

« Vous êtes qui ?

— LE BRAVE PIERRE PORTE. QUI TRAVAILLE POUR MADEMOISELLE TROTTEMENU.

— Ah, oui. Le type de l'incendie ? Le héros du jour, à ce qu'on m'a dit. Topez là. »

Il tendit une main noire. Pierre Porte la regarda sans comprendre.

« JE REGRETTE. JE NE SAIS PAS CE QUE C'EST, UN GRIPLET DE DIX.

— C'est votre main que je veux serrer, monsieur Porte. »

Pierre Porte hésita puis mit sa main dans la paume du jeune homme. Les yeux bordés de cambouis se voilèrent le temps que le cerveau casse le jugement du toucher, puis le forgeron sourit.

« Mon nom, c'est Bottereau. Qu'est-ce que vous en dites, hein ?

— C'EST UN JOLI NOM.

— Non, je veux parler de la machine. Drôlement ingénieux, hein ? »

Pierre Porte la considéra avec une incompréhension polie. À première vue, elle ressemblait à un moulin portable assailli par un insecte gigantesque, et à deuxième vue à une chambre de torture ambulante pour une inquisition désireuse de se balader un peu afin de profiter du bon air. Des bras articulés mystérieux dépassaient sous divers angles. Des courroies et des ressorts apparaissaient ici et là. L'ensemble reposait sur des roues métalliques à pointes.

« Évidemment, on la voit pas dans les meilleures conditions quand elle est au repos, dit Bottereau. Faut un cheval pour la tracter. Pour le moment, en tout cas. J'ai deux ou trois idées originales de ce côté-là, ajouta-t-il d'un air rêveur.

— C'EST UNE ESPÈCE D'APPAREIL ? »

Bottereau parut un brin offensé.

« Je préfère le terme de machine, dit-il. Elle va révolutionner les méthodes de culture et les faire entrer de gré ou de force dans le siècle de la Roussette. Cette forge est dans ma famille depuis trois cents ans, mais Édouard Bottereau, il a pas l'intention de passer le restant de sa vie à clouer des bouts de métal tordu sur des chevaux, moi j'vous l'dis. »

Pierre le regarda d'un air interdit. Puis il se pencha et jeta un coup d'œil sous l'engin. Une douzaine de faucilles étaient boulonnées à une grande roue horizontale. Une tringlerie ingénieuse transmettait, via une série de poulies, l'énergie des roues à un système tourbillonnant de bras métalliques.

Il se sentit peu à peu envahi d'une impression horrible à propos de la chose devant lui, mais il demanda quand même.

« Ben, l'organe essentiel, c'est cet arbre à cames, répondit un Bottereau ravi de l'intérêt de son visiteur. L'énergie arrive par cette poulie, ici, et les cames entraînent les bras d'emboutissage – ces machins, là –, alors la grille de ratissage, actionnée par le mécanisme de va-et-vient, descend au moment où le volet de préhension tombe dans cette fente, ici, mais pendant ce temps les deux boules de cuivre tournent sans arrêt, évidemment, et la toile sans fin emporte la paille pendant que le grain descend, entraîné par son propre poids, le long de la vis feuilletante jusque dans la trémie. Tout bête.

— ET LE GRIPLET DE DIX ?

— Vous faites bien de me l'rappeler. » Bottereau farfouilla dans les débris par terre et récupéra un petit objet moleté qu'il vissa sur une pièce en saillie du mécanisme. « Ç'a un rôle très important. Ça empêche la came elliptique de monter petit à petit le long de l'arbre de transmission et de se prendre dans la feuillure de collerette, ce qui aurait des conséquences désastreuses, vous l'imaginez bien. »

Bottereau recula et s'essuya les mains à un chiffon ; elles en ressortirent un peu plus graisseuses.

« J'appelle ça une moissonneuse battante », dit-il.

Pierre Porte se sentit très vieux. Ce qu'il était effectivement. Mais il n'en avait jamais eu à ce point conscience. Dans un recoin obscur de son âme, il sentait qu'il savait, sans que le forgeron le lui explique, à quoi servirait la moissonneuse battante.

« AH.

— On va lui faire faire un petit essai c'tantôt dans le grand champ du vieux Pisburet. Ça s'annonce bien, je dois dire. Ce que vous regardez en ce moment, monsieur Porte, c'est l'avenir.

— OUI. »

Pierre Porte passa la main sur la carcasse.

« ET LA MOISSON ?

— Hmm ? Quoi, la moisson ?

— QU'EST-CE QU'ELLE VA EN PENSER ? VOUS ALLEZ LUI DIRE ? »

Bottereau fronça le nez. « Lui dire ? Lui dire ? Elle en saura rien. Du blé, c'est du blé.

— ET SIX SOUS, C'EST SIX SOUS.

— Exactement. » Bottereau hésita. « Vous vouliez quoi ? »

La haute silhouette fit courir un doigt inconsolable sur la mécanique graisseuse.

« Monsieur Porte ?

— PARDON ? OH. OUI. J'AI UN TRAVAIL À VOUS DEMANDER... »

Il sortit à grands pas de la forge et revint presque aussitôt avec un objet enveloppé dans de la soie. Il le déballa avec précaution.

Il avait taillé un nouveau manche pour la lame – pas un manche droit comme ceux dont on se servait dans les montagnes, mais le manche lourd à double courbure des plaines.

« Vous voulez que je la batte au marteau ? Que je change le rabattoir ? Que je l'emmanche mieux ? »

Pierre Porte fit non de la tête.

« JE VEUX QU’ON LA TUE.

— Qu’on la tue

— OUI. COMPLÈTEMENT. QU’ON LA DÉTRUISE JUSQU’À LA DERNIÈRE MIETTE. QU’ELLE SOIT ABSOLUMENT MORTE.

— Jolie faux, dit Bottereau. Ça paraît dommage. Vous avez fait attention à ce qu’elle reste bien affûtée…

— N’Y TOUCHEZ PAS ! »

Bottereau se suça le doigt.

« Marrant, fit-il, j’suis prêt à jurer que je l’ai pas touchée. J’avais la main à plusieurs centimètres. Pour ça, elle coupe, dame. »

Il donna des coups de lame dans le vide.

« Oui. Cou/pe drôl/’ment, j’di/rais. »

Il marqua un temps, s’enfonça le petit doigt dans l’oreille et l’y remua un peu.

« Vous savez ce que vous voulez, z’êtes sûr ? » fit-il.

Pierre Porte répéta gravement sa requête.

Bottereau haussa les épaules. « Eh ben, j’imagine que je pourrais la fondre et brûler le manche, dit-il.

— OUI.

— Bon, d’accord. C’est votre faux. Et au fond vous avez raison, évidemment. C’est maintenant de la technologie du passé. Du superflu.

— JE CRAINS QUE VOUS N’AYEZ RAISON. »

Bottereau eut un mouvement sec de son pouce crasseux en direction de la moissonneuse battante. Pierre Porte la savait faite uniquement de métal et de toile ; elle ne pouvait donc pas se tapir. Et pourtant si, elle se tapissait. Et avec une suffisance métallique à faire froid dans le dos, en plus de ça.

« Vous pourriez pousser mademoiselle Trottemenu à en acheter une de même, monsieur Porte. L’idéal pour une ferme comme ça, avec un seul ouvrier. Je vous vois déjà, là-haut, en plein vent, à côté des courroies qui claquent et des bras articulés qui gigotent…

— NON.

— Allez. Elle a les moyens. Paraît que dans l’temps elle a mis de côté des boîtes pleines de trésors.

— NON !

— Euh… » Bottereau hésita. Le dernier « non » renfermait une menace plus certaine que le craquement d'une mince couche de glace sur une rivière profonde. Il laissait entendre qu'insister serait la plus grande imprudence que commettrait jamais le forgeron.

« Vous savez sûrement ce que vous faites, marmonna-t-il.

— OUI.

— Alors, ça vous coûtera, oh… disons, un quart de sou pour la faux, bafouilla l'homme. Vous m'excuserez, mais ça va me brûler beaucoup de charbon, vous voyez, et les nains, ils arrêtent pas d'augmenter les prix…

— TENEZ. QUE CE SOIT FAIT POUR CE SOIR. »

Bottereau ne discuta pas. Une discussion ne ferait que retarder le départ de Pierre Porte, et le forgeron n'en avait aucune envie.

« Très bien, très bien.

— C'EST COMPRIS ?

— D'accord. D'accord.

— SALUT », lança Pierre Porte d'une voix solennelle avant de partir.

Bottereau ferma les battants derrière lui et s'y adossa. Ouf. Brave type, c'est sûr, tout le monde parlait de lui, mais au bout de deux minutes en sa compagnie vous vous sentiez des fourmis partout, comme si on marchait sur votre tombe avant même qu'elle soit creusée.

Il erra parmi les flaques de cambouis, remplit la bouilloire pour le thé et la cala dans un coin du feu. Il ramassa une clé afin de procéder à quelques réglages ultimes sur la moissonneuse battante et avisa la faux appuyée contre le mur.

Il s'en approcha sur la pointe des pieds avant de se rendre compte de l'incroyable stupidité de sa réaction. La faux n'était pas vivante. Elle n'entendait pas. Elle avait la lame plus affûtée que l'ouïe.

Il leva la clé et en eut mauvaise conscience. D'après monsieur Porte… Enfin, monsieur Porte avait dit quelque chose de très curieux, en n'employant pas les mots habituels pour de simples outils. Mais il ne voyait guère d'objection à ça.

Le forgeron abattit la clé avec force.

Il n'y eut aucune résistance. Il aurait juré, là encore, que la clé se déchirait en deux, comme de la mie de pain, à plusieurs centimètres du fil de la lame.

Il se demanda si un objet pouvait être assez tranchant pour posséder, non seulement un fil tranchant, mais l'essence même du tranchant, un champ d'action tranchante qui s'étendait en fait au-delà des derniers atomes de métal.

« Par tous /les putain d'/ feux de l'enfer ! »

Il se souvint alors que c'était céder à la sensiblerie et la superstition de la part d'un homme qui savait biseauter un Griplet de dix. On savait à quoi s'en tenir avec une transmission alternative. Soit ça marchait, soit ça ne marchait pas. Ça ne s'entourait certainement pas de mystère.

Il regarda fièrement la moissonneuse battante. Bien entendu, il fallait un cheval pour la tracter. Ça gâchait un peu son plaisir. Les chevaux appartenaient au passé ; l'avenir appartenait à la moissonneuse battante et à ses descendants qui permettraient de réaliser un monde plus propre, un monde meilleur. Il suffisait de retrancher le cheval de l'équation. Il avait essayé un mécanisme à ressort, mais ça n'était pas assez puissant. Peut-être que s'il remontait un…

Derrière lui, la bouilloire déborda et éteignit le feu.

Bottereau se fraya un chemin dans la vapeur. C'était à chaque fois le même putain de problème. Dès que vous vouliez réfléchir un peu sérieusement, fallait toujours qu'une bêtise vienne vous distraire.

Madame Cake tira les rideaux.

« Qui est exactement Un-homme-seau ? » demanda Vindelle.

Elle alluma deux bougies et s'assit.

« L'appartenait à une de ces tribus païennes des Terres d'Howonda, répondit-elle sèchement.

— Drôle de nom, Un-homme-seau, fit Vindelle.

— C'est pas son nom complet, dit mystérieusement madame Cake. Maintenant, faut qu'on s'tienne les mains. » Elle le regarda d'un air songeur. « Nous faut quelqu'un d'autre.

— Je peux appeler Crapahut, proposa Vindelle.

— J'veux pas de croque-mitaine sous ma table pour qu'il essaye de m'reluquer la culotte, répliqua madame Cake. Ludmilla ! » cria-t-elle. Au bout d'un petit moment, le rideau de perles de la cuisine s'écarta et livra passage à la jeune femme qui avait ouvert la porte à l'arrivée de Vindelle. « Oui, maman ?

— Assieds-toi, ma fille. On a besoin de toi pour la séance.

— Oui, maman. »

La jeune femme sourit à Vindelle.

« Voici Ludmilla, la présenta brièvement madame Cake.

— Enchanté, vraiment », fit Vindelle. Ludmilla le gratifia du sourire radieux, cristallin, que mettent au point ceux qui ont appris depuis longtemps à ne pas laisser transparaître leurs sentiments.

« Nous nous connaissons déjà », dit Vindelle. Ça doit faire au moins vingt-quatre heures depuis la pleine lune, songea-t-il. Tous les symptômes ont quasiment disparu. Quasiment. Bien, bien, bien…

« C'est ma grande honte, dit madame Cake.

— Maman, tu recommences, protesta Ludmilla sans rancune.

— Joignez les mains », ordonna sa mère.

Ils restèrent ainsi, sans bouger, dans la pénombre. Puis Vindelle sentit la main de madame Cake se retirer.

« J'ai oublié l'verre, dit-elle.

— Je croyais, madame Cake, que vous étiez contre les oui-ja et ce genre de… », commença Vindelle. Il entendit un glou-glou du côté du buffet. Madame Cake posa un verre plein sur la nappe et se rassit.

« J'suis contre », dit-elle.

Le silence retomba. Vindelle se racla nerveusement la gorge.

« D'accord, Un-homme-seau, finit par dire madame Cake, j'sais que t'es là. »

Le verre bougea. Le liquide ambré à l'intérieur clapota doucement.

Une voix désincarnée chevrota : « *salut, visage pâle, depuis les bienheureuses chasses éternelles...*

— Arrête-moi ça, ordonna madame Cake. Tout le monde sait que tu t'es fait écraser par une charrette dans la rue de la Mélasse parce que t'étais soûl, Un-homme-seau.

— *pas d'ma faute, pas d'ma faute. est-ce que c'est d'ma faute si mon grand-père a déménagé ici ? en toute justice, j'aurais dû mourir déchiqueté par un couguar, un mammouth géant ou autre chose. On m'a privé de mon droit de mourir.*

— Monsieur Pounze, là, il veut te poser une question, Un-homme-seau, dit madame Cake.

— *elle est heureuse ici et elle attend que vous la retrouviez,* fit Un-homme-seau.

— Qui ça ? » lança Vindelle.

La question parut intriguer Un-homme-seau. Sa réplique se passait habituellement d'explication.

« *qui aimeriez-vous que ce soit ?* demanda-t-il prudemment. *je peux boire mon verre, maintenant ?*

— Pas encore, Un-homme-seau, répliqua madame Cake.

— *ben, j'en ai besoin, moi. y a vachement de monde ici.*

— Quoi ? fit aussitôt Vindelle. Des fantômes, vous voulez dire ?

— *y en a des centaines* », répondit la voix d'Un-homme-seau.

Vindelle était déçu.

« Seulement des centaines ? Ça ne fait pas beaucoup, je trouve.

— Y a pas beaucoup de gens qui deviennent des fantômes, expliqua madame Cake. Pour être un fantôme, faut avoir, par exemple, un travail important à terminer, ou une revanche à prendre, ou un projet cosmique dans lequel on est qu'un pion.

— *ou une soif terrible,* ajouta Un-homme-seau.

— Écoutez-le, celui-là, fit madame Cake.

— *moi, je voulais rester dans le monde des esprits, de l'esprit-de-vin surtout. hngh. hngh. hngh.*

— Alors, qu'est-ce qui arrive à la force vitale si les choses arrêtent de vivre ? demanda Vindelle. C'est ça qui cause tous ces ennuis ?

— Réponds au monsieur, ordonna madame Cake à Un-homme-seau qui avait l'air peu coopératif.

— *de quels ennuis vous parlez ?*

— Des machins qui se dévissent. Des pantalons qui courent tout seuls. Tout le monde qui se sent davantage vivant. Des choses de ce genre.

— *ça ? c'est rien, ça. voyez, la force vitale s'en revient par où elle peut. pas la peine de vous inquiéter pour ça.* »

Vindelle posa la main sur le verre.

« Mais il y a une chose dont je devrais m'inquiéter, non ? dit-il tout net. C'est la question des petits souvenirs de verre.

— *pas envie d'en parler.*

— Dis-lui. »

C'était la voix de Ludmilla, une voix profonde mais séduisante, d'une certaine façon. Lupin ne la quittait pas des yeux. Vindelle sourit. C'était un des avantages qu'offrait la mort. On remarquait des détails qui échappaient aux vivants.

Un-homme-seau répondit d'un ton criard et irrité.

« *il va faire quoi, si je lui dis, hein ? je risque de me fourrer dans un drôle de pétrin pour un truc pareil.*

— Alors, est-ce que vous pouvez me dire si je devine bien ? demanda Vindelle.

— *ou-ui. peut-être.*

— Allez-y, monsieur Pounze », fit Ludmilla. Elle avait vraiment une voix que Vindelle aurait aimé caresser.

Il se racla la gorge.

« Je crois, commença-t-il, enfin, je crois que ce sont des espèces d'œufs. Je me suis dit… pourquoi le petit déjeuner ? Puis je me suis dit… des œufs… »

Toc.

« Oh. Bon, c'était peut-être une idée ridicule…

— *excusez-moi, c'est un ou deux coups pour oui ?*

— Deux ! » cracha la médium.

TOC. TOC.

« Ah, souffla Vindelle. Et ils éclosent pour devenir un truc avec des roulettes ?

— *deux coups pour oui, c'est ça ?*

— 'arfaitement ! »

TOC. TOC.

« C'est bien ce que je pensais. C'est bien ce que je pensais ! J'en ai trouvé un sous mon parquet qui essayait d'éclore là où il n'y avait pas assez d'espace ! » croassa Vindelle. Il fronça alors les sourcils.

« Mais éclore pour devenir quoi ? »

Mustrum Ridculle entra dans son cabinet au petit trot et décrocha son bourdon de mage du râtelier au-dessus de la cheminée. Il se lécha le doigt et toucha timidement le sommet du bourdon. Une petite étincelle octarine jaillit et une odeur de fer-blanc graisseux se répandit.

Il revint vers la porte.

Puis il se retourna lentement car son cerveau avait juste eu le temps d'analyser le fouillis de son cabinet et de repérer ce qui clochait.

« Merde, qu'est-ce que ce machin fout là ? » dit-il.

Il poussa la chose du bout de son bourdon. Elle roula un peu en ferraillant.

Elle ressemblait vaguement, mais pas trop, à cet appareil que les femmes de chambre trimballent bruyamment, dans lesquels elles mettent des balais, des draps propres et tout l'attirail dont elles ont besoin. Ridculle prit mentalement note d'en parler à l'intendante. Puis il oublia.

« Ces putain d'engins à roulettes, ils se fourrent partout », marmonna-t-il.

Sur le mot « putain », quelque chose qui ressemblait à une grosse mouche à viande hérissée de dents de chat surgit du néant, voleta follement en inventoriant le décor, puis se lança à la suite de l'archichancelier indifférent.

Les mots des mages ont du pouvoir. Et les jurons aussi. Et comme elle se cristallisait pour ainsi dire d'un rien, la force vitale trouvait des débouchés où elle pouvait.

« *des villes,* dit Un-homme-seau. *c'est des œufs de ville, je crois.* »

Les grands mages se réunirent à nouveau dans la Grande Salle. Même le major de promo éprouvait une certaine excitation. On jugeait contraire à l'étiquette d'user de magie contre les collègues mages, et contre les civils c'était déloyal. Une bonne décharge justifiée de temps en temps, ça faisait du bien.

L'archichancelier les passa en revue.

« Doyen, pourquoi vous portez toutes ces rayures sur la figure ? s'enquit-il.

— Camouflage, archichancelier.

— Camouflage, hein ?

— Yo, archichancelier.

— Ah, bon. Si ça vous fait plaisir, c'est l'principal. »

Ils se glissèrent dehors vers le bout de terrain qui avait été le petit territoire de Modo. Du moins, la plupart se glissèrent. Le doyen, lui, progressait par une succession de bonds tournoyants, se plaquait régulièrement contre le mur et scandait des « hop ! hop ! hop ! » à voix basse.

Il parut complètement déconfit lorsqu'il découvrit que les autres tas de compost se trouvaient toujours là où Modo les avait dressés.

Le jardinier, qui avait suivi le commando et que le doyen avait failli écraser à deux reprises, s'affaira un moment autour d'eux.

« Ils se tiennent à carreau, dit le doyen. Moi, je dis qu'il faut faire sauter ces putain de…

— Ils sont même pas encore chauds, dit Modo. Celui-là, ça doit être le plus vieux.

— Vous voulez dire qu'on a rien contre quoi se battre ? » fit l'archichancelier.

La terre trembla sous leurs pieds. Puis un bruit métallique faible leur parvint de la direction des ambulatoires.

Ridculle fronça les sourcils.

« Y a quelqu'un qui recommence à balader ces putain de paniers en fil de fer, dit-il. Y en avait un dans mon bureau ce soir.

— Huh, fit le major de promo. Moi, y en avait un dans ma chambre. J'ai ouvert mon armoire, et il était dedans.

— Dans votre armoire ? Vous l'avez mis là pour quoi faire ? demanda Ridculle.

— Ce n'est pas moi. Je vous l'ai dit. C'est sûrement les étudiants. C'est bien leur genre d'humour. Une fois, un de ces farceurs m'a mis une brosse à cheveux dans mon lit.

— Je m'suis déjà cassé la figure sur un de ces engins, poursuivit l'archichancelier, et quand j'ai regardé derrière moi, quelqu'un l'avait emporté. »

Le ferraillement se rapprocha.

« D'accord, mon p'tit ami qui s'croit si malin », grommela Ridculle en faisant rebondir une ou deux fois d'un air entendu son bourdon dans la paume de sa main.

Les mages reculèrent contre le mur.

Le pousseur de chariot fantôme était presque sur eux.

Ridculle gronda et bondit de sa cachette.

« Ah, ah, mon mignon… *foutredieux !* »

« Vous fichez pas d'moi, fit madame Cake. Les villes, ça vit pas. Je sais qu'on le dit, mais pas sérieusement. »

Vindelle Pounze tourna et retourna une des boules de neige dans sa main.

« Elle doit en pondre des milliers, dit-il. Mais elles ne vont pas toutes survivre, évidemment. Sinon, des villes, on en aurait jusque-là, pas vrai ?

— Vous nous dites que ces petites boules éclosent pour devenir des espaces immenses ? demanda Ludmilla.

— *pas tout de suite. y a d'abord le stade mobile.*

— Un machin sur roues, fit Vindelle.

— *c'est ça. vous savez déjà, à ce que je vois.*

— Je crois que je savais, dit Vindelle Pounze, mais je ne comprenais pas. Et qu'est-ce qui se passe après le stade mobile ?

— *sais pas.* »

Vindelle se leva.

« Alors il est temps de le découvrir », déclara-t-il.

Il jeta un coup d'œil à Ludmilla et Lupin. Ah. Oui. Et pourquoi pas ? Si on aide quelqu'un en chemin, songea Vindelle, alors on ne vit pas sa vie, ou ce qui en tient lieu, en vain.

Il se voûta délibérément et prit une voix légèrement éraillée.

« Mais je ne me sens pas bien solide sur mes jambes ces temps-ci, chevrota-t-il. On me rendrait un grand service en m'aidant à marcher. Est-ce que vous pourriez me raccompagner jusqu'à l'Université, ma jeune dame ?

— Ludmilla sort pas beaucoup en ce moment à cause de sa santé qu'est…, intervint aussitôt madame Cake.

— Excellente, termina Ludmilla. Maman, tu sais bien que ça fait plus d'une journée que la pleine lu…

— Ludmilla !

— Quoi, c'est vrai.

— C'est pas sûr pour une jeune femme de se promener dans les rues, d'nos jours, objecta madame Cake.

— Mais le merveilleux chien de monsieur Pounze ferait fuir le criminel le plus dangereux », dit Ludmilla.

Aussi sec, Lupin aboya joyeusement et fit le beau. Madame Cake le regarda d'un œil critique.

« Une bête très obéissante, c'est sûr, admit-elle à contrecœur.

— C'est décidé, alors, fit Ludmilla. Je vais chercher mon châle. »

Lupin roula sur le dos. Vindelle le poussa du pied.

« Sage », dit-il.

Un-homme-seau toussa d'un air éloquent.

« D'accord, d'accord », fit madame Cake. Elle saisit un paquet d'allumettes sur le buffet, en alluma distraitement une de l'ongle et la lâcha dans le verre de whisky. L'alcool brûla d'une flamme bleue, et quelque part dans le monde des esprits le spectre d'un double whisky bien tassé fit encore moins long feu.

Au moment où il sortait de la maison, Vindelle Pounze crut entendre une voix fantomatique entonner une chanson.

Le chariot s'arrêta. Il pivota d'un côté, puis de l'autre, comme s'il observait les mages. Puis il opéra un demi-tour rapide en trois manœuvres et fila à toute allure dans un bruit de ferraille.

« Attrapez-le ! » rugit l'archichancelier.

Il pointa son bourdon et lâcha une boule de feu qui transforma un petit carré de pavés en une substance jaune parcourue de bulles. Le chariot véloce tangua follement mais poursuivit sa course malgré une roue qui bringuebalait et couinait.

« Ça vient des dimensions de la Basse-Fosse ! s'exclama le doyen. Dessoudez-moi cette ferraille ! »

L'archichancelier lui posa une main apaisante sur l'épaule. « Racontez pas de bêtises. Les Choses de la

Basse-Fosse ont davantage de tentacules et de bidules. Elles ont pas l'air fabriquées. »

Ils se retournèrent en entendant un autre chariot. Il arriva en bringuebalant avec insouciance par un couloir transversal, s'arrêta lorsqu'il vit les mages – ou qu'il les perçut par un sens quelconque – et produisit une imitation honorable d'un chariot fraîchement abandonné.

L'économe s'en approcha sans bruit.

« Pas la peine de faire semblant, dit-il. On sait que tu bouges.

— On t'a tous vu », ajouta le doyen.

Le chariot gardait l'air de rien.

« Il ne peut pas penser, dit l'assistant des runes modernes. Il n'y a pas la place pour un cerveau.

— Qui vous dit qu'il pense ? fit l'archichancelier. Il fait rien d'autre que se déplacer. Qui a besoin d'un cerveau pour ça ? Même les crevettes se déplacent. »

Il fit courir un doigt sur le métal.

« En réalité, les crevettes sont plutôt intell..., commença le major de promo.

— La ferme, le coupa Ridculle. Hmm. Est-ce que c'est vraiment fabriqué ?

— C'est du fil de fer, répondit le major de promo. Le fil de fer, on est obligé de le fabriquer. Et il y a les roues. On ne trouve pas grand-chose de naturel avec des roues.

— C'est juste que de tout près ç'a l'air...

— ... d'une seule pièce, fit l'assistant des runes modernes qui s'était péniblement agenouillé afin de mieux examiner l'engin. D'un seul tenant. Fait d'un bloc. Comme une machine qu'on aurait fait pousser. Mais c'est idiot.

— Peut-être. N'y a-t-il pas une espèce de coucou dans les montagnes du Bélier qui construit des pendules pour nicher dedans ? demanda l'économe.

— Oui, mais c'est un rituel de séduction, rétorqua d'un ton dégagé l'assistant des runes modernes. D'ailleurs, ils ne sont jamais à l'heure, ces coucous-là. »

Le chariot bondit vers une brèche qui se dessinait entre les mages, malheureusement, la brèche était déjà occupée par l'économe qui poussa un cri et tomba en avant dans le panier. Le chariot ne s'arrêta pas mais poursuivit bruyamment sa course en direction des portes.

Le doyen leva son bourdon. L'archichancelier s'en saisit.

« Vous risquez de toucher l'économe, dit-il.

— Rien qu'une petite boule de feu ?

— C'est tentant, mais non. Venez. Tous dessus.

— Yo !

— Si vous voulez. »

Les mages se lancèrent pesamment à la poursuite du fuyard. Derrière eux, sans que personne ne les ait encore remarqués, toute une volée de jurons de l'archichancelier voltigeaient et bourdonnaient.

Quant à Vindelle Pounze, il conduisait une petite délégation vers la bibliothèque.

Le bibliothécaire de l'Université de l'Invisible traversa la salle à coups de phalanges rapides tandis que des chocs violents ébranlaient la porte.

« Je sais que vous êtes là, lui parvint la voix de Vindelle Pounze. Il faut nous laisser entrer. C'est d'une importance *vitale*.

— Oook.

— Vous ne voulez pas ouvrir ?

— Oook !

— Alors vous ne me laissez pas le choix… »

D'antiques moellons de maçonnerie s'écartèrent lentement. Du mortier s'émietta.

Puis une partie du mur s'écroula et livra passage à Vindelle Pounze par une ouverture en forme de Vindelle Pounze. La poussière fit tousser l'ex-mage.

« J'ai horreur de ça, fit-il. Je ne peux pas m'empêcher de me dire que j'entretiens les préjugés populaires. »

Le bibliothécaire lui atterrit sur les épaules. Sans conséquence notable, à la grande surprise de l'orang-outan. D'ordinaire, un orang-outan de cent cinquante kilos perturbe sensiblement la marche d'un individu, mais Vindelle le portait aussi facilement qu'une collerette.

« Je crois qu'il nous faut l'Histoire ancienne, fit-il. Dites, vous ne pourriez pas arrêter de vouloir m'arracher la tête ? »

Le bibliothécaire regarda autour de lui d'un air affolé. Normalement, sa technique ne ratait jamais.

Puis ses narines s'évasèrent.

Le bibliothécaire n'avait pas toujours été un anthropoïde. Une bibliothèque est un lieu de travail à haut risque, et une explosion magique l'avait transformé en primate. Humain, il s'était montré plutôt inoffensif, même si on s'était depuis tellement bien habitué à son nouveau physique que peu de gens s'en souvenaient. Mais la métamorphose avait ouvert la porte à tout un éventail de sens et de souvenirs d'espèce. Et l'un des plus profonds de ces sens, des plus essentiels, des mieux inscrits dans les gènes se rapportait aux formes. Il remontait à l'aube de la sapience. Des formes dotées de museaux, de crocs et de quatre pattes se rangeaient, dans l'esprit simien évolué, sous la rubrique « mauvaises nouvelles ».

Un très gros loup était entré à pas feutrés par la brèche dans le mur, suivi par une jeune femme séduisante. Les plombs du bibliothécaire sautèrent momentanément.

« Et je pourrais parfaitement, reprit Vindelle, vous nouer les bras dans le dos.

— Eeek !

— Ce n'est pas un loup ordinaire. Vous avez intérêt à le croire.

— Oook ? »

Vindelle baissa la voix. « Et elle n'est peut-être pas techniquement une femme », ajouta-t-il.

Le bibliothécaire regarda Ludmilla. Ses narines s'évasèrent encore. Son front se plissa.

« *Oook ?*

— D'accord, j'ai peut-être parlé un peu vite. Lâchez-moi, soyez gentil. »

Le bibliothécaire relâcha son étreinte tout doucement

et retomba par terre en laissant Vindelle entre Lupin et lui.

L'ex-mage épousseta des éclats de mortier des restes de sa robe.

« Il nous faut des renseignements sur la vie des villes, dit-il. En particulier, il faut que je sache… »

Il entendit un petit bruit métallique.

Un panier en fil de fer roulait nonchalamment autour du pâté des rayonnages les plus proches. Il était plein de livres. Il s'arrêta dès qu'il comprit qu'on l'avait vu, et s'arrangea pour donner l'impression de n'avoir jamais bougé.

« Le stade mobile », souffla Vindelle Pounze.

Le panier de fil de fer s'efforça de reculer petit à petit sans avoir l'air de se déplacer. Lupin gronda.

« C'est de ça que parlait Un-homme-seau ? » demanda Ludmilla. Le chariot disparut. Le bibliothécaire grogna et partit à sa recherche.

« Oh, oui. Quelque chose qui se rend utile, dit un Vindelle soudain en proie à une joie presque maniaque. C'est comme ça que ça marche. D'abord quelque chose qu'on veut garder et ranger dans un coin. Ils ne sont pas des milliers à trouver les conditions requises pour la métamorphose, mais ça n'a pas d'importance, vu qu'ils sont des milliers, alors sur le nombre… Puis, le stade suivant, c'est quelque chose de pratique, qui passe partout, que jamais personne n'imaginerait capable de se déplacer tout seul. Mais tout ça arrive au mauvais moment !

— Comment une ville peut-elle être vivante ? C'est uniquement composé d'éléments morts ! dit Ludmilla.

— Comme les gens. Croyez-moi. J'en sais quelque chose. Mais vous avez raison, je trouve. Cette histoire-là n'aurait pas dû arriver. C'est toute cette force vitale en surplus. Ça… ça fausse l'équilibre. Ça donne une réalité à ce qui n'est pas véritablement réel. Et ça se produit trop tôt, et trop vite… »

Le bibliothécaire poussa un cri perçant. Le chariot jaillit d'une autre rangée de rayonnages, les roulettes à peine visibles sous l'effet de la vitesse, et fonça vers le trou dans le mur tandis que l'orang-outan, accroché d'une main résolue, flottait dans son sillage comme un drapeau pansu.

Le loup bondit.

« Lupin ! » brailla Vindelle.

Mais depuis le jour où le premier homme des cavernes a fait rouler une rondelle de rondin au bas d'une colline, les canidés ressentent un besoin irrépressible de courir après tout ce qui circule sur roues. Lupin cherchait déjà à mordre le chariot.

Ses mâchoires se refermèrent sur une roulette. Il y eut un hurlement, un glapissement du bibliothécaire, puis anthropoïde, loup et panier métallique finirent en vrac contre le mur.

« Oh, le pauvre ! Regardez-le ! »

Ludmilla se précipita et s'agenouilla près du loup blessé.

« Il lui a roulé sur les pattes, tenez !

— Et il a sans doute perdu deux ou trois dents », dit Vindelle. Il aida le bibliothécaire à se relever. Il vit une lueur rouge dans les yeux de l'anthropoïde. On avait essayé de lui voler ses livres. Assurément la meilleure preuve pour un mage que les chariots n'avaient pas de cervelle.

Vindelle baissa la main et arracha d'une torsion les roues du chariot.

« Olé, fit-il.

— Oook ?

— Non, pas "au lait" », répliqua Vindelle.

Lupin avait la tête délicatement posée sur les genoux de Ludmilla. Il avait perdu une dent et son pelage était en broussaille. Il ouvrit un œil et fixa Vindelle d'un regard jaune de connivence pendant qu'on lui caressait les oreilles. Voilà un petit veinard de toutou, songea Vindelle, qui va en profiter pour lever une patte et gémir.

« Bon, dit-il. À présent, bibliothécaire… vous étiez sur le point de nous aider, je crois.

— Pauvre chien, quel courage », fit Ludmilla.

L'air pathétique, Lupin leva une patte et gémit.

Alourdi par la masse hurlante de l'économe, l'autre panier métallique ne pouvait atteindre la vitesse de son congénère défunt. En outre, une de ses roues traînait inutilement. Il penchait dangereusement d'un bord à l'autre et faillit capoter en fusant en crabe par les portes.

« Je l'ai dans ma ligne de mire ! Je l'ai dans ma ligne de mire ! brailla le doyen.

— Non ! Vous risquez de toucher l'économe ! tonitrua Ridculle. Vous risquez d'endommager un bien de l'Université ! »

Mais le rugissement inhabituel de la testostérone dans ses oreilles empêchait le doyen d'entendre. Une boule de feu vert ardent frappa le chariot dans sa course de guingois. Des roues volantes zébrèrent le ciel.

Ridculle prit une inspiration profonde. « Espèce de sale… ! » s'écria-t-il.

Le mot qu'il proféra ne disait rien aux mages qui n'avaient pas reçu son éducation campagnarde rustique et ignoraient tout des menus détails de l'élevage. Mais il lui naquit soudain sous le nez une grosse bestiole ronde, noire, luisante, aux sourcils horribles. Elle lui souffla un *pfft* d'insecte et s'envola pour rejoindre le petit essaim de jurons.

« C'est quoi, cette connerie ? »

Une chose plus petite lui apparut brusquement près de l'oreille.

Ridculle fit un geste vif vers son chapeau.

« Putain ! » L'essaim augmenta d'un individu. « Y a un truc qui vient d' me mordre ! »

Une escadrille de « merde » fraîchement éclos tentèrent vaillamment de s'échapper. Il leur tapa dessus en vain.

« Allez-vous-en, espèces de fils de p…, commença-t-il.

— Ne le dites pas ! le coupa le major de promo. Taisez-vous ! »

Personne ne disait jamais à l'archichancelier de se taire. Se taire, c'était bon pour les autres. Soufflé, il se tut.

« Comprenez, chaque fois que vous dites un juron, il se met à vivre, s'empressa d'expliquer le major de promo. D'horribles petites bestioles ailées sortent du néant.

— Bordel de foutredieux ! » lâcha l'archichancelier.

Plop. Plop.

L'économe rampa, hébété, hors des débris enchevêtrés du chariot métallique. Il retrouva son chapeau pointu, l'épousseta, s'en coiffa, fronça les sourcils, et en extirpa une roue. Ses collègues n'avaient pas l'air de lui prêter grande attention.

Il entendit l'archichancelier protester : « Mais j'ai toujours fait ça ! Un bon juron, ça fait pas de mal, ça fait circuler le sang. Attention, doyen, y a un d'ces fum…

— Vous ne pourriez pas dire autre chose ? cria le major de promo par-dessus le vrombissement strident de l'essaim.

— Comme quoi ?

— Comme… oh… comme… flûte.

— *Flûte ?*

— Oui, ou peut-être mince.

— *Mince ?* Vous voulez que je dise *mince* ? »

L'économe rampa jusqu'au groupe. Discuter de détails insignifiants dans des cas d'urgence dimensionnelle était une manie chez les mages.

« Madame Panaris, l'intendante, elle dit toujours "zut !" quand elle fait tomber quelque chose », intervint-il sans qu'on lui demande rien.

L'archichancelier se tourna vers lui.

« Elle dit peut-être *zut*, grogna-t-il, mais en réalité elle pense mer… »

Les mages se baissèrent vivement. Ridculle réussit à s'arrêter tout seul.

« Oh, flûte », fit-il piteusement. Les jurons se posèrent gentiment sur son chapeau.

« Ils vous aiment bien, constata le doyen.

— Vous êtes leur papa », dit l'assistant des runes modernes.

Ridculle se renfrogna. « Arrêtez donc de jouer aux c… crétins aux dépens de votre archichancelier et remuez-vous plutôt l'c… l'ciboulot pour savoir ce qui s'passe », dit-il.

Les mages regardèrent autour d'eux, l'air d'attendre. Rien n'apparut.

« Vous vous en sortez bien, dit l'assistant des runes modernes. Continuez comme ça.

— Flûte flûte flûte, fit l'archichancelier. Mince mince mince. Zut zut de zut. » Il secoua la tête. « Ça va pas, ça me soulage pas d'un poil.

— Ça éclaircit l'atmosphère, en tout cas », intervint l'économe.

Ils remarquèrent sa présence pour la première fois.

Ils regardèrent les restes du chariot.

« Des trucs qui bourdonnent dans tous les coins, fit Ridculle. Des trucs qui s'mettent à vivre. »

Ils relevèrent la tête en entendant un couinement soudain familier. Deux autres paniers à roulettes traversèrent en bringuebalant la place devant les portes. Le premier était plein de fruits. Le second, pour moitié de fruits et pour moitié d'un petit gamin qui braillait.

Les mages observèrent leur course bouche bée. Des flots de gens galopaient derrière les chariots. Légèrement en tête, les coudes fauchant l'air, une femme décidée passa devant les portes de l'Université en martelant le pavé d'une foulée acharnée.

L'archichancelier empoigna un costaud qui suivait courageusement derrière tout le monde.

« Qu'est-ce qui se passe ?

— Je chargeais des pêches dans cette espèce de panier quand tout d'un coup il a fichu l'camp !

— Et le gamin ?

— Aucune idée. La femme avait un des paniers, elle m'a acheté des pêches, puis… »

Ils se retournèrent tous. Un chariot déboucha en ferraillant d'une ruelle, les aperçut, vira promptement et fonça à travers la place.

« Mais pourquoi ? demanda Ridculle.

— C'est tellement pratique pour y mettre des affaires, non ? fit l'homme. Faut que j'rattrape mes pêches. Ça s'abîme d'un rien, vous savez.

— Et ils vont tous dans la même direction, dit l'assistant des runes modernes. Vous n'avez pas remarqué ?

— Tous dessus ! » s'écria le doyen.

Les autres mages, trop abasourdis pour discuter, lui emboîtèrent lourdement le pas.

« Non… », commença Ridculle avant de comprendre que c'était sans espoir. En outre, il perdait l'initiative. Il formula avec soin le cri de guerre le plus convenable de toute l'histoire de l'expurgation.

« Mort à ces péripatéticiennes de lisier ! » hurla-t-il, et il courut à la suite du doyen.

Pierre Porte travailla tout au long de l'après-midi interminable et lourd, en tête d'un sillon de lieurs et d'empileurs.

Jusqu'à ce qu'un cri s'élève et que les hommes se précipitent vers la haie.

Le grand champ de Iago Pisburet s'étendait juste de l'autre côté. Ses ouvriers agricoles poussaient la moissonneuse battante par l'entrée.

Pierre rejoignit ses compagnons appuyés sur la haie. On reconnaissait au loin la silhouette de Bottereau qui donnait des instructions. On fit reculer un cheval effrayé dans les brancards. Le forgeron grimpa sur le petit siège métallique au milieu de la machine et saisit les rênes.

Le cheval avança. Les bras mobiles se déplièrent. La toile se mit à tourner, et sans doute aussi la vis feuilletante, mais ce fut sans importance car quelque chose fit *clonk* quelque part et tout s'arrêta.

Des cris fusèrent du groupe appuyé contre la haie : « Va t'asseoir sur le bouchon ! » « S'il existait pas, faudrait l'inventer ! » « Mets deux thunes dans l'bastringue ! » et autres bons mots consacrés par l'usage.

Bottereau descendit, tint une conversation à voix basse avec Pisburet et ses ouvriers, puis disparut un moment dans la machine.

« Ça volera jamais !

— Le veau sera pas cher demain ! »

Cette fois, la moissonneuse battante avança d'un ou deux mètres avant que la toile sans fin se déchire et se replie.

Du coup, certains des vieillards au bord de la haie se tordirent de rire.

« Six sous le chargement de ferraille !

— Va chercher l'autre, celle-là est foutue ! »

Bottereau descendit encore. Des sifflets distants lui vinrent aux oreilles tandis qu'il détachait la toile pour la remplacer par une neuve ; il les ignora.

Sans quitter du regard la scène dans le champ d'en face, Pierre Porte sortit une pierre à aiguiser de sa poche et entreprit d'affûter sa faux, lentement, posément.

En dehors des chocs métalliques des outils du forgeron au loin, le *chip-chip* de la pierre sur le métal était le seul bruit dans l'atmosphère lourde.

Bottereau regrimpa sur la moissonneuse et hocha la tête à l'intention de l'homme qui conduisait le cheval.

« Et c'est reparti, mon kiki !

— Encore un p'tit tour ?

— Passe la main... »

Les cris moururent.

Six paires d'yeux suivirent la moissonneuse battante qui montait le champ, observèrent la manœuvre du demi-tour à la capvirade, la regardèrent revenir.

Elle passa en cliquetant, dans un mouvement oscillatoire et de va-et-vient.

Au bas du champ, elle opéra un demi-tour impeccable.

Elle repassa en ronronnant.

Au bout d'un moment, un des spectateurs lâcha d'un air sombre :

« Ça prendra jamais, c'est moi qui vous l'dis.

— Dame oui. Ça intéressera qui, un machin pareil ? fit un autre.

— Sûr, et c'est qu'une grosse pendule, si on veut aller par là. Fait rien d'plus que monter et descendre un champ…

— … très vite…

— … en coupant le blé le temps de l'dire et en récupérant les grains…

— L'a déjà fait trois rangs.

— Ça, c'est trop fort !

— On voit à peine les pièces bouger ! Qu'est-ce que t'en penses, Pierre ? Pierre ? »

Ils regardèrent autour d'eux.

Il était arrivé au milieu de son second rang et il accélérait.

Mademoiselle Trottemenu entrebâilla la porte d'un poil.

« Oui ? fit-elle avec méfiance.

— C'est Pierre Porte, mam'zelle Trottemenu. On l'ramène. »

Elle ouvrit davantage le battant.

« Qu'est-ce qui lui est arrivé ? »

Les deux hommes entrèrent maladroitement dans un frottement de semelles en essayant de soutenir une silhouette de trente bons centimètres plus grande qu'eux. La silhouette redressa la tête et loucha d'un air hébété vers la demoiselle.

« J'sais pas ce qui lui prend, fit Duc Fondelet.

— Une sacrée bête de travail, dit Guillaume Fausset. Avec lui, dame, vous en avez pour votre argent, mam'zelle Trottemenu.

— Ça sera bien la première fois dans l'pays, répliqua-t-elle aigrement.

— D'un bout à l'autre du champ, un vrai malade,

l'essayait d'aller plus vite que l'bidule d'Édouard Bottereau. On était quatre à lier, fallait ça. Et il a failli gagner.

— Posez-le sur le canapé.

— On y a pourtant dit qu'il en faisait trop par un soleil pareil... » Duc tendit le cou pour inspecter la cuisine, des fois que des joyaux et des trésors déborderaient des tiroirs du buffet.

Mademoiselle Trottemenu s'interposa.

« J'en suis sûre. Merci. Maintenant, j'pense que vous avez envie de vous en retourner chez vous.

— Si y a quèque chose qu'on peut faire...

— Je sais où vous habitez. Même que ça fait cinq ans que vous avez pas payé d'loyer. Au revoir, monsieur Fausset. »

Elle les poussa jusqu'à la porte qu'elle leur claqua au nez. Puis elle se retourna.

« Qu'est-ce que vous m'avez fichu, monsieur soi-disant Pierre Porte ?

— JE SUIS FATIGUÉ ET ÇA NE S'ARRANGE PAS. »

Pierre Porte se prit le crâne dans les mains.

« EN PLUS, FAUSSET M'A DONNÉ UNE BOISSON FERMENTÉE RIGOLOTE À BASE DE JUS DE POMME À CAUSE DE LA CHALEUR, ET MAINTENANT JE ME SENS MALADE.

— Ça m'surprend pas. Il distille ça dans les bois. Les pommes, c'est pas la moitié de ce qu'il y a dedans.

— JE NE ME SUIS ENCORE JAMAIS SENTI MALADE NI FATIGUÉ.

— Ça fait partie de la vie.

— COMMENT LES HUMAINS ENDURENT-ILS ÇA ?

— Ben, le jus d'pomme fermenté, des fois, ça aide. »

Pierre Porte, assis sur le canapé, fixait le carrelage d'un air sombre. « MAIS ON A FINI LE CHAMP, dit-il avec un léger accent de triomphe. TOUT EMMEULÉ EN TAS, OU PEUT-ÊTRE L'INVERSE. »

Il se reprit à nouveau le crâne dans les mains.

« AARGH. »

Mademoiselle Trottemenu disparut dans l'arrière-cuisine. On entendit grincer une pompe. Elle revint avec un linge humide et un verre d'eau.

« IL Y A UN TRITON DEDANS !

— Ça prouve qu'elle est fraîche[1] », répliqua mademoiselle Trottemenu qui repêcha l'amphibien avant de le relâcher sur le carrelage où il détala dans une fissure.

Pierre Porte voulut se mettre debout.

« MAINTENANT JE CROIS SAVOIR POURQUOI CERTAINES PERSONNES ONT ENVIE DE MOURIR, fit-il. J'AVAIS ENTENDU PARLER DE LA TRISTESSE ET DE LA SOUFFRANCE MAIS JE N'AVAIS PAS VRAIMENT COMPRIS JUSQU'ICI CE QUE ÇA VOULAIT DIRE. »

Mademoiselle Trottemenu jeta un coup d'œil par la fenêtre poussiéreuse. Les nuages qui s'étaient amoncelés tout l'après-midi planaient au-dessus des collines, gris, teintés d'un soupçon de jaune menaçant. La chaleur oppressait comme un étau.

« Un gros orage se prépare.

— ÇA VA ABÎMER MA MOISSON ?

— Non. Elle séchera après.

— COMMENT VA L'ENFANT ? »

Pierre Porte ouvrit la main. Mademoiselle Trottemenu haussa les sourcils. Le sablier d'or était là, l'ampoule supérieure presque vide. Mais il chatoyait, tantôt visible, tantôt invisible.

« Vous l'avez ? Comment ça s'fait ? Il est là-haut. Elle le tenait comme… (elle pataugea) comme quelqu'un qui tient quelque chose très fort.

— ELLE LE TIENT TOUJOURS. MAIS IL EST AUSSI ICI. OU N'IMPORTE OÙ. CE SABLIER N'EST QU'UNE MÉTAPHORE, APRÈS TOUT.

— Ce qu'elle tient, ç'a l'air drôlement réel.

— CE N'EST PAS PARCE QU'UNE CHOSE EST UNE MÉTAPHORE QU'ELLE N'EST PAS RÉELLE. »

Mademoiselle Trottemenu prit conscience d'un faible écho dans la voix, comme si les mots étaient prononcés

1. Pendant des siècles on a cru que des tritons dans un puits signalaient une eau fraîche et potable, et durant tout ce temps on ne s'est jamais demandé s'il arrivait aux tritons de sortir pour aller aux toilettes.

par deux personnes dans un synchronisme presque mais pas vraiment parfait.

« Combien de temps il vous reste ?

— UNE AFFAIRE D'HEURES.

— Et la faux ?

— J'AI DONNÉ DES CONSIGNES PRÉCISES AU FORGERON. »

Elle fronça les sourcils. « J'dis pas que le p'tit Bottereau, c'est un mauvais gars, mais vous êtes sûr qu'il les suivra ? C'est beaucoup demander à un homme comme lui de détruire une chose pareille.

— JE N'AVAIS PAS LE CHOIX. LE PETIT POÊLE D'ICI NE CHAUFFE PAS ASSEZ.

— C'est une faux maléfique drôlement coupante.

— JE CRAINS QU'ELLE NE SOIT PAS ASSEZ COUPANTE.

— Et personne a jamais essayé de vous faire ça ?

— ON DIT BIEN QU'AU MOMENT DU GRAND DÉPART ON N'EMPORTE RIEN AVEC SOI ?

— Oui.

— COMBIEN DE GENS L'ONT CRU SÉRIEUSEMENT ?

— Je me souviens, dit mademoiselle Trottemenu, avoir une fois lu quelque chose sur des rois païens dans un désert quelque part qui construisent des pyramides immenses où ils entassent toutes sortes d'affaires. Même des bateaux. Même des filles habillées de pantalons transparents et de deux couvercles de casserole. Vous m'direz pas que c'est bien.

— JE N'AI JAMAIS ÉTÉ TRÈS SÛR DE CE QUI EST BIEN, fit Pierre Porte. JE NE SUIS PAS SÛR QU'UNE NOTION COMME LE BIEN EXISTE. OU LE MAL. ON FAIT FACE À DES SITUATIONS, C'EST TOUT.

— Non, le bien c'est le bien et le mal c'est le mal, répliqua mademoiselle Trottemenu. On m'a appris à faire la différence.

— UN FRAUDEUR INTERLOPE VOUS L'A APPRIS.

— Un quoi ?

— UN CONTREBANDIER.

— Y a pas d'mal à faire de la contrebande !

— JE FAIS SEULEMENT REMARQUER QUE CERTAINS NE SONT PAS DE CET AVIS.

— Ils comptent pas !

— MAIS... »

La foudre s'abattit quelque part sur la colline. Le coup de tonnerre secoua la maison ; quelques briques de la cheminée tombèrent bruyamment dans l'âtre. Puis les fenêtres vibrèrent sous les assauts impétueux du vent.

Pierre Porte traversa la pièce d'un pas énergique et ouvrit la porte à la volée.

Des grêlons comme des œufs de poule rebondirent sur le seuil jusque dans la cuisine.

« OH. DU THÉÂTRAL.

— Oh, merde ! »

Mademoiselle Trottemenu lui plongea sous le bras.

« Et d'où vient le vent ?

— DU CIEL ? fit Pierre Porte que surprenait l'émoi soudain de la demoiselle.

— Venez ! » Elle repartit en trombe dans la cuisine et farfouilla sur le buffet, en quête d'une lanterne et d'allumettes.

« MAIS VOUS AVEZ DIT QUE ÇA SÉCHERAIT.

— Avec un orage normal, oui. Mais avec une tempête pareille ? La moisson sera fichue ! Demain matin, on la retrouvera égaillée sur toute la colline ! »

Elle tripota la bougie de la lanterne, finit par l'allumer et revint en courant.

Pierre Porte regardait la tempête au-dehors. Des brins de paille passèrent dans un bruissement, tournoyant au gré des sautes de vent.

« FICHUE ? MA MOISSON ? » Il se redressa. « DE LA MERDE. »

La grêle crépitait sur le toit de la forge.

Édouard Bottereau actionna le soufflet du fourneau jusqu'à ce que le noyau des morceaux de charbon vire au blanc très légèrement jaune.

Une bonne journée. La moissonneuse battante avait

mieux fonctionné qu'il n'osait l'espérer ; le vieux Pisburet avait tenu à la garder pour un autre champ le lendemain, aussi l'avait-on laissée dehors, recouverte d'une toile goudronnée et solidement attachée. Demain, il apprendrait à un des hommes comment s'en servir et commencerait à plancher sur un nouveau modèle amélioré. Le succès était assuré. L'avenir était vraiment pour demain.

Restait la question de la faux. Il se dirigea vers le mur où on l'avait accrochée. Un drôle de mystère, ça. Il n'avait jamais vu d'instrument aussi magnifique. On n'arrivait même pas à l'émousser. Son tranchant débordait bien au-delà de son fil réel. Et pourtant, il était censé la détruire. Ça n'avait pas de sens commun. Édouard Bottereau croyait beaucoup au sens commun, au sens commun tel que lui le concevait.

Peut-être que Pierre Porte voulait tout bonnement se débarrasser de sa faux, réaction d'autant plus compréhensible qu'en ce moment même, alors qu'elle pendait au mur, bien inoffensive, son fil tranchant semblait émettre des rayons. Un faible halo violet entourait sa lame, dû aux courants d'air dans la forge qui poussaient d'infortunées molécules gazeuses vers un découpage mortel.

Édouard Bottereau s'en saisit avec une grande prudence.

Un type bizarre, ce Pierre Porte. Il voulait être sûr qu'elle soit absolument morte, avait-il dit. Comme si on pouvait tuer un objet.

Et puis comment la détruire ? Oh, le manche brûlerait, le métal se calcinerait et, s'il travaillait assez dur, on n'en retrouverait qu'un petit tas de poussière et de cendres. C'était ce que voulait le client.

D'un autre côté, on pouvait probablement la détruire en dégageant tout bonnement la lame du manche… Après tout, ce ne serait plus une faux si on se contentait de ça. Ce ne serait… ben, rien que des pièces détachées. C'est sûr, on pourrait la reconstituer à partir de ces pièces-là, mais on y arriverait certainement tout pareil à partir de la poussière et des cendres si on savait comment s'y prendre.

Édouard Bottereau était content de son raisonnement. Et puis, après tout, Pierre Porte n'avait même pas exigé une preuve que l'outil serait… euh… tué.

Il visa soigneusement puis sectionna d'un coup de faux le bout de l'enclume. De quoi donner la chair de poule.

Un tranchant absolu.

Il renonça. C'était injuste. On ne demandait pas à un gars comme lui de détruire un instrument pareil. C'était une œuvre d'art.

Mieux que ça. Une œuvre de technique.

Il traversa la forge jusqu'à un tas de bois de construction et jeta la faux hors de portée loin derrière. Il y eut un couinement bref de perforation.

Bah, ça irait comme ça. Il rendrait son quart de sou à Pierre dans la matinée.

La Mort aux Rats se matérialisa derrière la pile de bois dans la forge et se traîna jusqu'à un pauvre petit tas de fourrure, restes d'un rongeur dont le destin avait croisé la trajectoire de la faux.

Le fantôme de la victime se tenait debout près du cadavre, l'air craintif. Il ne semblait pas très content de voir le nouvel arrivant.

« Couiii ? Couiii ?

— Couiii, expliqua la Mort aux Rats.

— *Couiii ?*

— Couiii, confirma la Mort aux Rats.

— [Lissage des moustaches] [froncement du museau] ? »

La Mort aux Rats fit non de la tête.

« Couiii. »

Le rongeur était abattu. La Mort aux Rats lui posa une patte osseuse mais pas franchement méchante sur l'épaule.

« COUIII. »

Le fantôme hocha tristement la tête. La vie était douce à la forge. Édouard connaissait à peine le sens du mot ménage, et il était le champion du monde des distraits qui oublient leurs casse-croûte entamés. Le rat haussa les épaules et emboîta le pas à la petite silhouette en robe. Il n'avait guère le choix.

Des flots de gens sillonnaient les rues. La plupart pourchassaient des chariots. Des chariots essentiellement remplis de ce qu'on les avait jugés aptes à transporter : du bois de chauffage, des enfants, des provisions.

Et ils ne zigzaguaient plus, ils fonçaient à l'aveuglette, tous dans la même direction.

On peut arrêter un chariot en le renversant ; ses roues tournent alors follement, inutiles. Les mages virent quelques enragés essayer de les réduire en miettes, mais les engins étaient pratiquement indestructibles – ils pliaient mais ne rompaient pas, et une seule roulette valide leur suffisait pour tenter vaillamment de reprendre leur course.

« Regardez-moi celui-là ! fit l'archichancelier. Y a mon linge dedans ! Mon linge à moi ! Mince, c'est pas drôle ! »

Il se fraya un chemin dans la cohue, plongea son bourdon dans les roues du chariot et le culbuta.

« Difficile de faire un carton avec tous ces civils autour, se plaignit le doyen.

— Il y a des centaines de chariots ! s'écriait l'assistant des runes modernes. De la vraie vhermine[1]. Va-t'en, toi, espèce de fils de… espèce de *fils de fer* ! »

1. La vhermine est un petit rongeur noir et blanc des montagnes du Bélier. C'est l'ancêtre du lemming, lequel, comme on le sait, se jette systématiquement du haut des falaises et se noie dans les lacs. La vhermine faisait autrefois de même. L'ennui, c'est qu'un animal mort ne se reproduit pas, aussi au fil des millénaires a-t-on rencontré de plus

Il moulina de son bourdon vers un chariot importun.

Le flot de paniers à roulettes s'écoulait hors de la ville. Les civils qui s'accrochaient encore abandonnèrent peu à peu ou tombèrent sous les roues bringuebalantes. Ne restèrent plus dans la marée métallique que les mages qui se lançaient des cris ou attaquaient l'essaim argenté à coups de bourdon. N'allez pas croire que la magie ne marchait pas. Elle marchait même plutôt bien. Une bonne décharge pouvait transformer un chariot en un millier de petits puzzles tarabiscotés en fil de fer. Mais à quoi bon ? La seconde d'après, deux autres engins roulaient dans un bruit d'enfer par-dessus leur semblable abattu.

Autour du doyen, les chariots giclaient en gouttelettes argentées.

« Il attrape bien le coup, hein ? constata le major de promo tandis qu'il aidait l'économe à basculer un panier de plus sur le dos en faisant levier, chacun avec son bourdon.

— Ce qui est sûr, c'est qu'on entend beaucoup de "yo" », répliqua l'économe.

Le doyen lui-même ne savait pas à quand remontait pareil bonheur. Soixante ans durant il avait obéi aux règles autorégulatrices de la magie, et soudain il s'amusait comme un fou. Il n'avait jamais compris que son désir profond, c'était de tout faire gicler autour de lui.

Un jet de feu bondit de l'extrémité de son bourdon. Des guidons, des bouts de fil de fer et des roulettes qui continuaient de tourner pitoyablement plurent en tintinnabulant autour de lui. Le plus beau de l'histoire : les cibles étaient inépuisables. Une deuxième vague de chariots comprimés dans un espace plus étroit essayait d'escalader ceux qui gardaient encore le contact avec la terre ferme.

en plus de vhermines issues d'ancêtres qui, au bord du précipice, avaient couiné l'équivalent chez les rongeurs de « C'est pas du boulot, ça ». La vhermine descend désormais les falaises en rappel et se construit de petits bateaux pour traverser les lacs. Quand sa migration la conduit au bord de la mer, elle reste assise sans rien faire en évitant de croiser les regards de ses congénères et s'en retourne de bonne heure afin d'éviter les bouchons.

Ils n'y arrivaient pas, mais ils essayaient quand même. Et fiévreusement, parce qu'une troisième vague les écrasait et les broyait déjà pour leur passer par-dessus. Sauf que le verbe « essayer » ne convenait pas. Il suppose une espèce d'effort conscient, il implique une décision dans un sens ou dans l'autre. Quelque chose dans leur progression implacable, la façon dont ils s'écrabouillaient les uns les autres dans leur hâte, laissait entendre que les paniers en fil de fer avaient autant le choix en la matière que l'eau qui dévale une pente.

« Yo ! » brailla le doyen. De la magie brute claqua dans l'enchevêtrement grinçant de métal. Il plut des roues.

« On va vous en donner, d'la thaumaturgie, espèce de fu…, hurla le doyen.

— Jurez pas ! Jurez pas ! » s'écria Ridculle par-dessus le raffut. Il s'efforçait de taper sur un « sale con » qui lui orbitait autour du chapeau. « On sait pas en quoi ça pourrait se transformer !

— Crotte ! hurla le doyen.

— Ça ne sert à rien. Autant vouloir repousser la mer, glapit le major de promo. Je vote pour qu'on retourne à l'Université chercher des sortilèges vraiment sérieux.

— Bonne idée », approuva Ridculle. Il leva la tête vers le mur de fil de fer tordu qui s'approchait. « On fait comment ?

— Yo ! Petits polissons ! » s'exclama le doyen. Il pointa une fois de plus son bourdon. Lequel lâcha un petit bruit tristounet qui ne pourrait s'orthographier, s'il fallait l'écrire, que *pfffft*. Une étincelle de rien du tout en tomba du bout sur les pavés.

Vindelle Pounze referma un autre livre à la volée. Le bibliothécaire grimaça.

« Rien ! Des volcans, des raz-de-marée, des colères divines, des mages tripatouilleurs… Je ne veux pas savoir comment les autres villes ont été *tuées,* je veux savoir comment elles ont fini… »

Le bibliothécaire déposa une nouvelle pile d'ouvrages sur le lutrin. Vindelle découvrait un autre côté positif dans la mort : le don des langues. Il saisissait le sens du texte sans comprendre la signification des mots. Mourir, ce n'était pas s'endormir. C'était se réveiller.

Il lança un coup d'œil plus loin dans la bibliothèque, là où Lupin se faisait bander la patte.

« Bibliothécaire ? fit-il doucement.

— Oook ?

— Dans le temps, vous avez changé d'espèce… Qu'est-ce que vous feriez si, à titre d'exemple, vous connaissiez deux personnes qui… Enfin, imaginez un loup qui devient homme-loup à la pleine lune, et une femme qui devient elle aussi femme-louve à la pleine lune… qui atteignent le même état mais en venant de directions opposées, vous me suivez ? Et ils se rencontrent. Vous leur dites quoi ? Vous les laissez se débrouiller tout seuls ?

— Oook, répondit aussitôt le bibliothécaire.

— C'est tentant.

— Oook.

— Mais ça ne plairait pas à madame Cake.

— Eeek oook.

— Vous avez raison. Vous auriez pu l'exprimer un peu moins grossièrement, mais vous avez raison. Chacun doit se débrouiller tout seul. »

Il soupira et tourna la page. Ses yeux s'écarquillèrent.

« La cité de Kahn Li, fit-il. Vous connaissez ? C'est quoi, ce livre ? *Grimoire incroyable-mais-vrai de Stripfutal.* Ça dit ici : … *de petites charrettes… personne ne savait d'où elles venaient… tellement utiles, on a employé des hommes pour les rassembler et les emmener dans la ville… d'un coup, comme une ruée animale… les hommes les ont suivies et là, il y avait une nouvelle cité à l'extérieur des murs, une cité de boutiques marchandes où se précipitaient les charrettes…* »

Il tourna la page.

« Ç'a l'air de dire… »

Je n'ai toujours pas bien compris, songea-t-il. Un-homme-seau croit qu'il s'agit de la reproduction des villes. Mais je suis sceptique.

Une ville, ça vit. Imaginons qu'on soit un géant, immense et lent, comme un pin comptable, et qu'on baisse les yeux sur une ville. On voit pousser des bâtiments ; on voit refluer des agresseurs ; on voit s'éteindre des incendies. On voit vivre la ville, mais on ne voit pas les habitants parce qu'ils bougent trop vite. La vie d'une cité, son principe actif, ce n'est pas une espèce de force mystérieuse. La vie d'une cité, c'est sa population.

Il tournait distraitement les pages, sans vraiment les regarder…

On a donc les villes, de grosses entités sédentaires qui grandissent sur site et ne bougent quasiment pas pendant des millénaires. Elles se reproduisent en envoyant des gens coloniser de nouveaux territoires. En ce qui les concerne, elles restent sur place. Elles vivent, mais de la même manière que vivent les méduses. Ou un légume au-dessus de la moyenne. Après tout, on a surnommé Ankh-Morpork la Grosse Youplà…

Et qui dit entités vivantes grosses et lentes dit petites créatures rapides qui les mangent…

Vindelle Pounze sentit ses cellules grises se mettre en branle. Des contacts s'établirent. Ses pensées foncèrent en masse dans de nouvelles directions. Avait-il jamais réfléchi correctement de son vivant ? Il en doutait. Il n'avait été qu'un éventail de réactions complexes reliées à une infinité de terminaisons nerveuses, réactions qui, de la méditation paresseuse sur le prochain repas aux souvenirs aléatoires et importuns, s'interposaient entre la vraie pensée et lui.

Ça pousse dans la ville, au chaud et à l'abri. Puis ça s'échappe, hors les murs, et ça bâtit… quelque chose, non pas une vraie ville, mais une factice… qui arrache les gens, la vie, à la cité hôtesse…

Le terme qu'on cherche dans le cas présent, c'est *prédateur.*

Le doyen fixa son bourdon d'un regard incrédule. Il le secoua un coup et le pointa à nouveau.

Cette fois le résultat s'orthographierait *pfwt*.

Il leva les yeux. Une vague de chariots, dressée en équilibre à hauteur du toit des maisons, allait lui déferler dessus.

« Oh… mince », fit-il, et il se croisa les bras sur la tête.

Quelqu'un lui agrippa la robe dans le dos et le tira en arrière à l'instant où les chariots s'abattaient avec fracas.

« Venez donc, dit Ridculle. Si on court, on peut garder une avance sur eux.

— Je n'ai plus de magie ! Je n'ai plus de magie ! gémit le doyen.

— Vous aurez encore moins d'autre chose si vous vous magnez pas », jeta l'archichancelier.

En faisant leur possible pour rester ensemble, en se cognant les uns dans les autres, les mages titubaient en tête des chariots. Des flots d'autres engins roulants se ruaient hors de la ville et à travers champs.

« Savez ce que ça m'rappelle ? fit Ridculle tandis qu'ils se frayaient un chemin à travers la marée.

— Dites toujours, marmonna le major de promo.

— La remontée des saumons.

— Quoi ?

— Pas dans l'Ankh, évidemment. M'étonnerait qu'un saumon soit capable de remonter notre fleuve à nous…

— Ou alors à pied, fit le major de promo.

— … mais j'en ai vu serrés comme des sardines dans certaines rivières. Qui s'démenaient pour progresser. La rivière, c'était plus qu'une masse argentée.

— D'accord, d'accord, dit le major de promo. Dans quel but ils faisaient ça ?

— Ben… ç'a un rapport avec la reproduction.

— Dégoûtant. Quand on pense qu'on est obligés de boire de l'eau.

— Bon, on est en plein champ à présent, c'est là qu'on les déborde, annonça Ridculle. On va trouver une ouverture et…

— Je ne crois pas », dit l'assistant des runes modernes.

De toutes les directions avançait un mur de chariots grinçants et batailleurs.

« Ils vont nous avoir ! Ils vont nous avoir ! » geignit l'économe. Le doyen lui arracha son bourdon.

« Hé, il est à moi ! »

Le doyen le repoussa et fit sauter les roues d'un chariot de tête.

« C'est mon bourdon ! »

Les mages se regroupèrent dos à dos dans un cercle de métal de plus en plus étroit.

« Ils ne cadrent pas avec cette ville, dit l'assistant des runes modernes.

— J'vois ce que vous voulez dire, fit Ridculle. Des aliens.

— J'imagine qu'aujourd'hui personne n'a de sortilège de vol sur lui ? » s'enquit le major de promo.

Le doyen visa encore et liquéfia un panier.

« C'est mon bourdon que vous utilisez, vous savez.

— La ferme, économe, fit l'archichancelier. Et vous, doyen, vous arriverez à rien en les descendant un par un comme ça. D'accord, les mecs ? On va leur causer le plus de dégâts possible. Souvenez-vous… des tirs n'importe comment, au hasard… »

Les chariots avançaient.

« OUILLE. OUILLE. »

Mademoiselle Trottemenu titubait dans l'obscurité humide et bruyante. Des grêlons craquaient sous ses chaussures. Le tonnerre emplissait le ciel de ses coups de canon.

« Ça pique, hein ? fit-elle.

— ÇA RÉSONNE. »

Pierre Porte attrapa au vol une moyette et l'empila avec les autres. Mademoiselle Trottemenu le dépassa précipitamment, pliée en deux sous un chargement de blé[1]. L'un et l'autre travaillaient d'arrache-pied, sillonnaient le champ face à la tempête afin de récupérer au passage la moisson avant que le vent et la grêle l'emportent. Les éclairs illuminaient le ciel par intermittence. Ce n'était pas un orage ordinaire. C'était la guerre.

« Va pleuvoir des cordes d'un moment à l'autre, cria mademoiselle Trottemenu par-dessus le vacarme. On la descendra jamais jusqu'à la grange ! Allez chercher une bâche, n'importe quoi ! Ça suffira pour ce soir ! »

Pierre Porte hocha la tête et pataugea au pas de course dans les ténèbres vers le corps de ferme. La foudre frappait à une telle cadence autour des champs que l'atmosphère en grésillait ; une couronne électrique dansa même le long du sommet de la haie.

Et la Mort était là.

Il vit la silhouette squelettique apparaître indistinctement devant lui, ramassée, sur le point de bondir, sa robe battant et claquant au vent derrière elle.

Il sentit une oppression qui voulait le forcer à prendre ses jambes à son cou en même temps qu'elle le clouait sur place. Elle lui envahit l'esprit et le pétrifia, lui bloqua la moindre pensée en dehors de la toute petite voix au plus profond de son être qui constatait, plutôt calmement : ALORS, C'EST DONC ÇA, LA TERREUR.

Puis la Mort disparut lorsque la lueur de l'éclair s'estompa, réapparut lorsque la foudre tomba à nouveau sur la colline voisine.

La voix intérieure et tranquille ajouta : MAIS POURQUOI ÇA NE BOUGE PAS ?

1. L'aptitude des petites vieilles à porter des charges énormes est phénoménale. Des études ont démontré qu'une fourmi peut porter cent fois son propre poids, mais il n'existe pas de limite connue à la puissance de levage de la frêle grand-mère paysanne espagnole de quatre-vingts ans.

Pierre Porte se permit d'avancer légèrement. Aucune réaction de la chose tapie devant lui.

Il comprit peu à peu que cette chose de l'autre côté de la haie n'était d'un certain point de vue qu'un assemblage de côtes, de fémurs et de vertèbres sous une robe, mais aussi, sous un angle légèrement différent, qu'un embrouillamini de bras articulés et de leviers de va-et-vient recouvert d'une toile goudronnée qui maintenant s'envolait.

Il avait sous les yeux la moissonneuse battante.

Pierre Porte eut un horrible sourire. Des pensées qui ne lui ressemblaient pas se formèrent dans sa tête. Il s'avança.

Le mur de chariots cernait les mages.

Le dernier flamboiement d'un bourdon fondit un trou aussitôt rebouché par davantage d'engins.

Ridculle se tourna vers ses collègues. Ils avaient la figure rouge, la robe déchirée, et quelques tirs trop enthousiastes s'étaient soldés par des barbes roussies et des chapeaux brûlés.

« Est-ce qu'il reste des sortilèges à quelqu'un ? » demanda-t-il.

Ils réfléchirent fiévreusement.

« Je crois que je m'en rappelle un, fit l'économe d'une voix hésitante.

— Allez-y, mon vieux. On a plus rien à perdre. »

L'économe tendit une main. Il ferma les yeux. Il marmonna quelques syllabes à voix basse.

Il y eut un bref soubresaut de lumière octarine et…

« Oh, fit l'archichancelier. Et c'est tout ?

— " Le Bouquet Surprise d'Eringyas ", commenta l'économe, les yeux brillants et le corps agité de mouvements convulsifs. Je ne sais pas pourquoi, mais celui-là, je l'ai toujours réussi. Un don, j'imagine. »

Ridculle contempla le gros bouquet de fleurs que serrait désormais le poing de l'économe.

« Mais pas franchement utile dans le cas présent, si j'peux m'permettre », ajouta-t-il.

L'économe regarda les murs qui se rapprochaient et son sourire mourut sur ses lèvres.

« Pas franchement, non, dit-il.

— Quelqu'un d'autre a une idée ? » demanda Ridculle.

Pas de réponse.

« Jolies roses, remarquez », fit le doyen.

« Vous avez fait vite, dit mademoiselle Trottemenu lorsque Pierre Porte revint au tas de moyettes en traînant une bâche derrière lui.

— OUI, HEIN ? » marmonna-t-il évasivement tandis qu'elle l'aidait à tirer la toile sur la meule puis à la lester de pierres. Le vent se prit dedans et tenta de la lui arracher des mains ; autant vouloir renverser une montagne.

La pluie balayait les champs, au milieu de lambeaux de brume qui miroitaient d'énergies électriques bleutées.

« Jamais vu une nuit pareille », fit mademoiselle Trottemenu.

Un autre coup de tonnerre lui répondit. Un éclair en nappe flottait sur l'horizon.

Elle saisit le bras de Pierre Porte. « Ce serait pas… quelqu'un sur la colline ? fit-elle. J'ai cru voir… une forme.

— NON, CE N'EST QU'UN APPAREIL MÉCANIQUE. »

Un autre éclair.

« À cheval ? » répliqua mademoiselle Trottemenu.

Une troisième nappe déchira le ciel. Cette fois, il n'y avait aucun doute. Une silhouette à cheval se dressait au sommet de la colline la plus proche. Encapuchonnée. Tenant une faux aussi fièrement qu'une lance.

« DE LA FRIME. » Pierre Porte se tourna vers mademoiselle Trottemenu. « DE LA FRIME. MOI, JE N'AI JAMAIS RIEN FAIT DE PAREIL. QUEL INTÉRÊT ? À QUOI ÇA RIME ? »

Il ouvrit la main. Le sablier doré apparut.

« Il vous reste combien de temps ?

— PEUT-ÊTRE UNE HEURE. PEUT-ÊTRE QUELQUES MINUTES.

— Venez, alors ! »

Pierre Porte ne bougea pas, les yeux fixés sur le sablier.

« Je vous ai dit de venir !

— ÇA NE MARCHERA PAS. J'AVAIS TORT DE CROIRE QUE ÇA MARCHERAIT. MAIS ÇA NE MARCHERA PAS. IL Y A DES CHOSES AUXQUELLES ON NE PEUT PAS ÉCHAPPER. ON NE PEUT PAS VIVRE ÉTERNELLEMENT.

— Et pourquoi donc ? »

Pierre Porte eut l'air secoué. « COMMENT ÇA ?

— Pourquoi vous ne pouvez pas vivre éternellement ?

— JE NE SAIS PAS, MOI. LA SAGESSE COSMIQUE ?

— Qu'est-ce qu'elle y connaît, la sagesse cosmique ? Alors, vous venez, oui ou non ? »

La silhouette sur la colline n'avait pas bougé.

La pluie avait délayé la poussière en boue fine. Ils glissèrent le long de la pente, traversèrent en hâte la cour et s'engouffrèrent dans la maison.

« J'AURAIS DÛ MIEUX PRÉPARER MON AFFAIRE. J'AVAIS PENSÉ...

— Mais y avait la moisson.

— OUI.

— On a p't-être moyen de barricader la porte, quelque chose ?

— EST-CE QUE VOUS SAVEZ CE QUE VOUS DITES ?

— Ben, vous avez qu'à trouver une idée, vous ! Y a jamais rien qui vous a arrêté ?

— NON », répondit Pierre Porte avec un soupçon de fierté.

Mademoiselle Trottemenu jeta un coup d'œil par la fenêtre avant de s'écarter et de se plaquer contre le mur dans un mouvement théâtral.

« Il est parti !

— *C'EST* PARTI, rectifia Pierre Porte. CE N'EST PAS ENCORE UN INDIVIDU.

— C'est parti. Ça peut être n'importe où.

— ÇA PEUT PASSER À TRAVERS LE MUR. »

Elle se décolla précipitamment du mur, puis lui jeta un regard noir.

« TRÈS BIEN. ALLEZ CHERCHER LA PETITE. JE CROIS QU'IL FAUT PARTIR. » Une idée lui vint. Il s'égaya un peu. « IL NOUS RESTE PEU DE TEMPS. QUELLE HEURE EST-IL ?

— J'sais pas. Vous arrêtez les pendules pour un oui ou pour un non.

— MAIS IL N'EST PAS ENCORE MINUIT ?

— D'après moi, il est pas plus d'onze heures et quart.

— ALORS ON A TROIS QUARTS D'HEURE DEVANT NOUS.

— Comment vous pouvez être sûr ?

— À CAUSE DU CÔTÉ THÉÂTRAL, MADEMOISELLE TROTTEMENU. LE TYPE DE MORT QUI PREND LA POSE SUR LA LIGNE D'HORIZON À LA LUMIÈRE DES ÉCLAIRS, expliqua Pierre Porte d'un ton désapprobateur, NE FAIT PAS SON ENTRÉE À ONZE HEURES ET VINGT-CINQ MINUTES S'IL PEUT LA FAIRE À MINUIT. »

Elle hocha la tête, toute pâle, et disparut à l'étage. Elle redescendit au bout d'une ou deux minutes en portant Sal enveloppée dans une couverture.

« Elle a l'sommeil lourd, dit-elle.

— CE N'EST PAS DU SOMMEIL. »

La pluie avait cessé, mais la tempête faisait toujours rage autour des collines. L'air grésillait et produisait toujours l'effet d'une fournaise.

Pierre Porte passa en tête devant le poulailler où Cyril et son harem sur le retour se tapissaient dans le noir tout au fond et tâchaient d'occuper les mêmes centimètres de perchoir.

Une lueur vert pâle planait autour de la cheminée de la ferme.

« On appelle ça le feu de Bassan, dit mademoiselle Trottemenu. C'est un présage.

— UN PRÉSAGE DE QUOI ?

— Hein ? Oh, me demandez pas. Rien qu'un présage, m'est idée. De la présagerie toute bête. Où on va ?

— AU VILLAGE.

— Pour se rapprocher de la faux ?

— OUI. »

Il disparut dans la grange. Au bout d'un moment, il ressortit en conduisant Bigadin, sellé et harnaché. Il l'enfourcha, puis se pencha et hissa d'un coup la vieille demoiselle et la fillette endormie devant lui sur le cheval.

« SI JE ME SUIS TROMPÉ, ajouta-t-il, CE CHEVAL VOUS EMMÈNERA OÙ VOUS VOULEZ.

— Tout ce que j'voudrai, c'est rentrer chez moi !

— OÙ VOUS VOULEZ. »

Bigadin se lança au petit trot lorsqu'ils virèrent sur la route qui menait au village. Le vent arrachait les feuilles des arbres ; elles les dépassaient en virevoltant et filaient sur la route. De temps en temps, un éclair fouettait encore le ciel.

Mademoiselle Trottemenu regarda la colline au-delà de la ferme.

« Pierre…

— JE SAIS.

— … c'est revenu…

— JE SAIS.

— Pourquoi ça nous court pas après ?

— ON NE RISQUE RIEN TANT QU'IL RESTE ENCORE DU SABLE.

— Et quand y en aura plus, vous mourrez ?

— NON. QUAND IL N'Y AURA PLUS DE SABLE, JE SERAI *CENSÉ* MOURIR. JE ME TROUVERAI DANS L'ESPACE ENTRE LA VIE ET LA VIE FUTURE.

— Pierre, on aurait dit que sa monture… J'ai cru que c'était un cheval normal, juste très maigre, seulement…

— C'EST UN SQUELETTE DE COURSIER. IMPRESSIONNANT MAIS GUÈRE PRATIQUE. J'EN AI EU UN COMME ÇA, MAIS LA TÊTE EST TOMBÉE.

— La Mort du p'tit cheval, comme qui dirait.

— HA. HA. TRÈS DRÔLE, MADEMOISELLE TROTTEMENU.

— Je crois que dans un moment pareil vous pourriez cesser de m'appeler mademoiselle Trottemenu.

— RÉNATA ? »

Elle eut l'air époustouflée.

« Comment vous connaissez mon prénom ? Oh. Vous avez dû le voir écrit quelque part, c'est ça ?

— GRAVÉ.

— Sur un de ces sabliers ?

— OUI.

— Avec tous les grains de sable qui tombaient ?

— OUI.

— Tout le monde en a un ?

— OUI.

— Alors vous savez combien de temps je vais…

— *OUI.*

— Ça doit faire drôle de savoir… les choses que vous savez…

— ALLEZ SAVOIR.

— C'est pas juste, tout d'même. Si les gens savaient quand ils vont mourir, ils vivraient mieux.

— SI LES GENS SAVAIENT QUAND ILS VONT MOURIR, JE CROIS QU'ILS NE VIVRAIENT SANS DOUTE PAS DU TOUT.

— Oh, très sentencieux, ça. Et qu'est-ce que vous en savez, vous, Pierre Porte ?

— JE LE SAIS, VOILÀ. »

Bigadin enfila au trot une des rares rues du village et déboucha sur les pavés de la place. Il n'y avait personne alentour. Dans des villes comme Ankh-Morpork, minuit n'exprime que la fin de soirée, parce qu'il n'existe pas officiellement de nuit, uniquement des soirs qui se fondent dans des aubes. Mais ici, les habitants réglaient leurs existences sur des repères comme des couchers de soleil et des chants du coq estropiés. Minuit portait bien son nom.

Malgré l'orage qui régnait sur les collines, la place était calme. Le tic-tac de l'horloge dans son beffroi, qu'on ne remarquait pas à midi, donnait à présent l'impression de rebondir en écho sur les bâtiments.

À l'approche du cheval, un bourdonnement s'échappa

du fond de ses entrailles de roues dentées. L'aiguille des minutes se déplaça dans un bruit sourd et s'arrêta en vibrant sur le 9. Une trappe s'ouvrit dans le cadran et deux petits personnages mécaniques sortirent en ronronnant d'un air important pour cogner sur une clochette au prix de beaucoup d'efforts, semblait-il.

Ting-ting-ting.

Les automates se mirent en rang et réintégrèrent l'horloge en tremblotant.

« Ils sont là depuis que j'suis toute petite. C'est l'arrière-arrière-grand-père de monsieur Bottereau qui les a fabriqués, dit mademoiselle Trottemenu. Je m'demandais tout le temps ce qu'ils faisaient entre les sonneries, vous savez. Je m'disais qu'ils avaient une petite maison là-dedans, quelque chose.

— JE NE CROIS PAS. CE NE SONT QUE DES OBJETS. ILS NE SONT PAS VIVANTS.

— Hmm. Ben, ça fait des siècles qu'ils sont là. Peut-être que la vie, ça s'acquiert ?

— OUI. »

Ils attendirent dans un silence uniquement rompu par le coup sourd et régulier de l'aiguille des minutes dans son ascension de la nuit.

« C'é… c'était bien agréable de vous avoir chez moi, Pierre Porte. »

Il ne répondit pas.

« À m'aider pour la moisson et tout.

— C'ÉTAIT… INTÉRESSANT.

— J'ai eu tort de vous mettre en retard rien que pour du blé.

— NON. LA MOISSON, C'EST IMPORTANT. »

Pierre Porte déplia la main. Le sablier apparut.

« J'comprends toujours pas comment vous faites ça.

— CE N'EST PAS DIFFICILE. »

Le sifflement du sable s'enfla jusqu'à envahir la place.

« Vous avez un dernier mot à dire ?

— OUI. JE NE VEUX PAS M'EN ALLER.

— Bon. C'est bref, en tout cas. »

Pierre Porte fut surpris de voir qu'elle cherchait à lui prendre la main.

Au-dessus de sa tête, les aiguilles de minuit se chevauchèrent. L'horloge émit un bourdonnement. La porte s'ouvrit. Les automates sortirent au pas. Ils s'arrêtèrent dans un cliquetis de chaque côté de la cloche des heures, se saluèrent et levèrent leurs marteaux.

Dong.

On entendit alors un cheval s'approcher au trot. Mademoiselle Trottemenu aperçut des taches bleues et violettes à la limite de son champ de vision, comme des éclairs d'images résiduelles sans images préalables.

En tournant brusquement la tête et en regardant du coin de l'œil, elle distinguait de petites formes vêtues de gris qui voltigeaient autour des murs.

Les revenueurs, se dit-elle. Ils viennent vérifier que tout se passe comme il faut.

« Pierre ? » fit-elle.

Il referma le poing sur le sablier doré.

« C'EST PARTI. »

Le bruit des sabots s'enfla et rebondit en écho sur les bâtiments derrière eux.

« SOUVENEZ-VOUS : VOUS NE COUREZ AUCUN DANGER. »

Pierre Porte recula dans l'obscurité.

Puis il réapparut un bref instant.

« EN PRINCIPE », ajouta-t-il avant de réintégrer les ténèbres.

Mademoiselle Trottemenu s'assit sur les marches du beffroi et berça le corps de la fillette étendu en travers de ses genoux.

« Pierre ? » hasarda-t-elle.

Une silhouette à cheval pénétra sur la place.

C'était bel et bien un squelette de cheval. Des flammes bleues crépitèrent sur ses os lorsqu'il s'avança au trot ; mademoiselle Trottemenu se surprit à se demander s'il s'agissait d'un vrai squelette, animé d'une façon ou d'une autre, l'ancienne structure interne d'un cheval, ou d'une créature qui se présentait naturellement sous forme de squelette. Des réflexions ridicules à se faire, mais elle préférait ça plutôt que s'attarder sur l'horrible réalité qui s'approchait.

On le bouchonnait ou on l'astiquait ?

Le cavalier mit pied à terre. Il était beaucoup plus grand que Pierre Porte, mais les ténèbres de sa robe dissimulaient le moindre détail. Il tenait un objet qui n'était pas exactement une faux mais qui en avait sans doute compté une parmi ses ancêtres, de la même manière qu'un instrument chirurgical, même le plus astucieusement conçu, compte un bout de bois quelque part dans son arbre généalogique. Ça n'avait qu'un lointain rapport avec le moindre outil ayant jamais tâté de la paille.

La silhouette vint à grands pas vers mademoiselle Trottemenu, la faux sur l'épaule, et s'arrêta.

« *Où est-il ?*

— Vois pas de qui vous parlez, répondit mademoiselle Trottemenu. Et à votre place, jeune homme, je donnerais à manger à mon cheval. »

La silhouette eut visiblement du mal à digérer l'information, mais finit par arriver à une conclusion, sembla-t-il. Elle se retira la faux de l'épaule et baissa le regard sur la fillette.

« *Je le trouverai. Mais d'abord…* »

Elle se raidit.

Une voix dans son dos ordonna :

« LÂCHE TA FAUX ET RETOURNE-TOI LENTEMENT. »

Quelque chose à l'intérieur de la ville, songeait Vindelle. Les villes se développent, pleines de monde, mais elles sont aussi pleines de commerces, de boutiques, de religions et…

C'est idiot, se dit-il. Ce ne sont que des choses. Ça ne vit pas.

Peut-être que la vie, ça s'acquiert.

Des parasites et des prédateurs, mais différents de ceux qui s'attaquent aux animaux et aux végétaux. Comme une forme de vie, grosse, lente, métaphorique, tirant sa subsistance des villes. Mais ça incube dans les cités, comme un… Comment ça s'appelle, déjà ? Une espèce d'insecte… Un nique-le-monde, un nom dans ce goût-là. Il se souvenait à présent – d'ailleurs il se souvenait de tout – avoir lu quelque chose durant ses années d'études sur des êtres qui pondaient leurs œufs dans l'organisme des autres. À la suite de quoi, pendant plusieurs mois, il avait refusé de manger des omelettes et du caviar, au cas où.

Et les œufs, ils… ils ressemblent à la ville, d'une certaine manière, si bien que les habitants les ramènent chez eux. Comme des œufs de coucou.

Je me demande combien de cités sont mortes par le passé ? Encerclées de parasites, comme un récif corallien entouré d'étoiles de mer. Elles se sont vidées, elles ont perdu l'âme qu'elles possédaient peut-être.

Il se leva.

« Où est parti tout le monde, bibliothécaire ?

— Oook, oook.

— C'est tout eux, ça. J'aurais fait pareil. Ils foncent sans réfléchir. Que les dieux les gardent et leur viennent en aide, si leurs sempiternelles chamailleries familiales leur en laissent le temps. »

Puis il se dit : Bon, et après ? J'ai réfléchi, et je vais faire quoi ?

Foncer, évidemment. Mais lentement.

On ne voyait plus le cœur du tas de chariots. Il se passait quelque chose. Une lueur bleu pâle flottait au-dessus de l'immense pyramide de métal tordu, et de temps en temps des éclairs fusaient au fin fond de l'enchevêtrement. D'autres engins s'écrasaient sur l'amas comme des astéroïdes s'agglutinant autour du noyau d'une nouvelle planète, mais certains se comportaient autrement.

Ils filaient vers des tunnels qui s'étaient ouverts dans la structure et disparaissaient en son sein chatoyant.

Il y eut alors un mouvement au sommet de la montagne et quelque chose se fraya un passage à travers le métal : une pointe luisante supportant un globe d'environ deux mètres de diamètre. Rien ne se produisit pendant une minute ou deux puis, alors que la brise le séchait, le globe se fendit et se désagrégea.

De petites feuilles blanches cascadèrent puis, emportées par le vent, arrosèrent Ankh-Morpork et la foule de badauds.

L'une d'elles descendit tranquillement en zigzag entre les toits et atterrit aux pieds de Vindelle Pounze qui sortait de la bibliothèque de son pas titubant.

Elle était encore humide, et on y avait écrit quelques mots. Enfin, écrit, c'est vite dit. Ça ressemblait aux curieuses inscriptions organiques des boules remplies de flocons de neige, des mots tracés par une main qui les maîtrisait mal :

soldes! soldes!! soldes!!!
dès demain!!!

Vindelle atteignit les portes de l'Université. Des flots de gens défilaient devant.

L'ex-mage connaissait bien ses concitoyens. Prêts à courir au spectacle de n'importe quoi. Incapables de résister au moindre mot suivi de plus d'un point d'exclamation.

Il sentit qu'on le regardait et se retourna. Un chariot l'observait depuis une ruelle ; l'engin recula et fila dans un sifflement.

« Qu'est-ce qui se passe, monsieur Pounze ? » demanda Ludmilla.

Il y avait quelque chose d'irréel dans l'expression des passants. Une expression inflexible de jouissance anticipée. Et les sens de Vindelle gémissaient comme une dynamo.

Lupin bondit vers un bout de papier à la dérive et le lui rapporta.

rabais à tout casser!!!!!

Vindelle secoua tristement la tête. Cinq points d'exclamation, la marque indéniable d'un esprit dérangé.

Il entendit alors la musique.

Lupin s'assit sur son derrière et se mit à hurler.

Dans la cave sous la maison de madame Cake, Crapahut le croque-mitaine marqua un temps au milieu de son troisième rat et tendit l'oreille.

Puis il termina son repas et tendit la main vers sa porte.

Le comte Arthur Clindieux Nosferoutard travaillait à la crypte.

Personnellement, il aurait pu vivre – ou revivre, ou mort-vivre, ou ce qu'on voulait – sans crypte. Mais il fallait avoir une crypte. Dorine avait été catégorique là-dessus. Ça faisait chic, disait-elle. Il fallait avoir une crypte *et* un caveau, sinon la société des vampires vous traitait par-dessous la dent.

On ne vous parle jamais de ces détails quand vous vous lancez dans le vampirisme. On ne vous dit jamais de construire votre propre crypte en bois de charpente minable de chez « Crayeux le Troll, fournitures en gros pour le bâtiment ». Ce genre de corvée n'échoit pas à la plupart des vampires, songeait Arthur. Pas aux vrais vampires. Tenez, le comte Jugulaire, par exemple. Un aristo comme lui aurait un larbin qui s'en chargerait. Admettons que les villageois viennent lui brûler son château, on voit mal le comte débouler lui-même à l'entrée pour manœuvrer le pont-levis. Oh, non. Il se contenterait de dire : « Igor… (ce pourrait être le nom du larbin) Igor, réglez-moi la guestion illigo bresto ! »

Huh. Ils avaient mis une annonce à l'agence morporkienne pour l'emploi de monsieur Chipot, ça faisait déjà plusieurs mois. Le lit, trois repas par jour et une bosse, au besoin. Sans résultat, même pas une demande d'entretien. Et on disait qu'il y avait du chômage partout. De quoi attraper un coup de sang.

Il saisit un autre morceau de bois et le mesura en grimaçant tandis qu'il dépliait son mètre.

Le dos d'Arthur le faisait souffrir depuis qu'il avait creusé les douves. Une autre corvée dont le vampire de la haute n'avait pas à se soucier. Les douves, ça participait de la fonction, comme qui dirait. Et chez les autres vampires, elles faisaient tout le tour de la maison, parce qu'ils n'avaient pas la rue en façade, la vieille Lagrainche toujours à se plaindre d'un côté, et de l'autre une famille de trolls à laquelle Dorine n'adressait pas la parole ; ils ne se retrouvaient pas avec un fossé qui traversait seulement la cour de derrière. Arthur n'arrêtait pas de tomber dedans.

Et puis il y avait cette coutume de mordre le cou des jeunes femmes. Ou plutôt il n'y avait pas. Arthur était toujours disposé à partager le point de vue d'autrui, mais il était sûr que les jeunes femmes jouaient un rôle dans le vampirisme, quoi qu'en dise Dorine. Dans des peignes noirs diaphanes. Arthur ne savait pas trop à quoi ressemblait un peigne noir diaphane, mais il avait lu quelque chose là-dessus et s'était dit qu'il aimerait bien en voir un avant de mourir… si mourir était le terme adéquat…

Et les autres vampires ne retrouvent pas brusquement leur femme affublée d'un accent ridicule. Pour la bonne raison que les vampires naturels parlent déjà comme ça.

Arthur soupira.

Ce n'était pas une vie – ou une demi-vie, ou une après-vie, enfin bref – que celle de marchand de gros en fruits et légumes petit-bourgeois élevé au rang d'aristocrate.

Puis la musique filtra par le trou dans le mur qu'il avait creusé pour y installer la fenêtre munie de barreaux.

« Aïe, fit-il avant de s'étreindre la mâchoire. Dorine ? »

Raymond Soulier tapa du pied sur son estrade portable.

« … Et je vais vous dire, pas question de s'allonger et de se laisser pousser l'herbe sur la tête, beugla-t-il. Je vous entends déjà me demander à corps et à cri mon plan en sept points pour l'égalité des chances avec les vivants, hein ? »

Le vent souffla les herbes sèches du cimetière. Le seul être à prêter apparemment quelque attention à Raymond, c'était un corbeau solitaire.

Raymond Soulier haussa les épaules et baissa la voix. « Vous pourriez au moins faire un petit effort, dit-il à l'autre monde dans son ensemble. Je suis là, à me décarcasser jusqu'à l'os… (il ouvrit et ferma les mains pour le prouver) et je n'entends pas le moindre remerciement. »

Il marqua un temps, au cas où.

Le corbeau, un des spécimens gros et gras à l'excès qui infestaient les toits de l'Université, pencha la tête de côté et posa sur Raymond Soulier un regard songeur.

« Vous savez, fit l'orateur, des fois, j'ai envie de tout laisser tomber… »

Le corbeau se racla la gorge. Raymond Soulier se retourna aussitôt.

« Toi, tu dis un seul mot, fit-il, un seul putain de mot… »

C'est alors qu'il entendit la musique.

Ludmilla se risqua a décoller les mains de ses oreilles.

« C'est horrible ! Qu'est-ce que c'est, monsieur Pounze ? »

Vindelle s'efforçait d'enfoncer ce qu'il restait de son chapeau sur les siennes, d'oreilles.

« Aucune idée, répondit-il. Ça pourrait être de la musique. Pour celui qui n'en a jamais entendu. »

Il n'y avait pas de notes. Seulement des bruits qui

voulaient peut-être passer pour des notes et qu'on avait enfilés comme on dessinerait la carte d'un pays qu'on n'a jamais vu.

Hnyip. Ynyip. Hwyomp.

« Ça vient d'en dehors de la ville, dit Ludmilla. Là où... tout le monde... se rend... Ils ne peuvent pas aimer ça, tout de même ?

— Je vois mal pourquoi ils devraient aimer ça, fit Vindelle.

— C'est que... Vous vous rappelez les ennuis qu'on a eus avec les rats, l'année dernière ? L'homme qui prétendait jouer d'une flûte dont uniquement les rats entendaient la musique ?

— Oui, mais ça n'était pas tout à fait vrai, c'était un imposteur, le Fabuleux Maurice et ses Rongeurs Savants...

— Mais imaginez que ce soit vrai quand même ? »

Vindelle secoua la tête.

« De la musique pour attirer les gens ? C'est là que vous voulez en venir ? Mais c'est faux. Nous, ça ne nous attire pas. Ce serait plutôt l'inverse, moi je vous le dis.

— Oui, mais vous n'êtes pas exactement... humain, fit observer Ludmilla. Et... » Elle s'arrêta et rougit.

Vindelle lui tapota l'épaule.

« Très juste. Très juste. » Ce fut tout ce qu'il trouva à dire.

« Vous savez, n'est-ce pas ? demanda-t-elle les yeux baissés.

— Oui. À mon avis, il n'y a pas de quoi avoir honte, si ça peut vous aider.

— Maman dit que ce serait affreux si on l'apprenait !

— Tout dépend de qui l'apprend, sûrement, fit Vindelle en lançant un coup d'œil à Lupin.

— Pourquoi est-ce que votre chien me regarde comme ça ? demanda Ludmilla.

— Il est très intelligent », répondit Vindelle.

Il fouilla dans sa poche, en déversa deux poignées de terre et dénicha son agenda. Vingt jours avant la prochaine pleine lune. Ça valait quand même le coup d'attendre.

Les débris métalliques commencèrent à s'effondrer du monceau. Des chariots vrombissaient tout autour, et une foule de Morporkiens debout en cercle s'efforçaient de percer du regard l'intérieur de l'enchevêtrement. La musique peu mélodieuse emplissait l'espace.

« Voilà monsieur Planteur, dit Ludmilla tandis qu'ils se frayaient un chemin dans la cohue docile.

— Il vend quoi, cette fois ?

— Je ne crois pas qu'il cherche à vendre quoi que ce soit, monsieur Pounze.

— Ça va si mal que ça ? Alors, la situation est sûrement grave. »

De la lumière bleue s'échappait d'un des trous dans le tas. Des bouts de chariot brisé tombèrent par terre en tintant comme des feuilles de métal.

Vindelle se pencha avec raideur et ramassa un chapeau pointu. Un chapeau cabossé, écrasé par les roues d'un grand nombre de chariots, mais dans lequel on reconnaissait encore un objet qui normalement aurait dû coiffer une tête.

« Il y a des mages là-dedans », dit-il.

Une lumière argentée miroitait sur le métal. Elle se déplaçait comme de l'huile. Vindelle avança la main et une grosse étincelle bondit pour se mettre à la masse sur ses doigts.

« Hmm, fit-il. Beaucoup d'énergie, en plus… »

Il entendit alors le cri des vampires.

« You-hou, monsieur Pounze ! »

Il se retourna. Les Nosferoutard lui fonçaient dessus.

« On aurait pu… pardon, on aurait bu venir beaugoup plous tôt, seulement…

— … J'arrivais pas à trouver ce foutu bouton de col », marmonna Arthur, l'air en nage et agité. Il portait un chapeau claque, malheureusement plus claque que chapeau, si bien qu'il donnait l'impression de regarder le monde de sous un concertina.

« Oh, salut », fit Vindelle. Il trouvait horriblement fascinante l'ardeur des Clindieux à se conformer fidèlement à l'image du vampirisme.

« Et gui est la cheune tame ? demanda Dorine en offrant un visage rayonnant à Ludmilla.

— Pardon ? fit Vindelle.

— Guoi ?

— Dorine… enfin, la comtesse, veut savoir qui c'est, expliqua Arthur d'un air las.

— Moi, j'ai compris c'que j'ai dit, lança sèchement Dorine du ton plus normal d'une femme née puis éduquée à Ankh-Morpork plutôt que dans une forteresse transylvanienne. Franchement, si j'te laissais faire, on aurait aucune classe…

— Je m'appelle Ludmilla, se présenta la fille de madame Cake.

— Enchantée, dit gracieusement la comtesse Nosferoutard en tendant une main rose et potelée à défaut d'être pâle et fine. Touchours un blaisir de voir du sang neuf. Si un biscuit bour chien ça vous dit guand vous bassez dans le guartier, notre porte est touchours ouferte. »

Ludmilla se tourna vers Vindelle Pounze.

« Ce n'est pas écrit sur ma figure, tout de même ? fit-elle.

— Ceux-là, ce sont des gens d'un genre spécial, répondit Vindelle avec douceur.

— C'est ce qui me semble, dit Ludmilla d'un ton égal. Je n'en connais pas beaucoup qui portent tout le temps un chapeau claque.

— Faut avoir la cape, dit le comte Arthur. Pour les ailes, vous comprenez. Comme… »

Il déploya la cape d'un geste théâtral. Il y eut une brève implosion, et une petite chauve-souris grassouillette apparut en l'air.

Elle baissa la tête, poussa un cri aigu de colère et tomba en piqué jusque par terre. Dorine la ramassa par les pattes et l'épousseta.

« Ce qui m'embête le plus, c'est d'avoir à dormir toute la nuit la fenêtre ouverte, dit-elle distraitement. J'aimerais bien qu'on arrête cette musique ! Ça me donne mal au crâne. »

Il y eut un autre *whoumph.* Arthur réapparut la tête en bas et atterrit dessus.

« C'est la hauteur de chute, voyez, expliqua Dorine. Comme une course d'élan, si vous voulez. S'il se lance pas d'au moins un étage, il trouve pas la bonne vitesse relative.

— J'arrive pas à trouver la bonne vitesse relative, fit Arthur en se remettant péniblement debout.

— Excusez-moi, dit Vindelle. La musique ne vous fait rien ?

— Ça m'agace les dents, voilà ce que ça m'fait, répondit Arthur. Et c'est plutôt gênant pour un vampire, vous vous en doutez.

— D'après monsieur Pounze, ça fait quelque chose aux gens, dit Ludmilla.

— Ça agace les dents de tout le monde ? » demanda Arthur.

Vindelle regarda la foule. Personne ne prêtait attention aux sociétaires du Nouveau Départ.

« On dirait qu'ils attendent quelque chose, fit Dorine. Guelgue chose, je veux dire.

— Ça fait peur, s'inquiéta Ludmilla.

— Y a pas d'mal à faire peur, répliqua Dorine. Nous aussi, on fait peur.

— Monsieur Pounze veut qu'on entre à l'intérieur du tas, dit Ludmilla.

— Bonne idée, approuva Arthur. Faut qu'on arrête cette putain de musique.

— Mais vous risquez de vous faire tuer ! » s'exclama Ludmilla.

Vindelle claqua des mains et se les frotta d'un air songeur.

« Ah, fit-il, c'est là qu'on dispose d'un avantage. »

Il s'avança dans la lueur.

Il n'avait jamais vu de lumière aussi éclatante. On aurait dit qu'elle sortait de partout, qu'elle traquait la moindre trace d'ombre et l'éradiquait sans pitié. Elle était beaucoup plus brillante que la lumière du jour sans avoir aucun rapport avec elle, et luisait d'un reflet bleu qui sectionnait la vision comme une lame de couteau.

« Ça va, comte ? demanda-t-il.

— Ça va, ça va », répondit Arthur.

Lupin grogna.

Ludmilla tira sur des bouts de métal emmêlés.

« Il y a quelque chose là-dessous, vous savez. On dirait… du marbre. Du marbre orange. » Elle passa la main dessus. « Mais chaud. Le marbre, ça ne devrait pas être chaud, dites ?

— Ça peut pas être du marbre. Dans le monde entier, y a pas autant de marbre que ça … gue ça, fit Dorine. On a voulu en trouver pour le caveau… (elle goûta la sonorité du mot et jugea que ça ne valait pas le coup de le rectifier) le caveau, oui. Ces nains, faudrait les zigouiller, ils sont hors de prix. Une honte.

— Je ne crois pas que les nains ont construit ça », dit Vindelle. Il s'agenouilla maladroitement afin d'examiner le sol.

« Ça m'étonnerait de ces petits cons de feignants. Ils nous demandaient pas loin de soixante-dix piastres pour notre caveau. Pas vrai, Arthur ?

— Pas loin de soixante-dix piastres, confirma Arthur.

— Je ne crois pas que quelqu'un a construit ça », dit Vindelle. Des fissures. Il devrait y avoir des fissures, songea-t-il. Des bords, des choses comme ça, là où les dalles se joignent. Ça ne devrait pas être d'un seul tenant. Ni un peu gluant.

« Alors Arthur l'a fait lui-même.

— Je l'ai fait moi-même. »

Ah. Un bord. Enfin, pas exactement un bord. Le marbre s'éclaircissait, comme une fenêtre, et donnait sur un autre espace très éclairé. Vindelle vit des choses à l'intérieur, indistinctes et l'air informes, mais aucun moyen d'y accéder.

Le bavardage des Clindieux lui passa au-dessus de la tête tandis qu'il s'avançait à quatre pattes.

« … plutôt une cavette, en vérité. Mais il a fait un local

souterrain, même s'il faut sortir dans le couloir pour bien fermer la porte... »

La noblesse recouvre des tas d'interprétations, songea Vindelle. Pour certains, c'est ne pas être vampire. Pour d'autres, exposer au mur une série de chauves-souris en plâtre.

Il fit courir ses doigts sur la substance claire. Le monde d'ici était tout en rectangles. Il y avait des encoignures, et le couloir était bordé de chaque côté de panneaux transparents. Quant à la non-musique, elle ne s'arrêtait pas.

Ça ne pouvait pas être vivant, tout de même ? La vie, c'était... plus arrondi.

« Qu'est-ce que vous en dites, Lupin ? » demanda-t-il.

Lupin aboya.

« Hmm. Ça ne m'aide pas beaucoup. »

Ludmilla s'agenouilla aussi et posa la main sur l'épaule de Vindelle.

« Comment ça, personne ne l'a construit ? » fit-elle.

Vindelle se gratta la tête.

« Je ne suis pas sûr... mais je crois, peut-être, que ç'a été sécrété...

— Sécrété ? À partir de quoi ? *Par* quoi ? »

Ils levèrent la tête. Un chariot jaillit en vrombissant d'un couloir transversal et fila en dérapant dans un autre en face.

« Par eux ? fit Ludmilla.

— Je ne crois pas. À mon avis, ce sont plutôt des serviteurs. Comme des fourmis. Des abeilles dans une ruche, peut-être.

— Et c'est quoi, le miel ?

— Pas très sûr. Mais il n'est pas encore prêt. Je n'ai pas l'impression que ce soit terminé. Qu'on ne touche à rien ! »

Ils reprirent leur progression. Le couloir déboucha dans un large espace lumineux sous un dôme. Des escaliers montaient et descendaient vers d'autres niveaux. On y voyait une fontaine et un bouquet de plantes en pots manifestement en trop bonne santé pour être vraies.

« Comme c'est beau ! fit Dorine.

— Vous continuez de penser qu'il devrait y avoir des gens, dit Ludmilla. Des tas de gens.

— Il devrait au moins y avoir des mages, marmonna Vindelle. Une demi-douzaine de mages, ça ne disparaît pas comme ça. »

Les cinq compagnons se rapprochèrent les uns des autres. Les couloirs comme celui qu'ils venaient d'emprunter auraient permis le passage de deux éléphants marchant de front.

« Vous croyez pas que ce serait une bonne idée de retourner dehors ? fit Dorine.

— Ça nous avancerait à quoi ? répliqua Vindelle.

— Ben, ça nous sortirait d'ici. »

Vindelle tourna sur lui-même en comptant. Cinq couloirs rayonnaient à égale distance les uns des autres à partir de l'espace sous le dôme.

« Et c'est sans doute la même chose au-dessus et en dessous, dit-il tout haut.

— C'est très propre, ici, constata nerveusement Dorine. Pas vrai que c'est propre, Arthur ?

— C'est très propre.

— C'est quoi, ce bruit ? demanda Ludmilla.

— Quel bruit ?

— Ce bruit, là. Comme quelqu'un qui suce quelque chose. »

Arthur regarda autour de lui avec un certain intérêt.

« C'est pas moi.

— C'est l'escalier, dit Vindelle.

— Racontez pas de bêtises, monsieur Pounze. Les escaliers, ça suce pas. »

Vindelle baissa la tête.

« Celui-là, si. »

Il était noir et donnait l'impression d'une rivière en pente. À mesure que la matière sombre sortait du niveau inférieur, elle se repliait pour former ce qui ressemblait à des marches, lesquelles remontaient la pente pour disparaître à nouveau quelque part sous le niveau supérieur. Au moment où elles émergeaient, les marches produisaient un bruit lent et rythmé, *slurp*, *slurp*, comme on explorerait une cavité dentaire particulièrement agaçante.

« Vous savez quoi ? fit Ludmilla. Je n'ai sans doute jamais rien vu de plus déplaisant.

— Moi, j'ai vu pire, dit Vindelle. Mais ça, c'est déjà pas mal. On monte ou on descend ?

— Vous voulez grimper là-dessus ?

— Non. Mais les mages ne sont pas à ce niveau, et c'est ça ou se laisser glisser sur la rampe. Vous l'avez regardée de près, la rampe ? »

Ils regardèrent la rampe.

« Je crois, fit nerveusement Dorine, que c'est mieux pour nous de descendre. »

Ils descendirent en silence. Arthur se cassa la figure là où les marches mobiles étaient à nouveau aspirées dans le sol.

« J'ai eu l'impression horrible que ça allait m'entraîner par en dessous », s'excusa-t-il avant de jeter un regard à la ronde.

« C'est grand, conclut-il. Spacieux. Je pourrais faire des prodiges ici avec de la tapisserie imitation muraille. »

Ludmilla s'avança nonchalamment jusqu'au mur le plus proche. « Vous savez, dit-elle, je n'ai jamais vu autant de verre, mais ces zones transparentes ressemblent un peu à des boutiques. Vous trouvez ça logique ? Un grand magasin plein de magasins ?

— Et pas encore en fonction, fit Vindelle.

— Pardon ?

— Je réfléchissais tout haut. La marchandise, vous voyez ce que c'est ? »

Ludmilla se mit une main en visière au-dessus des yeux.

« Que de la couleur et du brillant, on dirait.

— Prévenez-moi si vous voyez un mage. »

Quelqu'un hurla.

« Ou si vous en entendez un, par exemple », ajouta Vindelle. Lupin bondit dans un couloir. Vindelle tituba aussitôt à ses trousses.

Une silhouette sur le dos tentait désespérément de

repousser deux chariots. Des chariots plus grands que les modèles habituels, et qui brillaient d'un éclat doré.

« Hé ! » brailla Vindelle.

Les chariots cessèrent de vouloir encorner la silhouette prostrée pour effectuer un demi-tour en trois manœuvres dans sa direction.

« Oh », fit-il alors que les engins prenaient de la vitesse.

Le premier esquiva les mâchoires de Lupin et emboutit les genoux de Vindelle qui tomba cul par-dessus tête. Au moment où le deuxième lui passait dessus, l'ex-mage leva violemment la main, empoigna le métal au hasard et tira de toutes ses forces. Une roue se détacha en tournant, et le chariot fit un tonneau jusque dans le mur.

Tant bien que mal, Pounze se releva à temps pour voir Arthur farouchement accroché au guidon de l'autre chariot ; homme et engin virevoltaient en ronflant dans une folle valse centrifuge.

« Lâche-le ! Lâche-le ! braillait Dorine.

— J'peux pas ! J'peux pas !

— Ben, fais quelque chose ! »

Il y eut un bruit sec de déplacement d'air. Brusquement, le chariot ne se débattait plus contre le poids d'un grossiste en fruits et légumes dans la force de l'âge mais seulement contre une petite chauve-souris terrifiée. Il fusa dans un pilier de marbre, rebondit, percuta un mur et atterrit sur le dos, les roues tournant dans le vide.

« Les roulettes ! s'écria Ludmilla. Arrachez les roulettes !

— J'y vais, dit Vindelle. Vous, allez aider Raymond.

— C'est Raymond là-bas ? » fit Dorine.

Vindelle désigna d'un coup de pouce un mur plus loin. Les mots *Mieux vaut tard que jam* s'achevaient dans une traînée désespérée de peinture.

« Montrez-lui un mur et un pot de peinture, et il sait plus dans quel monde il vit, fit Dorine.

— Son choix se limite à deux, dit Vindelle en jetant les roues de chariot par terre. Lupin, faites le guet au cas où il en viendrait d'autres. »

Il avait trouvé les roues aussi effilées que des lames de patins à glace. Il se sentait carrément en lambeaux dans la région des genoux. Bon, comment ça marchait, la cicatrisation ?

On aida Raymond Soulier à se redresser sur son séant.

« Qu'est-ce qui se passe ? demanda-t-il. Personne d'autre ne venait, alors je suis descendu chercher d'où sortait la musique, et ensuite, il y a ces roues... »

Le comte Arthur reprit sa forme approximativement humaine, regarda fièrement autour de lui, s'aperçut qu'il n'intéressait personne et s'affaissa.

« Ils ont l'air beaucoup plus coriaces que les autres, dit Ludmilla. Plus gros, plus mauvais, hérissés de bords tranchants.

— Des soldats, fit Vindelle. On a vu les ouvriers. Maintenant, les soldats. Tout comme les fourmis.

— J'avais ce qu'on appelait une ferme à fourmis quand j'étais gamin, dit Arthur qui avait atterri plutôt lourdement et avait encore un peu de mal à réintégrer la réalité.

— Un moment, fit Ludmilla. Je connais les fourmis. On en a dans l'arrière-cour. S'il y a des ouvriers et des soldats, alors il y a aussi...

— Je sais. Je sais, dit Vindelle.

— ... remarquez, on appelait ça une ferme, mais j'les ai jamais vues cultiver quoi qu'ce soit... »

Ludmilla s'adossa au mur.

« Ça doit être quelque part tout près, dit-elle.

— C'est ce que je pense, fit Vindelle.

— À quoi ça ressemble, d'après vous ?

— ... ce qu'y faut, c'est avoir deux morceaux de verre et quelques fourmis...

— Je ne sais pas. Comment je saurais ? Mais les mages ne seront pas loin.

— Je ne vois pas pourguoi vous vous inguiétez pour eux, dit Dorine. Ils vous ont enterré vivant uniguement parce gue vous étiez mort. »

Vindelle leva la tête en entendant des roulettes. Une

douzaine de chariots soldats tournèrent à l'angle et s'arrêtèrent en formation.

« Ils croyaient bien faire, dit Vindelle. Ça se passe souvent comme ça. C'est incroyable tout ce qui peut paraître une bonne idée sur le moment. »

La nouvelle Mort se redressa.

« *Sinon ?*

— AH. EUH… »

Pierre Porte recula, se retourna et prit ses jambes à son cou.

Il ne faisait que différer l'inévitable, il était merveilleusement bien placé pour le savoir. Mais la vie, ça revenait à ça, non ?

Personne ne s'était jamais sauvé une fois mort. Beaucoup avaient essayé avant, souvent avec une grande ingéniosité. Mais la réaction normale d'un esprit brusquement jeté d'un monde dans l'autre est d'attendre avec bon espoir. Pourquoi fuir, après tout ? Comme si on savait vers quoi on fuyait.

Le fantôme Pierre Porte savait, lui, vers où il fuyait.

L'atelier d'Édouard Bottereau était verrouillé pour la nuit, mais ça ne posait pas de problème. Ni vivant ni mort, l'esprit de Pierre Porte plongea à travers le mur.

Le feu produisait une lueur à peine visible, nichée dans la forge. Le local baignait dans une chaude obscurité.

Il y manquait le fantôme d'une faux.

Pierre Porte regarda fiévreusement autour de lui.

« COUIII ? »

Une petite silhouette en robe noire se tenait assise sur une poutre au-dessus de sa tête. Elle gesticula frénétiquement en direction de l'angle.

Il vit un manche sombre dépasser du tas de bois d'œuvre. Il essaya de tirer dessus avec des doigts désormais aussi solides qu'une ombre.

« IL A DIT QU'IL ALLAIT ME LA DÉTRUIRE ! »

La Mort aux Rats haussa les épaules en manière de sympathie.

La nouvelle Mort passa à travers le mur, la faux tenue à deux mains.

L'être avança sur Pierre Porte.

Il y eut un bruissement. Les robes grises pleuvaient dans la forge.

Pierre Porte sourit de terreur.

La nouvelle Mort s'arrêta et prit une pose théâtrale à la lueur de la forge.

Puis donna un coup de sa faux.

Et faillit perdre l'équilibre.

« *Tu n'as pas le droit de te baisser !* »

Pierre Porte replongea à travers le mur et traversa la place comme un fou, crâne baissé, sans que ses pieds spectraux fassent le moindre bruit sur les pavés. Il rejoignit le petit groupe près du beffroi.

« À CHEVAL ! ALLEZ-VOUS-EN !

— Qu'est-ce qui se passe ? Qu'est-ce qui se passe ?

— ÇA N'A PAS MARCHÉ ! »

Mademoiselle Trottemenu lui lança un coup d'œil paniqué mais posa la fillette inconsciente sur Bigadin et grimpa à sa suite. Puis Pierre Porte donna une grande claque sur le flanc du cheval. Cette fois au moins, il y eut contact – Bigadin existait dans tous les mondes.

« ALLEZ ! »

Sans un regard à la ronde, il fonça comme une flèche sur la route qui montait à la ferme.

Une arme !

Quelque chose qu'il puisse tenir !

La seule arme dans le monde des morts vivants se trouvait entre les mains de la nouvelle Mort.

Tandis qu'il courait, Pierre Porte eut conscience d'un léger cliquetis très aigu. Il baissa les yeux. La Mort aux Rats cavalait à la même allure que lui.

Le rongeur lui lança un couinement d'encouragement.

Pierre franchit le portail de la ferme en dérapant et se jeta contre le mur.

Au loin grondait l'orage. À part ça, le silence.

Il se détendit un peu et se glissa prudemment le long de la paroi vers l'arrière de la ferme.

Il entrevit fugitivement un objet métallique. Appuyée contre le mur, là où les hommes du village l'avaient posée en le ramenant à la ferme, il y avait sa faux ; non pas celle qu'il avait minutieusement préparée, mais celle dont il s'était servi pour la moisson. Elle ne devait son tranchant qu'à la pierre à aiguiser et à la caresse des tiges végétales, mais c'était une forme familière et il voulut la saisir d'une main hésitante. Une main qui passa carrément au travers.

« *Plus tu fuis loin, plus tu te rapproches.* »

La nouvelle Mort sortit sans se presser de l'ombre.

« *Tu devrais le savoir.* »

Pierre Porte se redressa.

« *Ça va nous plaire.*

— NOUS PLAIRE ? »

La nouvelle Mort avança. Pierre Porte recula.

« *Oui. Prendre une Mort, c'est comme mettre un terme à un milliard de vies mineures.*

— DE VIES MINEURES ? CE N'EST PAS UN JEU ! »

La nouvelle Mort hésita. « *Qu'est-ce que c'est, un jeu ?* »

Pierre Porte entrevit une toute petite lueur d'espoir.

« JE PEUX VOUS MONTRER… »

L'extrémité du manche de la faux l'atteignit sous le menton et le catapulta contre le mur, où il glissa jusqu'à terre.

« *Nous devinons une ruse. Nous n'écoutons pas. Le faucheur n'écoute pas la moisson.* »

Pierre Porte essaya de se relever.

Le manche de la faux le frappa une fois encore.

« *Nous ne commettrons pas les mêmes erreurs.* »

Pierre Porte leva la tête. La nouvelle Mort tenait le sablier doré ; l'ampoule supérieure était vide. Autour d'eux, le décor se modifia, rougit, prit peu à peu l'apparence irréelle de la réalité vue depuis l'autre côté…

« *Ton temps est écoulé, monsieur Pierre Porte.* » La nouvelle Mort releva son capuchon.

Aucun visage en dessous. Pas même un crâne. De la fumée s'enroulait en volutes informes entre la robe et une couronne dorée.

Pierre Porte se redressa sur les coudes.

« UNE COURONNE ? » Sa voix tremblait de rage. « JE N'AI JAMAIS PORTÉ DE COURONNE, MOI !

— *Tu n'as jamais voulu régner.* »

La Mort ramena la faux en arrière pour frapper une dernière fois.

L'ancienne Mort et la nouvelle s'aperçurent alors que le sifflement du temps qui passait ne s'était pas arrêté, en fin de compte.

La nouvelle Mort hésita et sortit le sablier doré.

Lui donna une secousse.

Pierre Porte étudia le visage sans visage sous la couronne. Il y reconnut une expression de perplexité, malgré l'absence de physionomie pour l'afficher ; l'expression flottait toute seule dans l'espace.

Il vit la couronne se tourner.

Mademoiselle Trottemenu était là, les mains écartées d'une trentaine de centimètres l'une de l'autre et les yeux fermés. Entre ses paumes, en l'air devant elle, flottaient les contours imprécis d'un sablier dont le sable s'écoulait à torrents.

Les Morts distinguèrent avec peine, sur le verre, le nom en caractères tremblés : Rénata Trottemenu.

L'expression sans traits de la nouvelle Mort traduisait l'embarras en phase terminale. L'être se retourna vers Pierre Porte.

« *Pour TOI ?* »

Mais déjà Pierre Porte se relevait et se déployait comme le courroux des rois. Il tendit les bras derrière lui en grondant, vivant sur du temps d'emprunt, et ses mains se refermèrent autour de la faux pour la moisson.

La Mort couronnée vit arriver l'arme et leva la sienne, mais rien au monde n'aurait pu arrêter la lame usée lorsqu'elle fendit l'air en grondant, une lame dont la rage et la soif de vengeance affûtaient le fil au-delà de toute définition. Elle traversa le métal sans même ralentir.

« PAS DE COURONNE, dit Pierre Porte en regardant droit dans la fumée. PAS DE COURONNE. SEULEMENT LA MOISSON. »

La robe se replia sur sa lame. Il entendit une plainte ténue monter dans l'ultrason. Une colonne noire, comme le négatif d'un éclair, fulgura depuis le sol et disparut dans les nuages.

La Mort attendit un moment, puis poussa timidement la robe du pied. La couronne, légèrement déformée, s'en échappa et roula plus loin avant de s'évaporer.

« OH, fit-il dédaigneusement. DU THÉÂTRAL. »

Il rejoignit mademoiselle Trottemenu et lui rapprocha doucement les mains. L'image du sablier s'évanouit. Le brouillard bleu et violet à la limite de la vision s'estompa à mesure que la réalité solide revenait à flots.

Plus bas, au village, l'horloge sonna le dernier coup de minuit.

La vieille femme frissonnait. La Mort lui claqua des doigts devant les yeux.

« MADEMOISELLE TROTTEMENU ? RÉNATA ?

— Je… J'savais pas quoi faire, et vous avez dit que c'était pas difficile, alors… »

La Mort se rendit dans la grange. Lorsqu'il en sortit, il portait sa robe noire.

Elle se tenait toujours debout à la même place.

« J'savais pas quoi faire, répéta-t-elle sans s'adresser forcément à lui. Qu'est-ce qui s'est passé ? C'est fini ? »

La Mort regarda autour de lui. Les formes grises affluaient dans la cour. « SANS DOUTE QUE NON », dit-il.

Davantage de chariots apparurent derrière le rang de soldats. Apparemment de petits travailleurs argentés auxquels se mêlait de temps en temps l'éclat doré d'un guerrier.

« On devrait retourner à l'escalier, dit Dorine.

— C'est là qu'ils veulent nous voir aller, à mon avis, fit Vindelle.

— Alors ça me convient. D'ailleurs, j'crois pas que leurs roues pourraient grimper des marches, hein ?

— Et vous ne pouvez pas franchement vous battre jusqu'à la mort », fit observer Ludmilla. Lupin restait près d'elle, ses yeux jaunes fixés sur les roulettes qui avançaient lentement.

« On aurait bien besoin de chance », dit Vindelle. Ils atteignirent l'escalier mobile. Vindelle leva la tête. Des chariots s'agglutinaient en haut des marches ascendantes, mais la voie vers le niveau inférieur paraissait libre.

« On va peut-être trouver un autre chemin pour monter ? » fit Ludmilla, un accent d'espoir dans la voix.

Ils embarquèrent dans un raclement de semelles sur l'escalier mobile. Derrière eux, les chariots se déplacèrent pour leur couper la retraite.

Les mages se trouvaient à l'étage en dessous. Ils restaient tellement figés au milieu des plantes en pots et des fontaines que Vindelle passa d'abord devant eux en les prenant pour des espèces de statues ou des meubles énigmatiques.

L'archichancelier, affublé d'un faux nez rouge, tenait des ballons. À côté de lui, l'économe jonglait avec des balles de couleur, mais comme une machine, les yeux dans le vide.

Le major de promo, un peu plus loin, jouait les hommes-sandwiches entre deux panneaux publicitaires. L'annonce des panneaux n'était pas encore complètement arrivée à maturité, mais Vindelle était prêt à parier sa vie future qu'on finirait par y lire quelque chose comme : SOLDES !!!!!

Les autres mages étaient regroupés comme des poupées dont on n'avait pas remonté le mécanisme. Chacun portait un grand insigne oblong sur sa robe. L'écriture familière d'aspect organique commençait à former un mot qui ressemblait à :

Pourquoi sécurité ? Mystère.

Les mages ne donnaient franchement pas l'impression de se sentir en sécurité.

Vindelle claqua des doigts devant les yeux pâles du doyen. Aucune réaction.

« Il n'est pas mort, fit Raymond.

— Il se repose, dit Vindelle. Il est déconnecté. »

Raymond donna une poussée au doyen. Le mage tituba sur quelques pas avant de s'arrêter en oscillant.

« Ben, on les sortira jamais d'ici, fit Arthur. Pas comme ça. Vous pouvez pas les réveiller ?

— Leur allumer une plume sous le nez, proposa spontanément Dorine.

— Je ne crois pas que ça marchera », dit Vindelle. Il fondait son avis sur le fait que Raymond Soulier se trouvait quasiment sous leur nez, et quiconque dont l'équipement nasal n'enregistrait pas sa présence n'avait aucune chance de réagir à une banale plume enflammée. Pas plus qu'à un poids lourd lâché du haut d'un immeuble, à vrai dire.

« Monsieur Pounze, fit Ludmilla.

— J'ai connu un golem comme ça, dit Raymond Soulier. Exactement pareil. Un grand type, tout en argile. Le golem, ça se présente toujours sous cette forme-là. Suffit de leur inscrire dessus un mot sacré spécial pour les faire démarrer.

— Quoi ? Comme “sécurité” ?

— Possible. »

Vindelle examina le doyen. « Non, dit-il enfin, personne n'aurait autant d'argile que ça. » Il jeta un regard circulaire. « Il faut trouver d'où vient cette foutue musique.

— Où se cachent les musiciens, vous voulez dire ?

— Je ne crois pas qu'il y ait de musiciens.

— Faut forcément des musiciens, mon frère, rétorqua Raymond. C'est pour ça que ça s'appelle de la musique.

— Primo, ça ne ressemble à aucune musique que je connaisse, et deuxio, j'ai toujours cru qu'il fallait des lampes à huile ou des bougies pour faire de la lumière, or je n'en vois nulle part et pourtant il y a de la lumière partout, dit Vindelle.

— Monsieur Pounze, répéta Ludmilla en lui donnant un coup de coude.

— Oui ?

— Voilà encore d'autres chariots. »

Ils bloquaient les cinq couloirs qui rayonnaient de l'espace central.

« Il n'y a pas d'escalier qui descend, dit Vindelle.

— Peut-être que c'est – *qu'elle est* – dans une des parties vitrées, fit Ludmilla. Les boutiques ?

— Je ne crois pas. Elles n'ont pas l'air finies. Et puis il y a quelque chose qui cloche, j'ai l'impression… »

Lupin grogna. Des piques luisaient sur les chariots de tête, mais ils ne se pressaient pas pour attaquer.

« Ils ont dû voir ce qu'on a fait aux autres, expliqua Arthur.

— Oui. Mais ils l'ont vu comment ? Ça s'est passé au-dessus, fit observer Vindelle.

— Ben, possible qu'ils se parlent entre eux.

— Comment peuvent-ils parler ? Comment peuvent-ils penser ? Il ne peut pas y avoir de cerveau dans un tas de fil de fer, dit Ludmilla.

— Les fourmis et les abeilles ne pensent pas non plus, à ce compte-là, fit Vindelle. Elles sont dirigées… »

Il leva la tête.

Ils levèrent la tête.

« Ça vient de quelque part dans le plafond, dit-il. Faut qu'on trouve tout de suite !

— Il n'y a que des panneaux de lumière, fit Ludmilla.

— Autre chose ! Cherchez d'où ça peut venir !

— Ça vient de partout !

— J'sais pas ce que vous comptez faire, dit Dorine qui saisit une plante en pot et la brandit comme une massue, mais j'espère que vous allez le faire vite.

— C'est quoi, ce machin rond et noir là-haut ? demanda Arthur.

— Où ça ?

— Là. » Arthur tendit le doigt.

« D'accord, Raymond et moi, on va vous faire la courte échelle, venez...

— Moi ? Mais j' supporte pas l'altitude !

— Je croyais que vous pouviez vous transformer en chauve-souris ?

— Ouais, mais une chauve-souris pas rassurée du tout !

— Cessez de vous plaindre. Bon... un pied ici, maintenant votre main là, ensuite montez l'autre pied sur l'épaule de Raymond...

— Sans passer à travers, conseilla Raymond.

— J'aime pas ça ! » gémit Arthur tandis qu'ils le soulevaient.

Dorine arrêta de fusiller du regard les chariots qui avançaient en douce.

« Artor ! Noplesse obliche !

— Quoi ? Qu'est-ce que c'est ? Un code de vampire ? chuchota Raymond.

— Ça veut dire en gros : Un comte doit faire ce qu'un comte doit faire, expliqua Vindelle.

— Comte ! gronda Arthur en se balançant dangereusement. J'aurais jamais dû écouter ce notaire ! J'aurais dû savoir qu'il faut jamais rien attendre de bon d'une grande enveloppe marron ! Et j'arrive pas à atteindre ce putain de bazar, de toute façon !

— Vous ne pouvez pas sauter ? demanda Vindelle.

— Et vous, vous pouvez pas aller crever ailleurs ?

— Non.

— Et moi, je saute pas !

— Volez, alors. Changez-vous en chauve-souris et volez.

— Je trouve jamais la bonne vitesse relative !

— Vous pourriez le lancer en l'air, proposa Ludmilla. Vous savez, comme une flèche en papier !

— Merde ! J'suis un comte !

— Vous venez de dire que ça ne vous intéressait pas ! fit Vindelle d'une voix mielleuse.

— Par terre, non, mais quand il s'agit de s'faire lancer comme un frisbee…

— Arthur ! Fais c'que te dit monsieur Pounze !

— J'vois pas pourquoi…

— Arthur ! »

Même en chauve-souris, Arthur restait étonnamment lourd. Vindelle l'empoigna par les oreilles comme une boule de bowling difforme puis tâcha de bien viser.

« Attention, hein… j'suis une espèce en voie de disparition ! » couina le comte tandis que Vindelle ramenait le bras en arrière.

Ce fut un coup dans le mille. Arthur voleta jusqu'au disque dans le plafond et le saisit dans ses griffes.

« Vous pouvez le bouger ?

— Non !

— Alors accrochez-vous bien et retransformez-vous.

— Non !

— On vous rattrapera.

— Non !

— Arthur ! brailla Dorine en repoussant un chariot entreprenant à petits coups de son gourdin de fortune.

— Oh, d'accord. »

On eut la vision brève d'un Arthur Clindieux désespérément agrippé au plafond ; après quoi il tomba sur Vindelle et Raymond, le disque serré sur sa poitrine.

La musique se tut brusquement. Des tuyaux roses se déversèrent de l'orifice dévasté au-dessus d'eux et s'enroulèrent autour d'Arthur qui, du coup, ressemblait à une assiettée peu ragoûtante de spaghettis et de boulettes de viande. Les fontaines donnèrent l'impression de fonctionner un instant en marche arrière avant de se tarir.

Les chariots s'arrêtèrent. Ceux de derrière percutèrent ceux de devant dans un concert de cliquetis pathétiques.

Des tuyaux continuaient de se déverser du trou. Vindelle en ramassa un bout. Il était d'un rose déplaisant, et gluant.

« C'est quoi, d'après vous ? demanda Ludmilla.

— D'après moi, répondit Vindelle, on ferait bien de s'en aller tout de suite. »

Le sol trembla. De la vapeur jaillit de la fontaine.

« Sinon plus tôt », ajouta-t-il.

Un gémissement s'échappa des lèvres de l'archichancelier. Le doyen s'effondra en avant. Les autres mages restèrent debout, mais tout juste.

« Ils se réveillent, dit Ludmilla. Mais je ne crois pas qu'ils arriveront à monter sur l'escalier.

— À mon avis, ce n'est même pas la peine d'y songer, fit Vindelle. Regardez-le, l'escalier. »

L'escalier mobile ne l'était plus, mobile. Les marches noires luisaient dans la lumière dépourvue d'ombres.

« Je vois ce que vous voulez dire, fit Ludmilla. Autant vouloir marcher sur des sables mouvants.

— Ce serait sûrement moins risqué, dit Vindelle.

— Il y a peut-être un couloir en pente ? Les chariots doivent bien passer quelque part.

— Bonne idée. »

Ludmilla observa les chariots. Ils tournaient en rond, sans but.

« J'en ai peut-être une meilleure encore… », dit-elle en saisissant un guidon qui passait à sa portée.

Le chariot se débattit un moment puis, à défaut d'instructions contraires, se calma docilement.

« Ceux qui le peuvent vont marcher, et les autres se feront pousser. Venez, grand-père. » Cet ordre s'adressait à l'économe qui consentit à s'affaler en travers du chariot. Il lâcha un « yo » anémique et referma les yeux.

On manutentionna le doyen par-dessus[1].

« Et maintenant on va où ? » demanda Dorine.

Deux carreaux par terre se gondolèrent. Des flots de vapeur épaisse et grise commencèrent à se répandre.

« Ça doit être quelque part au bout du couloir, répondit Ludmilla. Venez. »

1. Il est de tradition, quand on charge des chariots, de placer les articles les plus fragiles en dessous.

Arthur baissa les yeux sur les langues de brume qui s'enroulaient autour de ses pieds.

« Je me demande comment vous arrivez à faire ça, dit-il. C'est drôlement dur de trouver le produit qui convient. On a essayé, vous savez, pour rendre notre crypte plus… plus cryptique, quoi, mais ça nous enfume tout et ça met l'feu aux rideaux…

— Allez, venez, Arthur. On y va.

— Vous croyez pas qu'on a fait beaucoup de dégâts, dites ? On devrait peut-être laisser un mot…

— Ouais, je peux vous écrire quelque chose sur le mur, si vous voulez », fit Raymond.

Il saisit par le guidon un chariot ouvrier en difficulté et, avec une certaine satisfaction, l'abattit contre un pilier jusqu'à ce que ses roulettes se détachent.

Vindelle regarda le club du Nouveau Départ commencer à gravir le couloir le plus proche en véhiculant quelques articles de magie en promotion.

« Bien, bien, bien, fit-il. Pas plus difficile que ça. Rien d'autre à faire. Pas trop de bobo. »

Il voulut suivre ses compagnons et s'arrêta.

Des tuyaux roses se frayaient un passage en force à travers le sol et s'enroulaient déjà étroitement autour de ses jambes.

D'autres carreaux bondirent en l'air. Les escaliers volèrent en éclats pour révéler la matière sombre, en dents de scie et surtout *vivante* qui les avait animés. Les murs palpitèrent et se bombèrent vers l'intérieur, le marbre se lézarda et laissa entrevoir du rose et du violet par-dessous.

Évidemment, songea un tout petit recoin au calme du cerveau de Vindelle, rien de tout ça n'est véritablement réel. Il ne s'agit que d'une métaphore, seulement les métaphores se conduisent en ce moment comme des bougies dans une usine de feux d'artifice.

Cela dit, quelle espèce de créature est vraiment la Reine ? Un genre de reine des abeilles, sauf qu'elle est aussi la ruche. Comme un trichoptère qui se bâtit, sauf erreur, une carapace à partir de morceaux de cailloux et autres afin de se camoufler. Ou comme un nautile qui accroît la sienne au fur et à mesure qu'il grandit. Et surtout, à en juger par la façon dont le sol se déchire, comme une étoile de mer très en rogne.

Je me demande de quels moyens disposent les villes pour lutter contre un ennemi pareil ? Les êtres vivants développent généralement diverses défenses contre les prédateurs. Dards, pointes qui se hérissent, poison, tout ça.

En ce moment, ça doit être moi, ça. Vindelle Pounze l'empoisonnant.

Au moins, je peux veiller à ce que les autres s'en sortent. Je vais manifester ma présence…

Il se pencha, saisit deux pleines poignées de tuyaux palpitants et tira.

Le hurlement de rage de la Reine s'entendit jusqu'à l'Université.

Les nuages noirs filèrent vers la colline. Ils formèrent très vite une masse écrasante. Un éclair fulgura, quelque part à l'intérieur.

« IL Y A TROP DE VIE DANS LE COIN, dit la Mort. JE NE VAIS PAS ME PLAINDRE, REMARQUEZ. OÙ EST LA PETITE ?

— Je l'ai mise au lit. Maintenant, elle dort. Normalement. »

Un éclair s'abattit sur la colline, comme un coup de foudre. Suivit un grincement métallique, quelque part à mi-distance.

La Mort soupira.

« AH. ENCORE DU THÉÂTRAL. »

Il fit le tour de la grange afin d'avoir une meilleure vue sur les champs obscurs. Mademoiselle Trottemenu le talonnait au plus près, se servant de lui comme d'un bouclier contre les éventuelles horreurs à venir.

Une lueur bleue crépita derrière une haie au loin. Elle bougeait.

« Qu'est-ce que c'est ?

— C'ÉTAIT LA MOISSONNEUSE BATTANTE.

— C'était ? C'est quoi, maintenant ? »

La Mort lança un coup d'œil aux spectateurs qui se rassemblaient.

« UN MAUVAIS PERDANT. »

La moissonneuse traversa les champs détrempés à toute allure dans un vrombissement de bras de toile, tandis que les leviers allaient et venaient dans un halo bleu électrique. Les brancards s'agitaient vainement en l'air.

« Comment elle peut avancer sans cheval ? Elle avait un cheval, hier.

— ELLE N'EN A PAS BESOIN. »

Il regarda autour de lui les spectateurs gris. Il y en avait des rangs entiers maintenant.

« Bigadin est toujours dans la cour. Venez !

— NON. »

La moissonneuse battante accéléra dans leur direction. Le *chip-chip* de ses lames se mua en une plainte stridente.

« Elle est en colère parce que vous lui avez volé sa bâche ?

— JE NE LUI AI PAS VOLÉ QUE ÇA. »

La Mort adressa un grand sourire aux spectateurs. Il saisit sa faux, la tourna dans ses mains puis, lorsqu'il fut certain que leurs regards étaient fixés sur elle, il la laissa tomber par terre.

Ensuite il se croisa les bras.

Mademoiselle Trottemenu le tira par la robe.

« Vous croyez faire quoi, là ?

— DU THÉÂTRAL. »

La moissonneuse atteignit le portail de la cour et passa au travers dans un nuage de sciure.

« Vous êtes sûr que ça va aller, pour nous ? »

La Mort fit oui de la tête.

« Bon. Alors ça va. »

Les roues de la moissonneuse, sous l'effet de la vitesse, n'étaient qu'une traînée floue.

« EN PRINCIPE. »

Puis...

... quelque chose dans la mécanique émit un bruit sourd.

La moissonneuse continua sa course, mais en pièces détachées. Des étincelles jaillirent de ses essieux. Quelques axes et bras réussirent à rester solidaires tandis qu'ils fusaient et tournoyaient follement loin du chaos virevoltant en perte de vitesse. Le cercle de lames se détacha, transperça sans ménagement la machine et fila en vol plané au ras des champs.

Il y eut des chocs discordants, un fracas, puis un dernier *boïng* isolé, l'équivalent acoustique de la célèbre paire de chaussures d'où monte un filet de fumée.

Ensuite, le silence.

La Mort baissa tranquillement le bras et ramassa un petit axe d'aspect compliqué qui arrivait vers ses pieds en toupillant. Il avait été tordu à angle droit.

Mademoiselle Trottemenu passa la tête de derrière son dos pour regarder.

« Qu'est-ce qui s'est passé ?

— JE CROIS QUE LA CAME ELLIPTIQUE A PETIT À PETIT GLISSÉ JUSQU'EN HAUT DE L'ARBRE À COULISSE ET S'EST PRISE DANS LA FEUILLURE DE COLLERETTE, CE QUI A EU DES EFFETS DÉSASTREUX. »

La Mort défia du regard les observateurs gris. Un à un, ils disparurent.

Il ramassa la faux.

« MAINTENANT IL FAUT QUE JE PARTE », dit-il.

Mademoiselle Trottemenu parut horrifiée. « Quoi ? Comme ça ?

— OUI. COMME ÇA, PARFAITEMENT. J'AI DU TRAVAIL QUI M'ATTEND.

— Et j'vous reverrai plus ? Je veux dire...

— OH, SI. BIENTÔT. » Il chercha les mots qui convenaient et renonça. « JE VOUS PROMETS. »

La Mort retroussa sa robe et fouilla dans la poche de la salopette de Pierre Porte qu'il portait encore dessous.

« QUAND MONSIEUR BOTTEREAU VA VENIR RÉCUPÉRER LES PIÈCES DEMAIN MATIN, IL CHERCHERA SANS DOUTE ÇA, dit-il en lâchant un petit objet en biseau dans la main de la vieille demoiselle.

— C'est quoi ?

— UN GRIPLET DE DIX. »

La Mort rejoignit son cheval et se rappela un détail.

« ET IL ME DOIT AUSSI UN QUART DE SOU. »

Ridculle ouvrit un œil. Ça grouillait de monde. Il y avait des lumières et de l'agitation. Des tas de gens parlaient en même temps.

Il avait l'impression d'être assis dans un landau très inconfortable, et que de drôles d'insectes bourdonnaient autour de lui.

Il entendit le doyen se plaindre, puis des gémissements qui ne pouvaient venir que de l'économe, ainsi que la voix d'une jeune femme. On donnait des soins à la ronde, mais personne ne lui prêtait, à lui, la moindre attention. Ah ça, si on donnait des soins, il comptait bien en recevoir comme les autres, foutredieux.

Il toussa bruyamment.

« Vous pourriez essayer, lança-t-il au monde cruel dans son ensemble, de m'faire couler de force un peu d'gnôle entre les lèvres. »

Une apparition surgit dans son champ de vision et se pencha sur lui en tenant une lampe au-dessus de sa tête. Une figure de taille S dans une peau XXL ; elle lui fit « Oook ? » d'un air soucieux.

« Oh, c'est vous », dit Ridculle. Il s'empressa de s'asseoir, des fois que le bibliothécaire tenterait un bouche-à-bouche.

Des souvenirs confus lui bringuebalèrent par la tête. Il se rappela un mur de métal cliquetant, ensuite du rose, puis… de la musique. De la musique continuelle, conçue pour malaxer le cerveau vivant en fromage blanc.

Il se retourna. Il vit un bâtiment derrière lui, entouré d'une foule de gens. Un bâtiment trapu, cramponné par terre d'une façon curieusement animale, comme s'il était possible de soulever une aile de la construction et d'entendre les *plop-plop-plop* des ventouses qui se décollent. Des flots de lumière en sortaient, et des volutes de vapeur filtraient par les portes.

« Ridculle s'est réveillé ! »

D'autres visages apparurent. Ridculle songea : Ce n'est pas la nuit du Gâteau des Morts, donc ils ne portent pas de masques. Oh, merde.

Derrière eux, il entendit le doyen déclarer : « Je vote pour qu'on prépare le Réorganisateur Sismique de Herpetti et qu'on le balance par la porte. Plus de problème.

— Non ! On est trop près des murs de la ville ! Il suffit qu'on lâche la Pointe Attractive de Naguerre là où il faut…

— Ou la Surprise Incendiaire de Sautepuisard, peut-être ? » Ça, c'était la voix de l'économe. « Tout brûler, c'est le meilleur moyen…

— Ouais ? Ouais ? Et qu'est-ce que vous connaissez à la tactique militaire, vous ? Vous n'arrivez même pas à dire "yo" correctement ! »

Ridculle empoigna les flancs du chariot.

« Est-ce que ça embêterait quelqu'un, fit-il, de me dire ce qui s'passe, nom des… nom d'une pipe ? »

Ludmilla se fraya un chemin à travers les membres du club du Nouveau Départ.

« Faut que vous les arrêtiez, archichancelier ! dit-elle. Ils parlent de détruire le grand magasin ! »

D'autres mauvais souvenirs revinrent à la mémoire de Ridculle.

« Bonne idée, fit-il.

— Mais monsieur Pounze est toujours dedans ! »

Ridculle s'efforça d'accommoder sa vision sur le bâtiment rutilant.

« Quoi ? *Feu* Vindelle Pounze ?

— Arthur y est retourné en volant quand nous nous sommes aperçus qu'il n'était pas avec nous, et il a dit que Vindelle se battait contre quelque chose qui sortait des murs ! On a vu des tas de chariots, mais ils ne se sont pas occupés de nous ! Ils nous ont laissés partir !

— Quoi ? Feu Vindelle *Pounze* ?

— Vous ne pouvez pas mettre le magasin en miettes à coups de magie alors qu'un de vos mages est resté dedans !

— Quoi ? Feu *Vindelle* Pounze ?

— Oui !

— Mais il est feu, mort quoi, dit Ridculle. Non ? Il l'a dit lui-même, qu'il était mort.

— Ha ! fit quelqu'un qui avait beaucoup moins de peau que l'aurait souhaité Ridculle. Ça, c'est typique. C'est de la ségrégation vitale flagrante, voilà. Je parie, si c'était un vivant qui se trouvait là-dedans, qu'ils iraient le sauver.

— Mais il voulait… Il ne tenait pas à… Il… », hasarda l'archichancelier. Une grande partie de cette affaire le dépassait, mais les gens de son espèce ne s'en formalisent jamais bien longtemps. Ridculle était un homme simple d'esprit. Ce qui ne veut pas dire bête. Entendez qu'il ne pouvait réfléchir correctement à une chose que s'il coupait tous les petits bouts compliqués qui dépassaient sur les bords.

Il se concentra sur l'unique élément important. Quelqu'un qui était techniquement un mage se trouvait dans le pétrin. Ça, il pigeait. Ça lui touchait la corde sensible. La question du mort ou vif pouvait attendre.

Un autre petit détail le chiffonnait, pourtant.

« … Arthur ?… En volant ?…

— Salut. »

Ridculle tourna la tête. Il battit lentement des paupières. « Belles dents que vous avez là, dit-il.

— Merci, fit Arthur Clindieux.

— Toutes à vous, hein ?

— Oh, oui.

— Étonnant. Évidemment, vous devez vous les brosser régulièrement.

— Oui ?

— L'hygiène. Ça, c'est important.

— Qu'est-ce que vous allez faire, alors ? demanda Ludmilla.

— Ben, on va aller l'chercher, voilà tout », répondit Ridculle. Qu'est-ce qui clochait chez cette fille ? Il ressentait une curieuse envie de lui tapoter la tête. « On va faire un peu de magie et le sortir de là. Oui. Doyen ?

— Yo !

— On va entrer là-dedans récupérer Vindelle.

— Yo !

— Quoi ? fit le major de promo. Ça va pas, la tête ! »

Ridculle tâcha de prendre l'air aussi digne que possible, vu sa situation.

« Vous avez l'air d'oublier que je suis votre archichancelier, répliqua-t-il sèchement.

— Alors, ça ne va pas, la tête, archichancelier ! » fit le major de promo. Il baissa la voix. « Et puis c'est un mort vivant. Je ne vois pas comment on peut sauver des morts vivants. Il y a comme une contradiction dans les termes.

— Une dichotomie, précisa l'économe avec obligeance.

— Oh, à mon avis, la chirurgie n'a rien à voir là-dedans.

— D'ailleurs, on ne l'a pas enterré ? fit l'assistant des runes modernes.

— Et maintenant, on le déterre, dit l'archichancelier. Ça doit être un miracle de la vie.

— Comme les petits légumes au vinaigre », fit l'économe d'un ton joyeux.

Même les Nouveaux Partants blêmirent.

« On fait ça, dans certaines régions des Terres d'Howonda, expliqua l'économe. On prépare de grandes, grandes jarres de petits légumes spéciaux, ensuite on les enterre pendant des mois pour qu'ils fermentent, et ça leur donne un bon goût piquant…

— Dites-moi, chuchota Ludmilla à Ridculle, ils sont toujours comme ça, les mages ?

— Le major de promo est un exemple tout ce qu'il y a de typique, répondit Ridculle. L'a autant le sens des réalités qu'un soldat de plomb. J'suis fier de le compter dans l'équipe. » Il se frotta les mains. « Okay, les gars. Des volontaires ?

— Yo ! Hop ! fit le doyen qui vivait désormais dans un tout autre univers.

— Je faillirais à mon devoir si je n'aidais pas un frère, dit Raymond Soulier.

— Oook.

— Vous ? Ah non, vous, on ne peut pas vous emmener, dit le doyen en jetant un regard noir au bibliothécaire. Vous n'y connaissez rien en technique de guérillero.

— Oook ! répliqua le bibliothécaire qui fit un geste étonnamment limpide pour indiquer que, d'un autre côté, ses lacunes en technique d'orang-outan héros pourraient tenir sur les tout petits restes écrabouillés du… du doyen, par exemple.

— Nous quatre, ça devrait suffire, dit l'archichancelier.

— Je ne l'ai jamais entendu dire "yo" », marmonna le doyen.

Il ôta son chapeau, ce que fait rarement un mage à moins de vouloir en sortir quelque chose, et le tendit à l'économe. Puis il déchira une mince bande de tissu au bas de sa robe, la tint des deux mains en un geste théâtral et se la noua en bandeau autour du crâne.

« Ça fait partie de l'éthos, expliqua-t-il en réponse à leur question pertinente bien que muette. C'est ce que font les guerriers du continent Contrepoids avant de partir à la bataille. Et il faut crier… (il s'efforça de se rappeler de lointaines lectures) euh… bonsaï. Oui. Bonsaï.

— Moi, je croyais que ça voulait dire tailler des bouts d'arbres pour les rapetisser », argua le major de promo.

Le doyen hésita. Il n'était pas trop sûr lui-même, tout compte fait. Mais un bon mage ne laisse jamais le doute se mettre en travers de son chemin.

« Non, c'est forcément bonsaï », trancha-t-il. Il réfléchit encore un peu, puis sa figure s'illumina. « Vu que ça fait partie du bushido. Comme ces régions de buissons et de petits arbres, là… le bush. Bush-i-do. Ouais. Logique, quand on y pense.

— Sauf que là, vous ne pouvez pas crier "bonsaï !" objecta l'assistant des runes modernes. Notre culture est complètement différente. Ça ne servirait à rien. Personne ne saurait ce que vous voulez dire.

— Je vais y réfléchir », dit le doyen.

Il remarqua Ludmilla qui les écoutait bouche bée.

« Discussion de mages, la renseigna-t-il.

— Ah, c'est ça, fit la jeune femme. Je n'aurais jamais deviné. »

L'archichancelier était sorti du chariot et le faisait rouler d'une main experte d'avant en arrière. Il fallait d'ordinaire un bon moment avant qu'une idée nouvelle trouve sa place dans la cervelle de Ridculle, mais il sentait instinctivement qu'il existait toutes sortes d'usages pour un panier en fil de fer monté sur quatre roues.

« On y va ou on reste ici toute la nuit à nous bander la tête ? demanda-t-il.

— Yo ! lança sèchement le doyen.

— Yo ? s'étonna Raymond Soulier.

— Oook !

— C'était un yo, ça ? fit le doyen d'un ton soupçonneux.

— Oook.

— Bon… alors, d'accord. »

La Mort était assis au faîte d'une montagne. Une montagne ni particulièrement haute, ni dépouillée, ni sinistre. Nulle sorcière ne s'y livrait à des sabbats en tenue légère ; les sorcières du Disque-Monde, dans l'ensemble, refusent de se dévêtir plus que ne l'exige la situation. Nul spectre ne la hantait. Nul petit homme nu ne se tenait en tailleur au sommet pour y dispenser sa sagesse, car tout individu vraiment avisé comprend d'emblée que s'asseoir sur des pics montagneux non seulement engendre des hémorroïdes, mais des hémorroïdes gelées.

De temps en temps des gens grimpaient sur la montagne et ajoutaient une pierre ou deux au cairn du sommet, ne serait-ce que pour prouver que l'homme est capable des pires idioties.

La Mort, installé sur le cairn, passait une pierre à aiguiser sur la lame de sa faux d'un geste ample et réfléchi.

Il y eut un déplacement d'air. Trois serviteurs gris surgirent brusquement du néant.

L'un dit : Tu crois avoir gagné ?

L'un dit : Tu crois avoir triomphé ?

La Mort tourna la pierre dans sa main afin de trouver une surface fraîche et en frotta lentement la lame sur toute sa longueur.

L'un dit : Nous en informerons Azraël.

L'un dit : Tu n'es, après tout, qu'une *petite* Mort.

La Mort leva la lame au clair de lune, la tourna d'un côté puis de l'autre, s'attacha au jeu de la lumière sur les infimes particules de métal de son fil.

Puis il se leva d'un seul mouvement vif. Les serviteurs reculèrent en hâte.

Il projeta la main avec la vitesse d'un serpent, saisit une robe et ramena le capuchon vide à hauteur de ses orbites.

« SAIS-TU POURQUOI LE PRISONNIER DANS SA TOUR OBSERVE LE VOL DES OISEAUX ? » demanda-t-il.

Le captif dit : Enlève tes pattes… oups…

Une flamme bleue brilla un instant.

La Mort baissa la main et tourna la tête vers les deux autres.

L'un dit : Tu n'as pas fini d'en entendre parler.

Ils disparurent.

La Mort brossa un grain de poussière de sa robe, se planta solidement les pieds sur le faîte de la montagne. Il leva à deux mains la faux au-dessus de sa tête et appela toutes les Morts inférieures apparues durant son absence.

Au bout d'un moment, ils s'élevèrent à flanc de montagne comme une vague noire délavée.

Ils fusionnèrent comme du mercure sombre.

L'opération dura longtemps, puis s'arrêta.

La Mort rabaissa la faux et s'examina. Oui, tout était là. Une fois de plus, il était *la* Mort, celle qui contenait toutes les autres du monde. Sauf…

L'espace d'un instant, il hésita. Il subsistait un tout petit vide quelque part, une parcelle de son âme, un manque…

Il ne savait pas très bien de quoi il s'agissait.

Il haussa les épaules. Il finirait bien par trouver. En attendant, il avait du pain sur la planche…

Il s'en repartit à cheval.

Loin de là, dans son repaire sous la grange, la Mort aux Rats relâcha sa prise résolue sur une poutre.

Vindelle Pounze sauta lourdement à pieds joints sur un tentacule qui sortait en serpentant de sous les carreaux, et s'éloigna d'une démarche titubante à travers la vapeur. Une dalle de marbre se fracassa et l'arrosa de débris. Il donna un coup de pied sauvage au mur.

Plus aucun moyen de sortir, désormais, comprit-il, et même s'il en restait un, il n'arriverait pas à le trouver. De toute façon, il était déjà à l'intérieur de la chose. Elle secouait ses murs et les faisait tomber dans son souci d'atteindre l'intrus. Au moins, il pourrait lui causer une indigestion carabinée.

Il se dirigea vers une ouverture, autrefois l'entrée d'un grand couloir, et plongea maladroitement dedans juste avant qu'elle se referme d'un claquement sec. Du feu argenté crépita sur les parois. Il y avait là tellement de vie qu'on ne pouvait la contenir.

Il restait quelques chariots qui dérapaient follement sur le sol agité, aussi perdus que Vindelle.

Il suivit un autre couloir engageant, même si la plupart

des couloirs qu'il avait empruntés au cours des derniers cent trente ans n'avaient jamais palpité ni suinté à ce point.

Un autre tentacule jaillit à travers le mur et le fit trébucher.

Évidemment, on ne pouvait pas le tuer. Mais on pouvait le priver de corps.

Comme Un-homme-seau. Un sort pire que la mort, sûrement.

Il se ressaisit. Le plafond s'abattit sur lui et le plaqua au sol.

Il compta à voix basse et repartit en trottinant. De la vapeur le balaya.

Il glissa encore et jeta les mains en avant.

Il sentait son corps échapper à sa volonté. Trop d'organes à gérer. Tant pis pour la rate, faire fonctionner le cœur et les poumons demandait déjà trop d'énergie…

« *Taille d'arbres !*

— Qu'est-ce que vous voulez dire, bon sang ?

— Taille d'arbres ! Vous saisissez ? Yo !

— Oook ! »

Vindelle leva des yeux embrumés.

Ah. Manifestement, son cerveau aussi lui échappait.

Un chariot sortait de guingois de la vapeur, des silhouettes indistinctes accrochées à ses flancs. Un bras velu et un autre qui n'en était plus vraiment un se baissèrent, le soulevèrent et le jetèrent dans le panier. Quatre roulettes dérapèrent, le chariot rebondit sur le mur, se redressa et repartit en ferraillant.

Vindelle avait vaguement conscience d'entendre des voix.

« Allez-y, doyen. Je sais que vous attendez qu'ça. » Celle-là, c'était l'archichancelier.

« Yo !

— Vous allez tuer complètement cette chose ? On ne tient pas à la voir échouer au club du Nouveau Départ, je trouve. Elle n'a pas l'esprit de groupe, d'après moi. » Ça, c'était Raymond Soulier.

« Oook ! » Le bibliothécaire.

« Vous inquiétez pas, Vindelle. Le doyen va nous faire un truc militaire, on dirait, annonça Ridculle.

— Yo ! Hop !

— Oh, bon sang. »

Vindelle vit passer devant lui la main du doyen qui tenait un objet brillant.

« Vous allez vous servir de quoi ? demanda Ridculle alors que le chariot fonçait à travers la vapeur. Le Réorganisateur Sismique, la Pointe Attractive ou la Surprise Incendiaire ?

— Yo, fit le doyen d'un air satisfait.

— Quoi ? Les trois à la fois ?

— Yo !

— Vous poussez pas un peu, dites ? Et pendant que j'y suis, si vous me répétez encore "yo", doyen, je m'arrangerai pour que vous soyez viré de l'Université, poursuivi jusqu'au bord du monde par les pires démons que peut invoquer la thaumaturgie, déchiqueté en petits morceaux, haché, réduit en pâtée façon steak tartare et servi dans la gamelle d'un chien.

— Y… » Le doyen croisa le regard de Ridculle. « Oui. Oui ? Oh, allons, archichancelier. À quoi ça sert de maîtriser l'équilibre cosmique et de connaître les secrets du destin si on ne peut pas faire sauter ce qu'on veut ? S'il vous plaît ? J'ai tout préparé. Vous savez que ça met la pagaille dans l'inventaire si on ne s'en sert pas une fois que c'est prêt… »

Le chariot grimpa en vrombissant une pente tremblotante et prit un virage sur deux roues.

« Bon, d'accord, céda Ridculle. Si ça compte tellement pour vous.

— Y… Pardon. »

Le doyen se mit aussitôt à marmonner à voix basse, puis soudain il hurla.

« Je suis devenu aveugle !

— Votre bandage bonsaï vous a glissé sur les yeux, doyen. »

Vindelle gémit.

« Comment vous sentez-vous, frère Pounze ? » Les

traits ravagés de Raymond Soulier occultèrent le champ de vision de Vindelle.

« Oh, vous savez, fit Vindelle. Ça pourrait aller mieux, ça pourrait aller moins bien. »

Le chariot ricocha sur un mur et partit en cahotant dans une autre direction.

« Et vos sortilèges, doyen, ça vient ? fit Ridculle à travers ses dents serrées. J'ai un mal de chien à le diriger, ce machin. »

Le doyen marmonna quelques autres mots, puis agita les mains d'un air emphatique. Une flamme octarine jaillit du bout de ses doigts et se mit à la masse quelque part dans la brume.

« Yi-ha ! jeta-t-il d'un ton triomphant.

— Doyen ?

— Oui, archichancelier ?

— L'observation que j'vous ai faite tout à l'heure sur le mot qui commence par *y*...

— Oui ? Oui ?

— Ça vaut aussi pour "yi-ha". »

Le doyen baissa la tête.

« Oh. Oui, archichancelier.

— Et pourquoi y a pas eu de boum ?

— J'ai prévu un léger délai, archichancelier. Je me suis dit qu'on devrait peut-être sortir avant que ça se déclenche.

— Bien vu, mon vieux.

— On va bientôt vous tirer de là, Vindelle, dit Raymond Soulier. Pas question de laisser l'un des nôtres là-dedans. Ça, c'est... »

C'est alors que le sol entra en éruption devant eux.

Puis derrière.

La chose qui s'éleva des carreaux fracassés était informe, ou alors elle avait des tas de formes à la fois. Elle se contorsionna rageusement et claqua de ses tuyaux dans la direction des fuyards.

Le chariot s'arrêta de travers.

« Vous reste de la magie, doyen ?

— Euh... non, archichancelier.

— Et les sortilèges, vous disiez, ça va partir quand… ?

— D'une seconde à l'autre, archichancelier.

— Alors… ce qui va arriver… ça va nous arriver à nous ?

— Oui, archichancelier. »

Ridculle tapota la tête de Vindelle.

« Excusez-moi », fit-il.

Vindelle se tourna maladroitement pour regarder dans l'enfilade du couloir.

Il y avait quelque chose derrière la Reine. On aurait dit une porte de chambre parfaitement ordinaire ; elle avançait par séries de petits pas, comme si quelqu'un la poussait prudemment devant lui.

« Qu'est-ce que c'est ? » demanda Raymond.

Vindelle se souleva autant qu'il put.

« Crapahut !

— Oh, allez, fit Raymond.

— C'est Crapahut ! cria Vindelle. *Crapahut !* C'est nous ! Est-ce que vous pouvez nous aider à sortir ? »

La porte marqua un temps. Puis on la jeta de côté. Crapahut se redressa de toute sa hauteur.

« Salut, monsieur Pounze. Salut, Raymond », dit-il.

Ils regardèrent fixement la silhouette velue qui emplissait presque le couloir.

« Euh… Crapahut… euh… est-ce que vous pourriez nous déblayer le passage ? chevrota Vindelle.

— Pas de problème, monsieur Pounze. Quand c'est pour un ami. »

Une main de la taille d'une brouette vola dans la vapeur et s'enfonça à toute allure dans l'obstacle qu'elle arracha avec une facilité surprenante.

« Hé, regardez ! fit Crapahut. Vous aviez raison. Un croque-mitaine a autant besoin d'une porte qu'un poisson d'une bicyclette ! Qu'on se le dise, je suis…

— Et maintenant, vous pourriez nous laisser passer, s'il vous plaît ?

— Bien sûr. Bien sûr. Sensass ! » Crapahut flanqua une autre lourde baffe à la Reine.

Le chariot fonça en avant.

« Et vaudrait mieux venir avec nous ! cria Vindelle alors que Crapahut disparaissait dans la brume.

— Non, vaudrait mieux pas, dit l'archichancelier tandis qu'ils filaient comme l'éclair. Croyez-moi. C'est quoi ?

— Un croque-mitaine.

— J'croyais que ça restait dans les placards, dans des réserves, des coins comme ça ? brailla Ridculle.

— Il est sorti de sa réserve, dit fièrement Raymond Soulier. Et il s'est trouvé, il a découvert sa vraie nature.

— Du moment que nous, on peut le perdre, lui.

— On ne va pas le laisser…

— Si, on peut ! Si, on peut ! » répliqua sèchement Ridculle.

Ils entendirent un bruit dans leur dos, comme une éruption de gaz des marais. Des flots de lumière verte les dépassèrent.

« Les sortilèges vont bientôt se déclencher ! s'écria le doyen. Magnez-vous ! »

Le chariot franchit la sortie en ronflant et fila comme une flèche dans la fraîcheur de la nuit, toutes roulettes hurlantes.

« Yo ! mugit Ridculle tandis que la foule s'éparpillait devant eux.

— Est-ce que ça veut dire que moi aussi je peux crier “yo” ? demanda le doyen.

— D'accord. Rien qu'une fois. J'autorise tout le monde à le dire, mais rien qu'une fois.

— Yo !

— Yo ! fit en écho Raymond Soulier.

— Oook !

— Yo ! fit Vindelle Pounze.

— Yo ! » fit Crapahut.

(Quelque part dans l'obscurité, là où la foule était la plus clairsemée, la silhouette décharnée de monsieur Ixolite, le dernier banshee survivant du monde, se faufila jusqu'au bâtiment secoué de tremblements et glissa timidement un mot sous la porte.

Lequel disait : *OUUUiiiOUUiiiOuuiii*.)

Le chariot, tant bien que mal, s'arrêta définitivement. Personne ne se retourna.

« Vous êtes derrière, hein ? demanda lentement Raymond Soulier.

— C'est ça, monsieur Soulier, répondit gaiement Crapahut.

— Est-ce qu'il faudra s'inquiéter quand il sera devant nous ? demanda Ridculle. Ou est-ce que c'est pire de le savoir derrière ?

— Ha ! Fini les placards et les caves pour le croquemitaine, fit Crapahut.

— Dommage, parce qu'on a quelques caves drôlement spacieuses à l'Université », dit aussitôt Vindelle Pounze.

Crapahut resta silencieux un moment. Puis il demanda, l'air de tâter le terrain : « Spacieuses comment ?

— Immenses.

— Ouais ? Avec des rats ?

— Les rats, ce n'est qu'un hors-d'œuvre. Elles sont pleines de démons en fuite et de tas d'autres trucs. Une infestation.

— À quoi vous jouez ? souffla Ridculle. C'est de nos caves à nous que vous parlez !

— Vous préférez l'avoir sous votre lit, dites ? chuchota Vindelle. Ou le sentir rôder derrière vous ? »

Ridculle hocha aussitôt la tête.

« Hou-là, oui, ces rats dans les caves, on peut plus les tenir, dit-il tout fort. Certains… oh, soixante à soixante-dix centimètres, pas vrai, doyen ?

— Un mètre, renchérit le doyen. Au moins.

— Et gras comme des cochons », ajouta Vindelle.

Crapahut réfléchit un moment. « Bon, d'accord, fit-il à contrecœur. Je vais peut-être aller y jeter un coup d'œil en passant. »

Le grand magasin explosa et implosa à la fois, chose quasiment impossible à réaliser sans un budget faramineux en effets spéciaux ou trois sortilèges réagissant les uns contre les autres. On eut l'impression d'un nuage gigantesque qui s'étendait mais qui s'éloignait en même temps si vite qu'il faisait l'effet d'un point de plus en plus petit. Les murs se gonflèrent et furent aspirés. Le sol déchiré se souleva et disparut en vrille dans le vortex. Une explosion de non-musique mourut presque aussitôt.

Puis plus rien en dehors d'un champ bourbeux.

Et de milliers de flocons blancs tombant comme neige du ciel du petit matin. Ils descendirent silencieusement et se déposèrent légèrement sur la foule.

« Ce ne sont pas des semis, dites ? » fit Raymond Soulier.

Vindelle saisit un des flocons. Un vague rectangle, irrégulier et barbouillé. On arrivait tout juste, avec beaucoup d'imagination, à déchiffrer les mots :

liqiudation avant fermetuer
tuot doit dipsaraitre

« Non, répondit Vindelle. Je ne crois pas. »

Il se renversa en arrière et sourit. Il n'était jamais trop tard pour la belle vie.

Lorsque plus personne ne fit attention, le dernier chariot survivant du Disque-Monde s'enfonça tristement en ferraillant dans l'oubli de la nuit, solitaire et désorienté [1].

« Coco-l'haricot ! »

Mademoiselle Trottemenu était assise dans sa cuisine.

Du dehors lui parvenaient des chocs métalliques déprimés : Édouard Bottereau et son apprenti récupéraient les débris enchevêtrés de la moissonneuse battante. Une poi-

1. On pense communément, sur les mondes où a germé la forme de vie des centres commerciaux, que les gens emmènent les paniers métalliques et les abandonnent dans des lieux isolés inattendus, si bien qu'il faut embaucher des équipes de jeunes hommes afin de les rassembler et de les ramener. La vérité est tout autre. En réalité, les hommes sont des chasseurs, ils traquent leurs proies bruyantes dans la campagne, les prennent au piège, leur brisent le caractère, les apprivoisent et les conduisent vers une vie d'esclavage. Peut-être bien.

gnée d'autres villageois leur donnaient soi-disant un coup de main, mais profitaient de l'occasion pour donner en réalité un coup d'œil à la ronde. Elle leur avait préparé un plateau de thé et les avait laissés.

À présent, assise, le menton dans les mains, elle fixait le vide.

On frappa à la porte ouverte. Fausset passa la tête.

« Dites, mademoiselle Trottemenu…

— Hmm ?

— Dites, mademoiselle Trottemenu, y a un squelette de ch'val qui s'balade dans la grange ! Il mange du foin !

— Comment ça ?

— Et ça lui passe au travers !

— Ah bon ? On va le garder, alors. Au moins, il coûtera pas cher à nourrir. »

Fausset s'attardait en tripotant son chapeau dans ses mains.

« Z'allez bien, mademoiselle Trottemenu ? »

« Z'allez bien, monsieur Pounze ? »

Vindelle fixait le vide.

« Vindelle ? fit Raymond Soulier.

— Hmm ?

— L'archichancelier vous demande si vous voulez boire quelque chose.

— Il aimerait un verre d'eau déminéralisée, dit madame Cake.

— Quoi ? Rien que de l'eau ? s'étonna Ridculle.

— C'est c'qu'il veut, dit madame Cake.

— J'aimerais un verre d'eau déminéralisée, s'il vous plaît », répondit Vindelle.

Madame Cake affichait un air suffisant. Du moins, le peu qu'on voyait d'elle affichait un air suffisant, à savoir la partie comprise entre le chapeau et son sac à main, un sac du même acabit que le chapeau, si grand que lorsqu'elle était assise et qu'elle le tenait serré sur ses genoux, elle devait lever les mains pour en attraper les poignées.

Quand elle avait su qu'on invitait sa fille à l'Université, elle était venue aussi. Madame Cake présumait toujours qu'une invitation pour Ludmilla valait aussi pour sa mère. Des mères de ce genre, il en existe partout, et on ne peut rien y faire, semble-t-il.

Les mages recevaient les Nouveaux Partants, lesquels s'efforçaient de paraître y prendre plaisir. Il s'agissait d'une de ces mondanités délicates où se succèdent de longs silences, des toux sporadiques et de temps en temps des banalités du genre : « Ah, on est bien. »

« Pendant un moment, vous aviez l'air ailleurs, Vindelle, dit Ridculle.

— Je suis un peu fatigué, c'est tout, archichancelier.

— J'croyais que vous dormiez jamais, vous autres les zombis.

— Je suis pourtant fatigué, fit Vindelle.

— Vous êtes sûr de pas vouloir qu'on recommence l'enterrement et tout ? On pourrait faire ça comme il faut, cette fois.

— Non, mais merci tout de même. Je ne suis pas fait pour la vie de mort vivant, je crois. » Vindelle se tourna vers Raymond Soulier. « Je regrette. Je ne sais pas comment vous y arrivez. » Il fit un sourire d'excuse.

« Vous avez parfaitement le droit d'être vivant ou mort, c'est vous qui voyez, répliqua durement Raymond.

— D'après Un-homme-seau, les gens se remettent à mourir normalement, dit madame Cake. Alors, vous pourriez sûrement prendre rendez-vous. »

Vindelle regarda autour de lui.

« Elle est allée promener votre chien, dit madame Cake.

— Où est Ludmilla ? » demanda-t-il.

Vindelle eut un sourire gêné. Les prémonitions de madame Cake pouvaient devenir franchement lassantes.

« Je serais rassuré si je savais qu'on s'occupe de Lupin après mon… départ, quoi, fit-il. Dites, vous pourriez le prendre ?

— Ben…, hésita madame Cake.
— Mais c'est…, commença Raymond Soulier qui surprit alors l'expression de Vindelle.
— Je dois reconnaître que je me sentirais mieux avec un chien dans la maison, décida madame Cake. Je me fais tout le temps du souci pour Ludmilla. On voit tellement de gens bizarres.
— Mais votre fi…, tenta encore Raymond.
— La ferme, Raymond, le coupa Dorine.
— Alors, c'est réglé, fit Vindelle. Est-ce que vous avez des pantalons ?
— Quoi ?
— Des pantalons ? Chez vous ?
— Ben, il doit m'en rester qu'étaient à feu monsieur Cake, mais pourquoi…
— Excusez-moi, dit Vindelle. Je pensais à autre chose. La moitié du temps, je ne sais pas ce que je raconte.
— Ah, fit joyeusement Raymond. J'ai compris. Vous voulez dire… quand il… »
Dorine lui flanqua un méchant coup de coude.
« Oh, dit Raymond. Pardon. Faites pas attention. J'oublierais ma tête si elle n'était pas cousue sur mes épaules. »
Vindelle se renversa sur son siège et ferma les yeux. Il percevait de temps en temps les bribes de la conversation. Il entendit Arthur Clindieux demander à l'archichancelier qui avait réalisé sa décoration et où l'Université trouvait ses légumes. Il entendit l'économe se plaindre du coût de l'extermination de tous les jurons, lesquels avaient réussi, on ne sait comment, à survivre aux bouleversements récents et s'étaient installés dans les recoins sombres du toit. Il distinguait même, en tendant ses oreilles exercées, les cris de joie de Crapahut dans les caves au loin.
On n'avait pas besoin de lui. Enfin. Le monde n'avait pas besoin de Vindelle Pounze.
Il se leva sans bruit et tituba jusqu'à la porte.
« Je sors, dit-il. J'en ai peut-être pour un moment. »
Ridculle lui adressa un hochement de tête sans entrain et se concentra sur ce qu'Arthur lui disait au sujet de la

Grande Salle, comment on pouvait lui donner une tout autre allure avec du papier peint imitation bois.

Vindelle ferma la porte derrière lui et s'adossa au mur épais et frais.

Ah, oui. Il restait encore un détail.

« Vous êtes là, Un-homme-seau ?

— *comment vous savez ça ?*

— Vous n'êtes jamais bien loin.

— *hé-hé, vous avez fichu un sacré bazar, là ! vous savez ce qui va se passer à la prochaine pleine lune ?*

— Oui, je le sais. Et mon petit doigt me dit qu'ils le savent aussi.

— *mais il va se changer en homme-loup.*

— Oui. Et elle va se changer en femme-louve.

— *d'accord, mais quel genre de relation on peut entretenir une semaine par mois ?*

— On a peut-être autant de chance de connaître le bonheur que la plupart des gens. La vie n'est pas parfaite, Un-homme-seau.

— *à qui le dites-vous !*

— Maintenant, est-ce que je peux vous poser une question personnelle ? reprit Vindelle. Voilà, il faut que je sache…

— *huh.*

— Après tout, vous avez à nouveau le plan astral pour vous tout seul.

— *oh, d'accord.*

— Pourquoi on vous appelle Un…

— *c'est tout ? je croyais que vous auriez trouvé tout seul, un malin comme vous. dans ma tribu, c'est la tradition, on reçoit le nom de la première chose que voit la mère quand elle regarde hors du tipi après la naissance. c'est le diminutif de un-homme-jette-un-seau-d'eau-sur-deux-chiens.*

— Ça n'est pas de chance, commenta Vindelle.

— *moi, encore, ça va,* dit Un-homme-seau. *c'est mon frère jumeau le plus à plaindre. notre mère a regardé dehors dix secondes avant que j'arrive pour lui donner son nom à lui.* » Vindelle Pounze réfléchit.

« Ne me dites rien, que je devine, fit-il. Deux-chiens-se-battent ?

— *deux-chiens-se-battent ? deux-chiens-se-battent ?* fit Un-homme-seau. *hou-là, il aurait donné n'importe quoi pour qu'on l'appelle deux-chiens-se-battent.* »

Ce fut plus tard que l'histoire de Vindelle Pounze trouva son terme, si par « histoire » on entend l'ensemble de ce qu'il accomplit, motiva et mit en branle. Dans le village des montagnes du Bélier où se pratique la véritable danse Morris, par exemple, on croit qu'un individu n'est jamais définitivement mort tant que les ondes de ses actes n'ont pas disparu de la surface du monde – tant que l'horloge qu'il a remontée n'arrive pas en bout de ressort, tant que le vin qu'il a mis en fût n'a pas fini de fermenter, tant que les champs qu'il a ensemencés n'ont pas été moissonnés. La durée de vie d'un homme, dit-on là-bas, n'est que le trognon de son existence réelle.

Alors qu'il se rendait par la ville embrumée à un rendez-vous qu'il attendait depuis le jour de sa naissance, Vindelle se dit qu'il pouvait prédire cette fin ultime.

Ça se passerait dans quelques semaines, lorsque la lune serait à nouveau pleine. Une espèce de codicille ou d'addendum à la vie de Vindelle Pounze – né l'année du Triangle Significatif dans le siècle des Trois Sangsues (il avait toujours préféré l'ancien calendrier et ses noms tombés en désuétude à tous ces numérotages d'aujourd'hui, bien trop modernes) et décédé l'année du Serpent Imaginaire dans le siècle de la Roussette, plus ou moins.

Deux silhouettes couraient au clair de lune, sur la lande en altitude. Ni tout à fait loups, ni tout à fait humains. Avec un peu de chance, ils bénéficieraient du meilleur des deux mondes. Les sensations… et la conscience de les goûter.

Toujours mieux de bénéficier des deux mondes.

La Mort se tenait assis dans le fauteuil de son cabinet sombre, les mains en clocher devant la figure.

De temps en temps il faisait pivoter son siège de gauche puis de droite.

Albert lui apporta une tasse de thé et ressortit avec une discrétion toute diplomatique.

Il restait un seul sablier sur le bureau de la Mort. Il le regardait fixement.

Pivotis, pivotas. Pivotis, pivotas.

Dans le vestibule, la grande horloge tuait le temps de son tic-tac.

La Mort tambourina de ses doigts squelettiques sur le bois entaillé de son bureau. Devant lui, en tas, des signets improvisés coincés entre les pages, se trouvaient les vies de certains amants célèbres du Disque-Monde[1]. Leurs aventures passablement monotones ne lui avaient pas été d'un grand secours.

Il se leva et se rendit avec raideur à une fenêtre pour contempler son domaine sombre au dehors, sans cesser de fermer et de rouvrir les poings dans son dos.

Puis il attrapa le sablier et sortit à grands pas de son cabinet.

Bigadin attendait dans l'odeur forte et chaude de renfermé de l'étable. La Mort le sella rapidement, le conduisit dans la cour, puis s'éleva et s'éloigna dans la nuit vers le joyau étincelant du Disque-Monde au loin.

Il atterrit sans bruit dans la cour de ferme à la tombée du jour.

Il passa nonchalamment à travers un mur.

Il arriva au pied de l'escalier.

Il leva le sablier et contempla l'écoulement du temps.

Puis il marqua un temps. Il y avait une chose qu'il lui

1. Le plus enragé de tous reste le petit mais obstiné Casanabo le Nain, aux succès innombrables, et dont on mentionne le nom avec crainte et respect dans tous les rassemblements de propriétaires d'escabeaux.

fallait savoir. Pierre Porte s'était montré curieux de tout, et la Mort se rappelait les moindres détails de son expérience en tant que telle. Les sentiments, il les voyait exposés comme des papillons pris au piège, épinglés sur du liège, sous verre.

Pierre Porte était mort, du moins il avait terminé sa brève existence. Mais… quelle était l'expression, déjà ?… la vraie vie d'un individu n'est que le trognon de son existence réelle ? Pierre Porte était parti, mais il en restait des échos. On devait quelque chose à sa mémoire.

La Mort s'était toujours demandé pourquoi les gens déposaient des fleurs sur les tombes. Il trouvait ça absurde. Les défunts n'avaient plus à se soucier du parfum des roses, après tout. Mais aujourd'hui… Il sentait qu'il ne comprenait pas encore très bien, mais aussi qu'il y avait quand même quelque chose dans tout ça qu'il pourrait comprendre.

Dans l'obscurité tendue de rideaux du petit salon de mademoiselle Trottemenu, une ombre plus noire bougea et s'approcha des trois coffrets posés sur le buffet.

La Mort ouvrit un des deux petits. Il était plein de pièces d'or. On aurait dit que nul ne les avait jamais touchées. Il regarda dans l'autre. Plein d'or lui aussi.

Il s'était attendu à trouver plus intéressant chez mademoiselle Trottemenu, mais pas même Pierre Porte n'aurait pu dire quoi.

Il ouvrit le gros coffret.

Il vit d'abord une couche de papier fin. Puis, sous le papier, un tissu blanc et soyeux, une sorte de voile désormais jauni que les ans avaient rendu friable. Il le fixa de ses orbites vides, l'air de ne pas comprendre, et le mit de côté. Il découvrit ensuite des chaussures blanches. Guère pratiques pour le travail à la ferme, se dit-il. Pas étonnant qu'on les ait rangées dans un coin.

Encore du papier : un paquet de lettres attachées ensemble. Il le posa sur le voile. On ne gagnait jamais rien à mettre son nez dans ce que les humains se disaient les uns aux autres, le langage n'était là que pour masquer leurs pensées.

Puis, tout au fond, il tomba sur une boîte plus petite. Il la sortit, la tourna et la retourna dans ses mains. Après quoi il défit le loqueteau et souleva le couvercle.

Un mécanisme ronronna.

La mélodie n'était pas fameuse. La Mort avait entendu toutes les musiques jamais écrites, et la plupart valaient mieux que ça. Les notes sèches et nasillardes défilaient sur un petit rythme à trois temps.

Dans la boîte à musique, au-dessus des engrenages qui toupillaient activement, deux danseurs de bois s'agitaient par à-coups dans une parodie de valse.

La Mort les contempla jusqu'à ce que le mécanisme s'arrête. Il lut alors l'inscription.

Il s'agissait d'un cadeau.

À côté de lui, le sablier transvidait ses grains dans l'ampoule inférieure. Il l'ignora.

Il remonta le ressort détendu. Deux silhouettes qui traversaient le temps en valsant. Et quand la musique s'arrêtait, il suffisait de tourner la clé.

Le mécanisme arriva une fois de plus en bout de course ; la Mort resta un moment immobile dans le noir et le silence puis prit une décision.

Il ne restait que quelques secondes. Les secondes avaient beaucoup compté pour Pierre Porte, parce que sa réserve était limitée. Elles ne signifiaient rien pour la Mort qui n'avait jamais eu de réserve du tout.

Il sortit de la maison endormie, se remit en selle et s'en alla.

Le voyage dura un instant équivalant à trois cents millions d'années pour la lumière, mais la Mort se déplace dans un espace où le temps ne signifie rien. La lumière croit voyager plus vite que tout, mais elle se trompe. Elle aura beau foncer le plus vite possible, elle verra toujours que les ténèbres sont arrivées les premières et qu'elles l'attendent.

Il eut de la compagnie durant le trajet : des galaxies, des étoiles, des lambeaux de matière lumineuse défilaient et tournoyaient en spirales vers leur destination lointaine.

La Mort sur son cheval pâle se déplaçait au fil des ténèbres comme une bulle au fil d'une rivière.

Et toute rivière aboutit quelque part.

Puis, en dessous, une plaine. La distance n'avait ici pas plus de sens que le temps, mais on éprouvait un sentiment d'immensité. La plaine pouvait se trouver à un kilomètre comme à un million ; elle était creusée de longues vallées ou de ruisselets qui s'enfuyaient de chaque côté à perte de vue à mesure qu'il s'approchait.

Il se posa.

Il descendit de cheval et s'immobilisa dans le silence. Puis il mit un genou en terre.

Changer la perspective. Le paysage sillonné se perd dans des distances considérables, s'incurve sur les bords, devient l'extrémité d'un doigt.

Azraël leva son doigt vers un visage qui emplissait le ciel, éclairé par la faible lueur des galaxies agonisantes.

Il existe un milliard de Morts, mais toutes sont des projections de la seule et unique Mort : Azraël, le Grand Attracteur, la Mort des Univers, le commencement et la fin des temps.

La majeure partie de l'univers est composée de matière obscure, et seul Azraël sait de qui il s'agit.

Des yeux si vastes qu'une supernova éveillerait à peine un soupçon de lueur sur l'iris pivotèrent lentement et se fixèrent sur la toute petite silhouette posée sur les immenses plaines circonvolutées de son doigt. À côté d'Azraël, la grande Horloge qui flottait au centre de tout le réseau des dimensions égrenait son tic-tac. Des étoiles scintillaient dans les yeux de la Mort suprême.

La Mort du Disque-Monde se releva.

« SEIGNEUR, JE VOUS DEMANDE… »

Trois serviteurs de l'oubli naquirent silencieusement à côté de lui.

L'un dit : Ne l'écoutez pas. Il est accusé d'ingérence.

L'un dit : Et de morticide.

L'un dit : Et d'orgueil. Et de vivre avec intention de survivre.

L'un dit : Et de se ranger du côté du chaos contre le bon ordre.

Azraël haussa un sourcil.

Les serviteurs s'écartèrent de la Mort et attendirent.

« SEIGNEUR, NOUS SAVONS QU'IL N'Y A PAS DE BON ORDRE EN DEHORS DE CELUI QUE NOUS CRÉONS… »

L'expression d'Azraël ne changea pas.

« IL N'Y A PAS D'AUTRE ESPOIR QUE NOUS. IL N'Y A PAS D'AUTRE MISÉRICORDE QUE NOUS. IL N'Y A PAS DE JUSTICE. IL N'Y A QUE NOUS. »

Le visage sombre et morne emplissait le ciel.

« TOUT CE QUI EST EST À NOUS. MAIS NOUS DEVONS Y FAIRE ATTENTION. PARCE QUE SINON, NOUS N'EXISTONS PAS. SI NOUS N'EXISTONS PAS, ALORS IL N'Y A RIEN SINON L'OUBLI AVEUGLE.

» ET MÊME L'OUBLI DOIT FINIR UN JOUR. SEIGNEUR, M'ACCORDEREZ-VOUS UN PEU DE TEMPS ? POUR RÉTABLIR UN ÉQUILIBRE. POUR RENDRE CE QUI A ÉTÉ DONNÉ. POUR LE SALUT DES PRISONNIERS ET LE VOL DES OISEAUX. »

La Mort fit un pas en arrière.

Impossible de lire la moindre expression sur les traits d'Azraël.

La Mort jeta un coup d'œil en coin aux serviteurs.

« SEIGNEUR, QUE PEUT ESPÉRER LA MOISSON SINON LES ATTENTIONS DU FAUCHEUR ? »

Il attendit.

« SEIGNEUR ? » répéta la Mort.

Durant le temps qu'il mit pour répondre, plusieurs galaxies se déployèrent, tournoyèrent autour d'Azraël comme des serpentins, entrèrent en collision et disparurent.

Puis Azraël répondit :

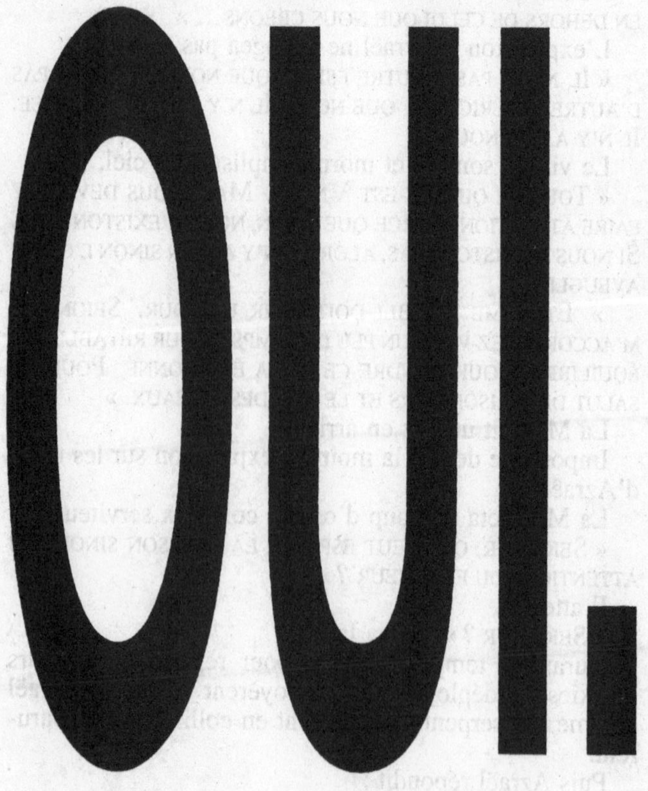
OUI.

Un autre doigt se tendit dans les ténèbres vers l'Horloge.

De faibles cris de rage fusèrent parmi les serviteurs, puis des cris de prise de conscience que suivirent trois flammes bleues fugitives.

Toutes les autres horloges, même celle dépourvue d'aiguilles de la Mort, ne sont que des reflets de l'Horloge. Des répliques exactes de l'Horloge ; elles donnent l'heure à l'univers, mais l'Horloge donne l'heure au temps. C'est le ressort moteur d'où découle l'ensemble du temps.

Et l'Horloge est ainsi conçue que la grande aiguille ne fait qu'une fois le tour du cadran.

La petite aiguille suit en ronronnant un chemin circulaire que même la lumière mettrait des jours à parcourir, éternellement pourchassée par les minutes, les heures, les jours, les mois, les années et les lustres. Mais l'aiguille de l'Univers ne fait qu'une fois le tour du cadran.

Du moins, jusqu'à ce que quelqu'un remonte l'Horloge.

Et la Mort ramena chez elle une poignée de temps.

La clochette d'une boutique tinta.

Druto Poteau, fleuriste, regarda par-dessus une gerbe de *polyenta floribunda madame Bouscule.* Quelqu'un se tenait debout parmi les vases de fleurs. Quelqu'un de vaguement indistinct ; à vrai dire, même après coup, Druto ne saurait jamais avec certitude qui s'était trouvé dans sa boutique ni ce que lui-même avait réellement dit.

Il s'avança d'un air cauteleux en se frottant les mains.

« Que puis-je fai…

— DES FLEURS. »

Druto hésita, mais un court instant seulement.

« Et ce serait… euh… pour…

— UNE DAME.

— Avez-vous une préf…

— DES LIS.

— Ah ? Vous êtes sûr que les lis…

— J'AIME LES LIS.

— Hum… C'est juste que le lis n'est pas très gai…

— J'AIME CE QUI N'EST PAS TRÈS G… »

La silhouette hésita.

« QU'EST-CE QUE VOUS ME CONSEILLEZ ? »

Druto embraya en douceur. « Les roses font toujours plaisir. Ou les orchidées. Beaucoup de messieurs me disent ces temps-ci que les dames apprécient davantage une seule orchidée qu'un bouquet de roses…

— DONNEZ-M'EN DES TAS.

— Des orchidées ou des roses, vous voulez dire ?

— LES DEUX. »

Les doigts de Druto se contorsionnèrent comme des anguilles dans la graisse.

« Je me demande… Vous serez peut-être intéressé par ces merveilleuses gerbes de *nevrosa gloriosa*…

— DES TAS.

— Et si le budget de monsieur le permet, puis-je suggérer un unique spécimen de cette très rare…

— OUI.

Et peut-être…

— OUI. TOUT. AVEC UN RUBAN. »

Lorsque la clochette eut salué le départ du client, Druto regarda les pièces dans sa main. Beaucoup étaient corrodées, toutes étaient étranges, une ou deux étaient en or.

« Hum, fit-il. Ça fera l'affaire… »

Il eut conscience d'un crépitement moelleux.

Dans toute la boutique autour de lui, il pleuvait des pétales.

« ET CEUX-LÀ ?

— Notre assortiment de luxe », répondit la dame du magasin de chocolats. Il s'agissait d'un établissement tellement chic qu'il ne vendait pas des bonbons mais de la confiserie – souvent sous forme de friandises enveloppées individuellement dans du papier doré tortillonné, qui creusaient des trous encore plus profonds dans le compte en banque que dans les dents.

Le grand client sombre saisit une boîte carrée d'une soixantaine de centimètres de côté. Le couvercle façon coussin de satin arborait l'image de deux chatons irrémédiablement bigles qui sortaient la tête d'une bottine.

« POURQUOI CETTE BOÎTE EST-ELLE REMBOURRÉE ? POUR QU'ON S'ASSEYE DESSUS ? À QUEL PARFUM EST-ELLE ? AU PARFUM CHAT ? ajouta-t-il d'un ton franchement menaçant, ou plutôt encore plus menaçant qu'avant.

— Hum, non. C'est notre assortiment "Suprême". »

Le client repoussa la boîte.

« NON. »

La commerçante fit des yeux le tour de la boutique puis ouvrit un tiroir sous le comptoir en baissant la voix pour prendre un murmure de conspirateur. « Évidemment, dit-elle, si c'est pour une grande occasion… »

Il s'agissait d'une boîte plutôt petite. Et toute noire, en dehors de l'appellation rédigée en petites lettres blanches ; on ne laisserait pas des chats, même en rubans roses, approcher à moins d'un kilomètre d'une boîte pareille. Pour livrer une pareille boîte de chocolats, des inconnus en noir sautent du haut de télésièges et descendent des immeubles en rappel. L'inconnu en noir examina l'inscription.

« *ENCHANTEMENTS NOIRS ?* lut-il. ÇA, ÇA ME PLAÎT.

— Pour les moments d'intimité », dit la dame.

Le client parut réfléchir à la pertinence du commentaire.

« OUI. ÇA DEVRAIT CONVENIR. »

La figure de la marchande s'épanouit en un large sourire.

« Je vous fais un paquet, alors ?

— OUI. AVEC UN RUBAN.

— Autre chose, monsieur ? »

Le client eut l'air de paniquer.

« Autre chose ? Il faut autre chose ? Il y a autre chose ? Qu'est-ce qu'il faut faire ?

— Je vous demande pardon, monsieur ?

— Un cadeau pour une dame. »

La commerçante se sentit partir à la dérive suite au brusque changement du cours de la conversation. Elle nagea vers un cliché solide.

« Eh bien, à ce qu'on dit, n'est-ce pas, les diamants sont les meilleurs amis d'une femme, non ? lança-t-elle joyeusement.

— Les diamants ? Oh. Les diamants. Ah bon ? »

Ils scintillaient comme des éclats de lumière stellaire sur un ciel de velours noir.

« Celui-ci, dit le joaillier, est une pierre particulièrement remarquable, vous ne trouvez pas ? Notez le feu, l'exceptionnelle...

— Est-ce qu'il est amical ? »

L'homme hésita. Il connaissait tout des carats, du brillant adamantin, de l'« eau », de la « taille » et du « feu », mais on ne lui avait encore jamais demandé d'estimer des gemmes en termes d'amabilité.

« Plutôt bien disposé ? hasarda-t-il.

— Non. »

Les doigts du joaillier se refermèrent sur un autre éclat de lumière glacée.

« Tenez, fit-il d'une voix qui avait retrouvé son assurance, celui-ci provient de la célèbre mine de Capendu. Puis-je attirer votre attention sur l'exquise...

Il sentit le regard pénétrant lui forer la nuque.

« Mais, je dois le reconnaître, il n'est pas réputé pour son amabilité », conclut-il maladroitement.

Le client ténébreux promena autour de la boutique un œil désapprobateur. Dans la pénombre, derrière des barreaux à l'épreuve des trolls, des gemmes luisaient comme des yeux de dragons au fond d'une caverne.

« ET CEUX-LÀ, ILS SONT AMICAUX ? demanda-t-il.

— Monsieur, je crois pouvoir affirmer, sans craindre le démenti, que notre politique d'achat ne repose jamais sur l'amabilité des pierres en question », dit le joaillier. Il avait une impression désagréable : quelque chose clochait et, quelque part au fond de son crâne, il savait ce qui clochait, mais son cerveau l'empêchait d'une façon ou d'une autre d'établir le lien décisif. Ce qui lui portait sur le système.

« OÙ SE TROUVE LE PLUS GROS DIAMANT DU MONDE ?

— Le plus gros ? Facile. C'est la Larme d'Offler, dans le sanctuaire secret du Temple Maudit Perdu aux Joyaux d'Offler le dieu crocodile, dans les mystérieuses Terres d'Howonda, et il fait huit cent cinquante carats. Et, monsieur, pour répondre à la question que vous allez me poser, je serais personnellement prêt à coucher avec lui. »

L'un des bons côtés du statut de prêtre dans le Temple Maudit Perdu aux Joyaux d'Offler le dieu crocodile, c'est qu'il fallait presque tous les après-midi rentrer tôt chez soi. Ceci parce que le temple était perdu. La plupart des fidèles n'en trouvaient jamais le chemin. Une chance pour eux.

Selon la tradition, deux prêtres seulement avaient accès au sanctuaire secret. À savoir, le grand prêtre et l'autre prêtre qui n'était pas grand. Ils se trouvaient là depuis des années, et ils occupaient le poste de grand prêtre à tour de rôle. C'était un boulot peu astreignant, vu que la majorité des fidèles en puissance se faisaient empaler, écraser, empoisonner ou découper par des traquenards avant même d'avoir dépassé le petit tronc surmonté du dessin amusant d'un thermomètre pour mesurer la progression des aumônes [1] à l'entrée de la sacristie.

Ils jouaient à monsieur l'oignon l'andouille sur le

1. Caisse pour la réfection du toit du Temple Perdu Maudit aux Joyaux ! Plus que six mille pièces d'or à réunir ! Faites des dons généreux, s'il vous plaît ! Merci !

grand autel, à l'ombre de la statue sertie de joyaux d'Offler lui-même, lorsqu'ils entendirent grincer au loin la porte principale.

Le grand prêtre ne leva pas la tête.

« Holà, fit-il. Encore un qui va se payer la grosse boule. »

Suivirent un choc sourd et un grincement de roulement. Puis un ultime fracas.

« Bon, dit le grand prêtre. C'est quoi, la mise, déjà ?

— Deux cailloux, répondit le prêtre inférieur.

— Ah oui. » Le grand prêtre étudia ses cartes. « D'accord, je couvre tes deux cail... »

Un faible bruit de pas leur parvint.

« Le type au fouet est allé jusqu'aux grandes piques pointues, la semaine dernière », fit le prêtre inférieur.

Suivit un borborygme façon chasse d'eau de très vieilles toilettes taries. Les pas s'arrêtèrent.

Le grand prêtre sourit tout seul. « Bon, fit-il. Je couvre tes deux cailloux et je relance de deux. »

Le prêtre inférieur abattit ses cartes. « Double oignon », annonça-t-il.

Le grand prêtre baissa un regard soupçonneux.

Le prêtre inférieur consulta un bout de papier. « Ça fait trois cent mille neuf cent soixante-quatre cailloux que tu me dois », dit-il.

Un bruit de pas leur parvint à nouveau. Les prêtres échangèrent un coup d'œil.

« Ça fait un bout de temps qu'on a pas eu de visiteur dans le passage aux fléchettes empoisonnées, dit le grand prêtre.

— Cinq cailloux qu'il s'en tire, fit le prêtre inférieur.

— Tenu. »

Ils entendirent le faible cliquetis de pointes de métal sur la pierre.

« C'est dommage de te piquer tes cailloux. » Un bruit de pas leur parvint une fois de plus.

« D'accord, mais il reste encore la... (un craquement, un bruit d'éclaboussures) fosse aux crocodiles. »

Le bruit de pas reprit.

« Personne a jamais passé le terrible gardien du portail... »

Les prêtres horrifiés se dévisagèrent. « Hé, fit celui qui n'était pas grand, tu ne crois pas que c'est...

— Ici ? Oh, allons. On est au beau milieu d'une bons dieux de jungle. » Le grand prêtre s'efforça de sourire. « Ça ne peut pas être... »

Les pas se rapprochèrent.

Les prêtres s'étreignirent, terrorisés.

« *Madame Cake !* »

Les portes explosèrent vers l'intérieur. Un vent ténébreux s'engouffra dans la salle, souffla les bougies et dispersa les cartes comme neige à pois.

Les prêtres entendirent le tintement d'un très gros diamant qu'on dégage de son logement.

« MERCI. »

Au bout d'un moment, lorsqu'ils eurent l'impression qu'il ne se produisait plus rien, le prêtre qui n'était pas grand finit par trouver un briquet à amadou et, après plusieurs essais, alluma une bougie.

Les deux hommes levèrent les yeux dans les ombres dansantes vers la statue où béait désormais un trou qui aurait dû contenir un très gros diamant.

Après quelques secondes, le grand prêtre soupira. « Bon, fit-il, regardons les choses en face : en dehors de nous, qui va être au courant ?

— Ouais. J'avais jamais vu ça sous cet angle. Hé, est-ce que je peux être grand prêtre demain ?

— C'est pas ton tour avant jeudi.

— Oh, allez... »

Le grand prêtre haussa les épaules et ôta son chapeau de grand prêtre. « C'est franchement déprimant, un truc pareil, dit-il en jetant un coup d'œil en l'air vers la statue détroussée. Y en a qui ne savent pas se tenir dans les édifices religieux. »

La Mort traversa le monde à toute allure pour atterrir une fois de plus dans la cour de ferme. Le soleil rasait l'horizon lorsqu'il frappa à la porte de la cuisine.

Mademoiselle Trottemenu l'ouvrit tout en s'essuyant les mains à son tablier. Elle adressa une grimace de myope au visiteur puis recula d'un pas.

« Pierre Porte ? Vous m'avez fait un choc…

— JE VOUS AI APPORTÉ DES FLEURS. »

Elle fixa les tiges fanées.

« ET AUSSI UN ASSORTIMENT DE CHOCOLATS, DU GENRE QU'AIMENT LES DAMES. »

Elle fixa la boîte noire.

« ET AUSSI UN DIAMANT QUI SERA VOTRE AMI. »

La pierre renvoya les derniers rayons du soleil couchant.

Mademoiselle Trottemenu retrouva enfin sa voix. « Pierre Porte, qu'est-ce que vous avez en tête ?

— JE VIENS POUR VOUS ENLEVER À TOUT ÇA.

— Ah bon ? Pour m'emmener où ? »

La Mort n'avait pas réfléchi si loin. « OÙ EST-CE QUE ÇA VOUS PLAIRAIT D'ALLER ?

— Je compte aller nulle part ce soir, sauf au bal », déclara mademoiselle Trottemenu d'un ton sans réplique.

La Mort n'avait pas prévu ça non plus. « C'EST QUOI, CE BAL ?

— Le bal de la moisson. Vous savez ? C'est la tradition. Quand on a rentré la moisson. C'est une sorte de fête, et comme une action de grâces.

— UNE ACTION DE GRÂCES À QUI ?

— Sais pas. À personne en particulier, m'est avis. Une action de grâces comme ça, j'imagine.

— J'AVAIS PRÉVU DE VOUS MONTRER DES MERVEILLES. DE BELLES VILLES. TOUT CE QUE VOUS VOULEZ.

— Tout ?

— OUI.

— Alors on va aller danser, Pierre Porte. J'y vais tous les ans sans faute. Ils comptent sur moi. Vous savez ce que c'est.

— OUI, MADEMOISELLE TROTTEMENU. »

Il tendit la main et prit celle de la vieille demoiselle.

« Quoi ? Vous voulez dire tout de suite ? fit-elle. J'suis pas prête…

— REGARDEZ. »

Elle baissa les yeux sur ce qu'elle portait soudain.

« C'est pas ma robe. Ça brille partout. »

La Mort soupira. Les grands amoureux de l'histoire n'avaient jamais rencontré mademoiselle Trottemenu. Casanabo aurait rendu son escabeau.

« CE SONT DES DIAMANTS. UNE RANÇON DE ROI EN DIAMANTS.

— Quel roi ?

— N'IMPORTE LEQUEL.

— Ça alors ! »

Bigadin suivait tranquillement au pas la route qui menait au village. Après l'infinité interminable, une simple route poussiéreuse, ça soulageait.

Assise en amazone derrière la Mort, mademoiselle Trottemenu explorait le contenu bruissant de la boîte d'Enchantements noirs. « Tenez, fit-elle, quelqu'un a déjà mangé toutes les truffes au rhum. » Un autre froissement de papier. « Et même celles de la couche du dessous. J'ai horreur de ça, qu'on entame la couche du dessous avant d'avoir complètement fini celle du dessus. Je sais que vous avez mis le nez dedans parce qu'il y a un petit descriptif dans le couvercle, et normalement, devrait y avoir des truffes au rhum. Pierre Porte ?

— PARDON, MADEMOISELLE TROTTEMENU.

— Le gros diamant est un peu lourd. Joli, remarquez, ajouta-t-elle de mauvaise grâce. Où est-ce que vous l'avez eu ?

— CHEZ DES GENS QUI CROYAIENT QUE C'ÉTAIT LA LARME D'UN DIEU.

— C'est vraiment la larme d'un dieu ?

— NON. LES DIEUX NE PLEURENT JAMAIS. C'EST DU

CARBONE ORDINAIRE QUI A SUBI UNE CHALEUR ET UNE PRESSION ÉNORMES, RIEN D'AUTRE.

— Dans tout boulet de charbon, il y a un diamant qui sommeille, c'est ça ?

— OUI, MADEMOISELLE TROTTEMENU. »

Pendant un moment, il n'y eut d'autre bruit que le clip-clop des sabots de Bigadin. Puis mademoiselle Trottemenu annonça malicieusement : « Je sais bien ce qui se passe, vous savez. J'ai vu le sable qui restait. Vous vous êtes dit : "C'est une brave petite vieille, je vais lui donner du bon temps pendant quelques heures, puis quand elle s'y attendra pas, j'y couperai l'herbe sous le pied", c'est ça ? »

La Mort ne répondit pas.

« C'est ça, hein ?

— JE NE PEUX RIEN VOUS CACHER, MADEMOISELLE TROTTEMENU.

— Huh. Je devrais être flattée, je suppose. Oui ? J'imagine que vous êtes très pris, que vous avez beaucoup de visites à faire.

— PLUS QUE VOUS NE POUVEZ IMAGINER, MADEMOISELLE TROTTEMENU.

— Dans ce cas, alors, autant que vous recommenciez à m'appeler Rénata. »

Il y avait un grand feu de joie dans le pré derrière le champ de tir à l'arc. La Mort voyait des silhouettes s'agiter devant. De temps en temps, un couinement torturé donnait à penser qu'on accordait un violon.

« Je viens toujours au bal de la moisson, dit mademoiselle Trottemenu sur le ton de la conversation. Pas pour danser, bien sûr. Je m'occupe surtout du manger, tout ça.

— POURQUOI ?

— Ben, faut bien que quelqu'un s'en occupe.

— JE VEUX DIRE : POURQUOI VOUS NE DANSEZ PAS ?

— Parce que j'suis vieille, voilà pourquoi.

— ON A L'ÂGE QU'ON SE DONNE.

— Huh ! Ah ouais ? Vraiment ? C'est le genre d'ânerie que les gens débitent tout le temps. Ça, ou encore : Ma parole, vous avez bonne mine. Ou alors : Le vieux chien remue encore de la queue. C'est dans les vieux pots qu'on fait la bonne soupe. Ce genre de choses. C'est de la bêtise. Comme si fallait se réjouir d'être vieux ! Comme si on avait à y gagner de prendre la chose avec philosophie ! Ma tête sait penser "jeune", mais mes genoux ont du mal à suivre. Comme mon dos. Et mes dents. Essayez donc de persuader mes genoux qu'ils ont l'âge qu'ils se donnent, vous m'en direz des nouvelles. Ou plutôt ils m'en diront des nouvelles.

— ÇA VAUDRAIT PEUT-ÊTRE LA PEINE D'ESSAYER. »

Davantage de silhouettes s'agitaient devant le feu. La Mort voyait des poteaux peints de rayures et tendus de banderoles.

« D'habitude, les gars ramènent deux portes de grange jusqu'ici et les clouent ensemble pour faire un parquet convenable, fit observer mademoiselle Trottemenu. Ensuite tout le monde se met à danser.

— DES DANSES FOLKLORIQUES ? fit la Mort d'un ton las.

— Non. On a sa fierté, tout d'même.

— PARDON.

— Hé, c'est Pierre Porte, non ? fit une silhouette qui sortit de l'obscurité.

— C'est ce bon vieux Pierre !

— Hé, Pierre ! »

La Mort passa en revue un cercle de figures sans malice.

« SALUT, LES AMIS.

— On a entendu dire que t'étais parti », fit Duc Fondelet. Il jeta un coup d'œil à mademoiselle Trottemenu que la Mort aidait à descendre de cheval. Sa voix hésita un peu tandis qu'il s'efforçait d'analyser la situation.

« Vous êtes drôlement… étincelante… ce soir, mademoiselle Trottemenu », termina-t-il galamment.

L'atmosphère sentait l'herbe chaude et humide. Un groupe de musiciens amateurs continuait de s'installer sous un auvent.

Des tables sur tréteaux croulaient sous des plats qu'on associe traditionnellement aux banquets : pâtés en croûte à l'air de fortifications militaires vernissées, jarres d'oignons démoniaques au vinaigre, pommes de terre en robe des champs baignant dans des océans cholestéroliques de beurre fondu. Certains anciens du pays s'étaient déjà installés sur les bancs mis à disposition et mastiquaient avec stoïcisme à défaut de dents, l'air décidés à rester là toute la nuit si nécessaire.

« Ça fait plaisir de voir les vieux s'amuser », dit mademoiselle Trottemenu.

La Mort regarda les convives. La plupart étaient moins âgés que mademoiselle Trottemenu.

Un gloussement fusa de l'obscurité odorante de l'autre côté du feu.

« Et aussi les jeunes, ajouta-t-elle d'un ton égal. On avait un dicton sur cette époque de l'année. Voyons voir… un truc du genre "Blé en moisson, noix dans la hotte/Levez jupons, tombez…" quelque chose. » Elle soupira. « Ce que le temps file, hein ?

— OUI.

— Vous savez, Pierre Porte, vous avez peut-être raison pour la pensée positive. Ce soir, je me sens beaucoup mieux.

— OUI ? »

Mademoiselle Trottemenu regarda le parquet d'un air méditatif. « J'étais une fameuse danseuse dans mon jeune temps. Je dansais encore que les autres tenaient plus debout. Je pouvais danser jusqu'à ce que la lune se couche. Jusqu'à ce que le soleil se lève. »

Elle se passa les mains derrière la tête et dénoua les rubans qui maintenaient en un chignon serré ses cheveux qu'elle fit tomber d'une secousse en une cascade blanche.

« Je suppose que vous dansez, monsieur Porte ?

— JE SUIS CONNU POUR ÇA, MADEMOISELLE TROTTEMENU. »

Sous l'auvent de l'orchestre, le premier violon adressa un hochement de tête à ses collègues, se cala le violon sous le menton et se mit à taper du pied sur les planches…

« Un ! Deux ! Et un deux trois quatre… »

Imaginez un paysage qu'un croissant de lune survole lentement de sa clarté orangée. Et, tout en bas, le cercle d'un feu de joie dans la nuit.

Les grands succès des bals défilèrent : contredanses et reels, dont les figures tournoyantes et intriquées, si les danseurs avaient porté des lampions, auraient tracé des arabesques topologiques inexplicables pour la physique classique, ces danses qui poussent des individus parfaitement sains d'esprit à lancer des cris comme « Dos-za-dos ! » et « Pro-menade ! » sans se sentir morts de honte pendant un bon moment.

Une fois les blessés évacués, les survivants attaquèrent polkas, mazurkas, branles ronds, branles carrés et autres branles à géométrie variable, puis ces danses où certains participants forment une arche pendant que d'autres passent dessous – entre parenthèses, des réminiscences populaires d'exécutions – ainsi que des danses en rond – réminiscences populaires probables d'épidémies de peste.

Deux silhouettes virevoltantes participèrent à chacune d'elles comme s'il ne devait pas y avoir de lendemain.

Le premier violon eut vaguement conscience, lorsqu'il s'arrêta pour reprendre son souffle, d'une silhouette tournoyante qui sortit en trombe de la mêlée dans un bruit de claquettes et d'une voix qui lui dit à l'oreille : « TU VAS CONTINUER, MOI, JE TE LE GARANTIS. »

Lorsqu'il faiblit une seconde fois, un diamant aussi gros que son poing atterrit à ses pieds sur le parquet. Une autre silhouette plus petite se détacha d'un pas léger de la foule de danseurs et lui glissa : « Guillaume Fausset, si toi et les autres vous continuez pas de jouer, je veillerai personnellement à t'empoisonner la vie. »

Puis elle réintégra la masse en transe.

Le violoneux baissa les yeux sur le diamant. Il aurait pu payer la rançon de cinq rois, n'importe lesquels au hasard. Il s'empressa de l'envoyer d'un coup de pied derrière lui.

« Ton coude a retrouvé des forces, hein ? fit le batteur avec un grand sourire.

— Tais-toi et joue ! »

Il se rendit compte qu'il lui venait sous les doigts des airs dont son cerveau n'avait jamais eu connaissance. Même chose pour le batteur et le sonneur de cornemuse. La musique leur arrivait à flots de quelque part. Ils ne la jouaient pas. C'étaient eux les instruments.

« C'EST LE MOMENT DE LANCER UNE NOUVELLE DANSE.

— Deuurrreumm-da-deum-deum », fredonna le violoneux ; la sueur lui dégoulinait du menton et il attaqua un air différent. Les danseurs tournèrent en rond, comme perdus, cherchant leurs pas. Mais un couple passa au milieu d'eux avec assurance, jambes fléchies à la façon des prédateurs, bras joints en avant comme le beaupré d'un galion pirate. Au bout du parquet, le couple fit demi-tour dans une convulsion de membres qui semblait défier l'anatomie classique, et reprit sa progression saccadée à travers la foule.

« Elle s'appelle comment, celle-là ?

— TANGO.

— On peut se retrouver en prison pour ça ?

— JE NE CROIS PAS.

— Étonnant. »

La musique changea.

« Celle-là, je la connais ! C'est la danse tauromachique de Quirm ! O-lé !

— AU LAIT ? »

Une pétarade ultrarapide de petits bruits secs et mats rythma soudain la musique.

« Qui c'est qui joue des maracas ? »

La Mort sourit.

« DES MARACAS ? JE N'AI PAS BESOIN... DE MARACAS. »

Puis vint le dénouement.

La lune n'était plus que l'ombre d'elle-même sur un horizon. Sur l'autre apparaissait déjà la lueur lointaine du jour en marche.

Les danseurs désertèrent le parquet.

L'énergie qui avait animé l'orchestre tout au long de

la nuit décrut lentement. Les musiciens se regardèrent les uns les autres. Fausset, le violoneux, jeta un coup d'œil par terre. Le diamant était toujours là.

Le batteur s'efforça de se masser les poignets afin d'y ramener un peu de vie.

Fausset posa un regard abattu sur les danseurs à bout de forces. « Bon, alors... », fit-il, et il leva une fois de plus son violon.

Mademoiselle Trottemenu et son cavalier écoutèrent depuis les lambeaux de brume qui se faufilaient autour du champ dans la lumière de l'aube.

La Mort reconnut le rythme lent et insistant. Il revit les figurines de bois qui tournoyaient au fil du temps jusqu'à ce que le ressort arrive en bout de course.

« ÇA, JE NE CONNAIS PAS.

— C'est la dernière valse.

— À MON AVIS, UNE CHOSE PAREILLE N'EXISTE PAS.

— Vous savez, dit mademoiselle Trottemenu, je m'suis demandé toute la soirée comment ça allait se passer. Comment vous alliez vous y prendre. Je veux dire, il faut bien mourir de quelque chose, non ? Je me suis dit que ce serait peut-être d'épuisement, mais je m'suis jamais sentie aussi bien. J'ai déjà vécu toute ma vie, et je suis même pas essoufflée. En fait, ça m'a drôlement requinquée, Pierre Porte. Et je... »

Elle n'alla pas plus loin.

« Je respire pas, c'est ça. » Ce n'était pas une question. Elle se mit une main devant la figure et souffla dessus.

« C'EST ÇA.

— Je vois. Je m'suis jamais autant amusée de toute ma vie... Ha ! Alors... Quand... ?

— VOUS VOUS RAPPELEZ, VOUS AVEZ DIT QU'EN ME VOYANT ÇA VOUS AVAIT FAIT UN CHOC ?

— Oui ?

— ALORS VOILÀ. »

Mademoiselle Trottemenu n'avait pas l'air de l'entendre. Elle tournait et retournait sa main d'avant en arrière, comme si elle ne l'avait encore jamais vue. « Je constate que vous avez opéré quelques modifications, Pierre Porte, dit-elle.

— NON. C'EST LA VIE QUI EN OPÈRE BEAUCOUP.

— Je veux dire que j'ai l'air plus jeune.

— C'EST BIEN CE QUE JE VOULAIS DIRE AUSSI. »

Il claqua des doigts. Bigadin cessa de brouter près de la haie pour s'approcher au petit trot.

« Vous savez, reprit mademoiselle Trottemenu, j'ai souvent pensé… J'ai souvent pensé que tout le monde porte… vous savez… son âge naturel. On voit des gamins de dix ans qui se conduisent comme s'ils en avaient trente-cinq. Certains naissent déjà adultes, même. Ce serait bien si je pouvais me dire que j'ai eu … (elle baissa la tête pour se regarder) oh, mettons dix-huit ans… toute ma vie. À l'intérieur. »

La Mort ne dit rien. Il l'aida à monter sur le cheval.

« Quand je vois ce que la vie fait aux gens, vous savez, vous avez pas l'air si terrible », dit-elle nerveusement.

La Mort fit claquer ses dents. Bigadin se mit au pas.

« Vous avez jamais connu la Vie, hein ?

— HONNÊTEMENT, JE DOIS DIRE QUE NON.

— Sans doute un grand machin blanc qui crépite. Comme un orage magnétique en pantalon, dit mademoiselle Trottemenu.

— JE NE CROIS PAS. »

Bigadin s'éleva dans le ciel du matin.

« En tout cas… mort à tous les tyrans, dit Mademoiselle Trottemenu.

— OUI.

— On va où ? »

Bigadin galopait, mais le paysage ne bougeait pas.

« Un bon cheval que vous avez là, fit mademoiselle Trottemenu d'une voix tremblotante.

— OUI.

— Mais qu'est-ce qu'il fait ?

— IL PREND DE LA VITESSE.

— Mais on va nulle part… »

Ils disparurent.

Ils réapparurent.

Dans un paysage de montagnes déchiquetées couvertes de neige et de glace verte. Non pas de vieilles montagnes, usées par le temps et les intempéries, généreuses en pentes douces pour amateurs de ski, mais de jeunes montagnes, boudeuses, adolescentes. Celles qui recèlent des ravins invisibles et des crevasses impitoyables. Une tyrolienne déplacée, et le bel écho du chevrier solitaire vire à la livraison express de cinquante tonnes de neige.

Le cheval atterrit sur une congère qui, logiquement, n'aurait pas dû pouvoir supporter son poids.

La Mort mit pied à terre et aida mademoiselle Trottemenu à descendre.

Ils marchèrent dans la neige jusqu'à une piste boueuse et gelée qui enserrait le flanc de la montagne.

« Pourquoi on est là ? demanda l'esprit de mademoiselle Trottemenu.

— JE NE ME POSE PAS DE QUESTIONS D'ORDRE COSMIQUE.

— Je veux dire ici, sur cette montagne. Dans ce lieu géographique, fit mademoiselle Trottemenu d'un ton patient.

— ÇA N'A RIEN À VOIR AVEC LA GÉOGRAPHIE.

— Avec quoi, alors ?

— AVEC L'HISTOIRE. »

Ils suivirent un tournant dans la piste. Ils tombèrent sur un poney qui mangeait un buisson, un ballot sur le dos. La piste se terminait dans une paroi de neige d'une pureté suspecte.

La Mort sortit un sablier des replis de sa robe.

« MAINTENANT », dit-il, puis il s'enfonça dans la neige.

Elle regarda un moment la paroi en se demandant si

elle pourrait en faire autant. Drôlement difficile de perdre l'habitude de la consistance.

Puis elle n'eut plus besoin de s'interroger.

Quelqu'un en sortit.

La Mort rajusta la bride de Bigadin et se mit en selle. Il marqua une pause, le temps d'observer les deux silhouettes près de l'avalanche. Elles avaient perdu de leur éclat à en devenir presque invisibles et leurs voix n'étaient plus qu'un souffle d'air.

« Tout ce qu'il a dit, c'est : "LÀ OÙ VOUS IREZ, CE SERA ENSEMBLE." J'ai demandé : "Où ça ?" Il m'a répondu qu'il savait pas. Qu'est-ce qui s'est passé ?

— Rufus… tu vas avoir du mal à le croire, mon amour…

— Et qui c'est, cet homme masqué ? »

Tous deux regardèrent alentour.

Il n'y avait personne.

Dans le village des montagnes du Bélier où l'on connaît le sens de la danse Morris, on ne la danse qu'une seule fois, à l'aube, le premier jour du printemps. Après quoi on ne la danse plus de tout l'été. Après tout, à quoi bon ? À quoi ça servirait ? Mais un certain jour, lorsque les nuits raccourcissent, les danseurs quittent leur travail plus tôt et sortent des greniers et des placards l'*autre* costume, le noir, et les *autres* clochettes. Puis ils se rendent par des chemins différents dans une vallée au milieu des arbres dénudés. Ils ne parlent pas. Il n'y a pas de musique. On aurait du mal à imaginer une musique de circonstance.

Les clochettes ne sonnent pas. Elles sont en octefer, un métal magique. Mais ce ne sont pas précisément des clochettes silencieuses. Le silence n'est que l'absence de bruit. Elles produisent le contraire du bruit, une espèce de silence au grain épais.

Et dans l'après-midi glacial, à l'heure où la lumière se retire du ciel, parmi les feuilles gelées et dans l'atmosphère humide, ils dansent l'*autre* danse Morris. Pour une question d'équilibre à maintenir.

Il faut danser les deux, disent-ils. Sinon, on n'en danse aucune.

Vindelle Pounze traversait d'un pas nonchalant le pont d'Airain. C'était l'heure, à Ankh-Morpork, où les adeptes de la nuit vont se coucher et où ceux du jour se réveillent. Pour une fois, on n'en voyait guère de l'une ou l'autre sorte.

Vindelle avait éprouvé le besoin de se rendre en ce lieu précis, cette nuit-ci, à cette heure-ci. Ce n'était pas exactement l'impression qu'il avait ressentie lorsqu'il avait su qu'il allait mourir. Plutôt celle que ressent une roue dentée dans une pendule : des rouages tournent, le ressort se détend, et on s'immobilise sur place…

Il s'arrêta et se pencha. L'eau sombre, du moins la boue très liquide, léchait les piliers de pierre. Il existait une vieille légende. Laquelle, déjà ? Quand on jetait une gerbe dans l'Ankh depuis le pont d'Airain, on était certain de revenir ? Ou était-ce quand on gerbait tout court dedans ? La première version, sûrement. D'ailleurs n'était-ce pas une pièce de monnaie plutôt qu'une gerbe ? Remarquez, la plupart des habitants, s'ils laissaient tomber une pièce dans le fleuve, s'arrangeraient effectivement pour revenir, ne serait-ce que pour récupérer leur bien.

Une silhouette émergea de la brume. Vindelle se tendit.

« B'jour, m'sieur Pounze. »

Vindelle se détendit.

« Oh. Sergent Côlon ? Je vous prenais pour quelqu'un d'autre.

— Rien qu'moi, Vot' Seigneurie, fit joyeusement l'homme du Guet de nuit. Toujours à veiller au grain, un vrai poulet.

— À ce que je vois, encore une nuit sans qu'on ait barboté le pont, sergent. Félicitations.

— On est jamais trop prudent, c'est ce que j'dis toujours.

— Je suis sûr qu'on peut dormir tranquilles dans les lits les uns des autres, quand on sait que personne ne risque de se sauver dans le courant de la nuit avec un pont de cinq mille tonnes », fit Vindelle.

Contrairement au nain Modo, le sergent connaissait le sens du mot persiflage. Il croyait que c'était un terme d'assaisonnement. Il adressa un sourire respectueux à Vindelle.

« Faut gamberger vite si on veut rester dans l'coup avec les criminels internationaux d'aujourd'hui, m'sieur Pounze, dit-il.

— Bravo. Euh… Vous n'auriez pas… euh… vu quelqu'un d'autre dans le coin, des fois ?

— Un calme de mort, cette nuit », répondit le sergent. Il se reprit et ajouta : « Sans vouloir vous offenser.

— Oh.

— J'vais y aller, alors, dit le sergent.

— Bien. Bien.

— Ça va, m'sieur Pounze ?

— Bien. Bien.

— Vous allez pas encore vous j'ter à l'eau ?

— Non.

— Sûr ?

— Oui.

— Ah. Bon. Bonne nuit, alors. » Il hésita. « Si ça continue, j'vais oublier ma tête, dit-il. Le type là-bas m'a demandé d'vous donner ça. » Il tendit une enveloppe pas très propre.

Vindelle fouilla la brume des yeux. « Quel type ?

— Le type là-b… Oh, l'est parti. Un grand type. Drôle d'allure. »

Vindelle déplia le bout de papier sur lequel était écrit : *OUuuuIiiiOuuIiiiOUUiii*.

« Ah, fit-il.

— Mauvaise nouvelle ? demanda le sergent.

— Ça dépend du point de vue, répondit Vindelle.

— Oh. D'accord. Bien. Bon… Bonne nuit, alors.

— Au revoir. »

Le sergent Côlon hésita un instant, puis il haussa les épaules et reprit sa déambulation.

Alors qu'il s'éloignait, l'ombre derrière lui s'anima et sourit.

« VINDELLE POUNZE ? »

Vindelle ne se retourna pas.

« Oui ? »

Du coin de l'œil, il vit deux bras osseux s'appuyer sur le parapet. Il entendit les bruits légers d'une silhouette qui s'efforçait de se mettre plus à l'aise, puis un silence reposant.

« Ah, fit Vindelle. Vous voulez qu'on y aille, j'imagine ?

— ÇA NE PRESSE PAS.

— Je vous croyais toujours à l'heure.

— DANS LE CAS PRÉSENT, QUELQUES MINUTES DE PLUS NE FERONT PAS UNE GROSSE DIFFÉRENCE. »

Vindelle hocha la tête. Ils restèrent ainsi côte à côte en silence, tandis que leur parvenait le grondement assourdi de la ville tout autour.

« Vous savez, fit Vindelle, la vie d'après est belle. Vous étiez où ?

— J'ÉTAIS OCCUPÉ. »

Vindelle n'écoutait pas vraiment. « J'ai rencontré des gens dont je ne soupçonnais même pas l'existence. J'ai fait toutes sortes de choses. J'ai vraiment découvert qui est Vindelle Pounze.

— QUI EST-CE, ALORS ?

— Vindelle Pounze.

— Ç'A DÛ VOUS FAIRE UN CHOC, J'IMAGINE.

— Ben, oui.

— TOUTES CES ANNÉES, ET VOUS NE VOUS DOUTIEZ DE RIEN. »

Vindelle Pounze, lui, savait exactement ce que voulait dire persiflage, et il savait aussi reconnaître le sarcasme.

« Pour vous, c'est facile à dire, marmonna-t-il.

— PEUT-ÊTRE. »

Vindelle regarda encore le fleuve en dessous.

« C'était bien, dit-il. Après tout ce temps. Servir à quelque chose, c'est important.

— OUI. MAIS POURQUOI ? »

Vindelle parut surpris.

« Je ne sais pas. Comment je saurais ? Parce qu'on est tous dans le même bain, je suppose. Parce qu'on n'abandonne pas les copains dans le pétrin. Parce qu'on est mort depuis longtemps. Parce que tout vaut mieux que rester seul. Parce que les hommes sont des hommes.

— ET SIX SOUS, C'EST SIX SOUS. MAIS LE BLÉ N'EST PAS QUE LE BLÉ.

— Ah bon ?

— NON. »

Vindelle Pounze s'adossa au parapet. La pierre était encore tiède de la chaleur de la journée.

À sa grande surprise, la Mort l'imita.

« PARCE QUE VOUS N'AVEZ RIEN D'AUTRE QUE VOUS, dit la Mort.

— Quoi ? Oh. Oui. Ça aussi. C'est un grand univers tout froid là-bas.

— VOUS N'EN REVIENDRIEZ PAS.

— Une seule vie, ce n'est pas assez.

— OH, JE NE SAIS PAS.

— Hmm ?

— VINDELLE POUNZE ?

— Oui ?

— C'*ÉTAIT* VOTRE VIE. »

Alors, avec un grand soulagement, un certain optimisme et le sentiment que dans l'ensemble tout aurait pu être pire, Vindelle Pounze mourut.

Quelque part dans la nuit, Raymond Soulier lança un coup d'oeil à droite et à gauche, dégaina furtivement un pinceau et un petit pot de peinture de sous sa veste puis écrivit sur un mur à portée de main : *Dans tout vivant il y a un mort qui sommeille…*

Puis tout fut terminé. Fin.

La Mort, debout à la fenêtre de son cabinet obscur, contemplait son jardin dehors. Rien ne bougeait dans son domaine silencieux. Des lis sombres fleurissaient près du bassin à truites où pêchaient de petits squelettes de gnomes en plâtre. Au loin se dressaient des montagnes.

C'était son monde à lui. Il n'apparaissait sur aucune carte.

Mais aujourd'hui, d'une certaine façon, il y manquait quelque chose.

La Mort choisit une faux au râtelier du grand vestibule. Il passa à grandes enjambées devant l'immense horloge sans aiguilles et sortit. Il traversa avec raideur le potager noir où Albert s'affairait sur les ruches puis escalada plus loin un petit monticule en bordure du jardin. Au-delà, jusqu'aux montagnes, s'étendait un terrain informe : un terrain solide, doté d'une certaine existence, mais qu'on n'avait pas jugé utile de définir davantage.

Jusqu'à ce jour, en tout cas.

Albert arriva derrière lui, quelques abeilles noires lui bourdonnant encore autour de la tête.

« Qu'est-ce que vous faites, maître ? demanda-t-il.

— JE ME SOUVIENS.

— Ah ?

— JE ME SOUVIENS QUAND TOUT ÇA, C'ÉTAIT DES ÉTOILES. »

Il voulait quoi, déjà ? Ah, oui.

Il claqua des doigts. Des champs apparurent qui épousaient les courbes molles du terrain.

« Blond doré, dit Albert. C'est joli. J'ai toujours trouvé qu'on pourrait mettre un peu plus de couleur dans l'coin. »

La Mort secoua la tête. Ce n'était pas encore ça. Puis il comprit de quoi il s'agissait. Les sabliers, la grande salle rugissante de vies en perdition, c'était efficace et nécessaire ; indispensable à l'ordre des choses. Mais…

Il claqua une fois encore des doigts et une brise se leva brusquement. Les champs de blé ondoyèrent, une à une les vagues se déployèrent au fil des pentes.

« ALBERT ?

— Oui, maître ?

— TU N'AS DONC RIEN À FAIRE ? UN PETIT BOULOT ?

— J'crois pas.

— AILLEURS QU'ICI, JE VEUX DIRE.

— Ah. Vous voulez rester seul, c'est ça.

— JE SUIS TOUJOURS SEUL. MAIS EN CE MOMENT, JE VEUX ÊTRE SEUL TOUT SEUL.

— Bon. J'vais aller… euh… faire quelques bricoles à la maison, alors, dit Albert.

— VOILÀ. »

La Mort, debout, enfin seul, regarda le blé danser dans le vent. Évidemment, ce n'était qu'une métaphore. Les gens étaient davantage que du blé. Ils traversaient en virevoltant de toutes petites vies bien remplies, mus littéralement par un mécanisme d'horlogerie, leurs journées entièrement dévolues, de la première à la dernière, au simple effort de vivre. Et toutes les vies faisaient exactement la même durée. Les très longues comme les très courtes. Du point de vue de l'éternité, en tout cas.

Quelque part, la voix ténue de Pierre Porte objecta :

« Du point de vue de l'intéressé, les plus longues sont préférables.

— COUIIII. »

La Mort baissa la tête.

Une petite silhouette se dressait à ses pieds.

Il baissa la main, ramassa le petit être et le leva à hauteur d'une orbite inquisitrice.

« JE SAVAIS QUE J'OUBLIAIS QUELQU'UN. »

La Mort aux Rats opina.

« COUIII ? »

La Mort fit non de la tête.

« NON, JE NE PEUX PAS TE GARDER ICI, dit-il. JE NE TIENS PAS UNE FRANCHISE OU JE NE SAIS QUOI, MOI.

— COUIII ?

— TU ES LE SEUL QUI RESTE ? »

La Mort aux Rats ouvrit une petite main squelettique. La minuscule Mort aux Puces se leva, l'air gênée mais de l'espoir dans les yeux.

« NON. CE N'EST PAS POSSIBLE. JE SUIS IMPLACABLE. JE SUIS LA MORT… SEUL. »

Il regarda la Mort aux Rats.

Il se rappela Azraël dans sa tour de solitude.

« SEUL… »

La Mort aux Rats le regarda à son tour.

« COUIII ? »

Imaginez une haute silhouette noire entourée de champs de blé…

« NON, TU NE PEUX PAS MONTER UN CHAT. A-T-ON JAMAIS ENTENDU PARLER DE LA MORT AUX RATS À CHEVAL SUR UN CHAT ? LA MORT AUX RATS DEVRAIT MONTER UNE ESPÈCE DE CHIEN. »

Imaginez d'autres champs, un immense réseau de champs qui s'étendent d'un bout à l'autre de l'horizon en douces ondulations…

« NE ME DEMANDE PAS À MOI, JE NE SAIS PAS. UN GENRE DE TERRIER, PEUT-ÊTRE. »

… de champs de blé, vivants, qui murmurent sous la brise…

« VOILÀ, ET LA MORT AUX PUCES PEUT MONTER DESSUS AUSSI. COMME ÇA TU FAIS D'UNE PIERRE DEUX COUPS. »

… qui attendent le mécanisme des saisons.

« MÉTAPHORIQUEMENT. »

Et comme à la fin de toute histoire, Azraël, au courant du secret, songea : JE ME SOUVIENS QUAND TOUT ÇA VA RECOMMENCER.

AINSI PREND FIN
« LE FAUCHEUR »
ONZIÈME LIVRE DES
ANNALES DU DISQUE-MONDE.

Imprimé en France par CPI
en mars 2016

POCKET - 12, avenue d'Italie - 75627 Paris Cedex 13

N° d'impression : 2021543
Dépôt légal : juin 2002
Suite du premier tirage : mars 2016
S21191/05